J.K. ROWLING

Harry Potter

e la Pietra Filosofale

Edizione a cura di Stefano Bartezzaghi

Traduzione di Marina Astrologo

SALANI EDITORE

Titolo dell'originale inglese
HARRY POTTER AND THE PHILOSOPHER'S STONE
Cura redazionale di Viola Cagninelli

ISBN 978-88-6256-168-6

Per essere informato sulle novità
del Gruppo editoriale Mauri Spagnol visita:
www.illibraio.it
www.infinitestorie.it

Prima edizione: maggio 1998
Quarantaquattresima ristampa: gennaio 2011
Prima edizione in brossura: ottobre 2005
Quarta ristampa: novembre 2010
Edizione tascabile: aprile 2011

Un ringraziamento particolare da Salani Editore a Laura Faggioli e Simone Regazzoni

NOTA ALLA NUOVA EDIZIONE

Quando parliamo della saga di Harry Potter – così come fra l'inizio degli anni Novanta e il 2007 J.K. Rowling l'ha concepita, incominciata e completata – ci riferiamo a un'esperienza letteraria ed editoriale unica.

Unica, non solo per il successo planetario riscosso dalle vicende della scuola di Hogwarts, o per la convergenza (rara anche quella) dei favori del pubblico e di quelli della critica. Unica anche per come è costruita.

Bisogna essersi soffermati sul testo con il microscopio per rendersi conto della precisione con cui l'autrice ha avuto in mente da subito l'unità dei sette volumi che compongono l'opera, sino alle minuzie. Saranno tanti, tantissimi, chissà quanti i piccoli lettori in tutto il mondo per i quali la lettura della saga di Harry Potter è stata la prima esperienza di quel brivido sorridente di piacere – aha! – senza il quale non si è davvero lettori. È il brivido che si prova quando all'improvviso si nota un dettaglio che si collega quasi segretamente a un altro dettaglio, di cui si è letto magari molte pagine prima. Aha! Una frase che nel primo volume quasi scappa dalla bocca di Ollivander, il venditore di bacchette magiche, sarà esattamente comprensibile, in tutte le sue conseguenze, solo proprio alla fine dell'ultimo volume. Ma chi può ricordarsene?

Nel tempo narrato dalla saga, i protagonisti di J.K. Rowling diventano grandi e si rivolgono, innanzitutto, ai loro stessi coetanei: ai lettori che alla pubblicazione del primo volume, nel 1997, avevano undici anni e hanno poi attraversato tutta la loro *teen age* in compagnia degli studenti di Hogwarts. Assieme a loro hanno avuto il primo contatto autonomo con il mondo degli adulti, le prime esperienze sentimentali, hanno subito i primi tradimenti di amicizia e le prime ingiustizie scolastiche; crescendo hanno visto gli adulti diventare, in prospettiva, meno grandi; hanno incominciato a capire i loro problemi, hanno potuto aiutarli – anche in modo decisivo – a risolverli, a volte hanno dovuto addirittura sostituirli.

Il primo volume della saga, *Harry Potter e la Pietra Filosofale*, è la storia di un ragazzino orfano e infelice che si riscatta dal mondo dei Babbani e scopre chi è veramente e a quale mondo alternativo e parallelo appartiene. Un libro per chi è appena uscito dall'infanzia e gode a seguire una vicenda variata, spiritosa, che fa un po' di paura e riscalda con la rappresentazione dell'amicizia. L'ultimo volume è una storia di morte, di terrore e orrore, di solitudine forse irrimediabile, di lotta (individuale, ostinata, incompresa, quasi senza speranze) contro la forza apparentemente invincibile dell'andare a rotoli del mondo.

Queste che ho elencato sinora sono tutte le cose da tenere presenti (meno una) per capire come mai l'editore italiano ha ritenuto necessario rivedere le traduzioni dei sette volumi. Aggiungo ora l'ultimo tassello, ed è questo: i volumi sono stati tradotti a mano a mano che uscivano, e a tambur battente.

Ora raduniamo tutti gli elementi che ho sinora sparso sul tavolo. Sette volumi usciti in dieci anni, molto diversi fra loro ma strettamente interrelati, sono come sette mega-capitoli di un mega-volume solo, che ora intitolerò convenzionalmente *Harry Potter*.

La traduzione di ogni libro, normalmente, va dalla prima parola all'ultima. La traduzione di *Harry Potter* non ha funzionato così. Non ha potuto: quando è stato tradotto il primo mega-capitolo, nessuno aveva letto il secondo mega-capitolo (anzi, nessuno lo aveva ancora scritto!). Soltanto al momento di affrontare il settimo, il traduttore ha conosciuto l'opera nella sua interezza. Nella pratica questo ha significato tradurre alla cieca e non avere la possibilità di scegliere con la necessaria ponderazione.

Un esempio. Nella traduzione di un libro per l'infanzia si

cerca di rendere i nomi propri evocativi quanto lo sono nell'originale. È il motivo per cui Mickey Mouse in italiano si chiama Topolino; in Harry Potter è il motivo per cui l'insospettabile Neville Longbottom (bambino cresciuto nella bambagia dalla nonna e apparentemente privo di un adeguato bagaglio nervoso e muscolare per sopravvivere alle peripezie della scuola di Hogwarts) in Italia ha preso il nome di Neville Paciock. Chi poteva sospettare l'evoluzione che il personaggio avrebbe avuto nei volumi successivi, giungendo al più puro eroismo? Il carattere dei personaggi del primo volume non era fissato per sempre. È come se Ciccio, l'assistente di Nonna Papera, finisse per vincere i cento metri piani alle Olimpiadi: il suo nome diventerebbe grottesco, no?

Il completamento della saga, una volta uscito il settimo volume, ha confermato alcune scelte di traduzione ma in altri casi ha suggerito di cercare alternative. L'editore ha così deciso di rivedere le traduzioni esistenti: anche profondamente, dove necessario, ma senza rifarle da capo. Il compito è stato affidato a me, in stretta collaborazione con l'editor Viola Cagninelli, e con l'appoggio di un comitato a cui hanno partecipato Marina Astrologo e Beatrice Masini, che hanno tradotto rispettivamente i primi due e gli altri cinque volumi; le due editor che hanno curato i sette volumi per Salani, Serena Daniele e Daniela Gamba; la curatrice del sito di Harry Potter, Maria De Toni; la presidente della Società Nazionale Harry Potter, Laura Faggioli; l'autore dello studio *Harry Potter e la filosofia*, Simone Regazzoni; il presidente di Salani, Luigi Spagnol e il direttore editoriale, Mariagrazia Mazzitelli.

Abbiamo incominciato a rileggere *Harry Potter* con il senno di poi, il senno di chi sa dove si annoderà, alla fine, ognuno dei fili che J.K. Rowling ha incominciato a tessere dalla prima pagina del primo volume. Subito, come nelle fiabe e nei labirinti, ci sono apparse tre vie. Ecco dalla prima (la via della traduzione già pubblicata, quella grazie alla quale il pubblico italiano ha conosciuto i personaggi e le loro vicende) venirci incontro il carismatico Albus Silente, che sulla seconda via – quella del testo originale, con tutto il rispetto che merita il testo originale – si chiama invece Albus Dumbledore. Rivedendo l'edizione italiana, va mantenuta la scelta già fatta, occorre ritornare al nome originale o percorrere una terza via e scegliere un nome del tutto nuovo? E per Severus Piton, che nell'originale si chiama Severus Snape? E per Minerva McGonagall, la cui almeno apparente severità voleva essere espressa, nell'edizione italiana, dal roccioso adattamento McGranitt?

Ci è parso subito chiaro che *a priori* nessuna delle tre strade era di per sé quella giusta. Prendiamo proprio il caso di Silente. Al momento di scegliere il cognome italiano, che era parso adeguato per un mago bizzarro ma anche solenne e capace di tenere in soggezione i suoi nemici, non si sapeva quello che J.K. Rowling avrebbe poi dichiarato: «Lo immaginavo come un mago benevolo, sempre in movimento, che mormora continuamente tra sé e sé»; *dumbledore*, in inglese, è il nome arcaico di *bumblebee*, il calabrone. Altro che 'Silente'! Eppure, la storia dimostrerà che proprio i silenzi di Albus hanno avuto un ruolo determinante, e anche negativo, nelle avventure di Harry Potter e nella lotta contro la Magia Oscura.

Toccava scegliere e abbiamo scelto, caso per caso. Ogni decisione è costata un buon numero di lambiccamenti, ragionamenti, consultazioni, approfondimenti; tormenti peraltro deliziosi, perché al mondo ci sono preoccupazioni peggiori a cui pensare nelle notti insonni.

La terza via è quella che abbiamo frequentato meno, come auspicavamo. Quelle poche volte, però, si è rivelata preziosa. L'abbiamo percorsa per uscire dalla situazione forse più preoccupante, che era quella delle quattro Case in cui si dividono gli studenti di Hogwarts. I loro nomi italiani seguivano solo in parte i corrispondenti inglesi: aggiungevano, per esempio, indicazioni di colore del tutto assenti nell'originale, cosa che poi si è rivelata in parte contraddittoria con i colori ufficiali di ogni Casa. Si vedrà qual è la soluzione che abbiamo trovato: ci ha convinto, perché non rivoluziona le abitudini del lettore italiano ma si sottrae all'obbligo assoluto di essere fedeli a uno schema (quello dei colori) che non ha particolari giustificazioni nel testo.

Altri campi in cui la conoscenza dell'intera opera ha richiesto di ritoccare la prima edizione sono stati il lessico 'tecnico' degli incantesimi inventato da J.K. Rowling; la tassonomia delle creature fantastiche (così i 'folletti' della prima edizione sono tornati a essere dei 'goblin', come nell'originale); certe usanze, come i nomi e i cognomi che incominciano con la stessa iniziale... Questioni di dettaglio, a cui però capita che J.K. Rowling dia all'improvviso un'importanza insospettata. Ci siamo infine imbattuti in quella fisiologica quantità di piccole cose che non andavano, fraintendimenti e incoerenze. Qualcosa ci sarà magari scappato, ma i problemi di cui ci siamo accorti li abbiamo risolti, per come siamo stati capaci.

A volte ci sembrava di inclinare da una parte e invece ci siamo poi sbilanciati dall'altra; ci aspettavamo di prendere una certa strada e ci abbiamo ripensato, imboccando quella opposta. Non abbiamo mai cambiato idea, invece, sui nostri obiettivi generali. Volevamo che la nuova edizione di *Harry Potter* fosse più vicina allo spirito dell'originale. Volevamo che anche nella sua forma si rivelasse (come è) indirizzata a un pubblico di non soli giovanissimi. Senza trascurare la voce dei lettori della prima ora, quella dei bambini, quella degli appassionati dei film, quella dei fan più affezionati, quella dei raffinati conoscitori di ogni sfumatura, quella dei lettori invece più desiderosi di evadere, noi volevamo ascoltare soprattutto le ragioni del testo. Così ci siamo sforzati di fare.

Nelle frasi precedenti, come nell'ultima, ho usato spesso il plurale. Non era uno di quei 'noi' che vuole dire 'io'. È un noi che comprende il Comitato e gli amici della casa editrice che mi hanno serbato l'onore di presiederlo. È un 'noi' che include prima fra tutti Viola Cagninelli, con cui lavorare è stato tanto piacevole quanto istruttivo. Al contrario di quanto dica il luogo comune, non è facile lavorare con la precisione e la freddezza necessarie su ciò che appassiona: alla precisione, alla freddezza e alla passione di Viola questa impresa deve molto, quasi tutto.

Comprendendo ora nel 'noi' anche 'voi' che state leggendo, ripeterei le parole dell'inno che Albus fa intonare all'intera scuola sulle soglie di ogni anno scolastico:

Hogwarts Hogwarts, Hoggy Warty Hogwarts,
insegnaci qualcosa per favore,
a noi, anziani, calvi e tutti storti,
a noi, ragazzi dai calzoni corti,
le nostre teste devono riempirsi
di cose interessanti da non dirsi,
per ora sono vuote e piene d'aria,
di mosche morte e roba secondaria,
insegna a noi che cosa va imparato,
ripeti ciò che abbiam dimenticato,
fa' del tuo meglio e noi faremo il resto,
finché il cervello non ci andrà in dissesto.

Stefano Bartezzaghi

Harry Potter

e la Pietra Filosofale

*A Jessica, che ama i racconti,
ad Anne, li ama anche lei,
e a Di, che ha sentito questo per prima*

CAPITOLO 1

IL BAMBINO CHE È SOPRAVVISSUTO

Il signore e la signora Dursley, di Privet Drive numero 4, erano orgogliosi di affermare di essere perfettamente normali, e grazie tante. Erano le ultime persone al mondo da cui aspettarsi cose strane o misteriose, perché sciocchezze del genere proprio non le approvavano.

Il signor Dursley era direttore di una ditta di nome Grunnings, che fabbricava trapani. Era un uomo corpulento, nerboruto, quasi senza collo e con un grosso paio di baffi. La signora Dursley era magra, bionda e con un collo quasi due volte più lungo del normale, il che le tornava assai utile, dato che passava gran parte del tempo ad allungarlo oltre la siepe del giardino per spiare i vicini. I Dursley avevano un figlioletto di nome Dudley e secondo loro non esisteva al mondo un bambino più bello. Possedevano tutto quel che si poteva desiderare, ma avevano anche un segreto, e il loro più grande timore era che qualcuno potesse scoprirlo. Non credevano di poter sopportare che qualcuno venisse a sapere dei Potter. La signora Potter era la sorella della signora Dursley, ma non si vedevano da anni. Anzi, la signora Dursley faceva addirittura finta di non avere sorelle, perché la signora Potter e quel buono a nulla del marito non avrebbero potuto essere più diversi da loro di così. I Dursley rabbrividivano al solo pensiero di quel che avrebbero detto i vicini se i Potter si fossero fatti vedere nei paraggi. Sapevano che i Potter avevano anche loro un figlio piccolo, ma non lo avevano mai vi-

15

sto. E questa era un'altra buona ragione per tenere i Potter a distanza: non volevano che Dudley avesse a che fare con un bambino di quel genere.

Quando i coniugi Dursley si svegliarono, la mattina di quel martedì grigio e nuvoloso in cui inizia la nostra storia, nel cielo coperto non c'era nulla che facesse presagire le cose strane e misteriose che di lì a poco sarebbero accadute in tutto il Paese. Il signor Dursley scelse canticchiando la cravatta più anonima del suo guardaroba e la signora Dursley continuò a chiacchierare ininterrottamente, mentre con grande sforzo costringeva sul seggiolone Dudley che urlava a squarciagola.

Nessuno notò il grosso gufo bruno che passò con un frullo d'ali davanti alla finestra.

Alle otto e mezzo il signor Dursley prese la sua valigetta ventiquattrore, sfiorò con le labbra la guancia della moglie e tentò di dare un bacio a Dudley, ma lo mancò perché, in quel momento, in preda a un furioso capriccio, il bambino stava scagliando i suoi cereali contro il muro. «Piccolo monello!» commentò ridendo il signor Dursley mentre usciva di casa. Salì in macchina e percorse in retromarcia il vialetto del numero 4.

Fu all'angolo della strada che notò le prime avvisaglie di qualcosa di strano: un gatto che leggeva una mappa. Per un attimo, il signor Dursley non si rese conto di quel che aveva visto; poi girò di scatto la testa e guardò di nuovo. In effetti c'era un gatto soriano all'angolo di Privet Drive, ma di mappe nemmeno l'ombra. Ma che diavolo aveva per la testa? La luce doveva avergli giocato qualche brutto tiro. Si stropicciò gli occhi e fissò il gatto, che gli ricambiò l'occhiata. Mentre l'auto girava l'angolo e percorreva un tratto di strada, il signor Dursley tenne d'occhio il gatto nello specchietto retrovisore. In quel momento il felino stava leggendo il cartello stradale che indicava Privet Drive. No, lo stava *guardando*; i gatti non sanno leggere le mappe e *neanche* i cartelli stradali. Il signor Dursley si riscosse da quei pensieri e allontanò il gatto dalla mente. Mentre si dirigeva in città, non pensò ad altro che al grosso ordine di trapani che sperava di ricevere quel giorno.

Ma una volta giunto alla periferia della città, avvenne qualcos'altro che gli fece dimenticare i trapani. Bloccato nel solito ingorgo del mattino, non poté fare a meno di notare che in giro c'erano un sacco di persone vestite in modo strano. Gente con indosso dei mantelli. Il signor Dursley non sopportava le persone che si vestivano in modo stravagante: bastava vedere come si conciavano certi giovani! Immaginò che si trattasse di qualche stupidissima nuova moda. Mentre tamburellava con le dita sul volante, lo sguardo gli cadde su un capannello di quegli strampalati, vicinissimo a lui. Si stavano bisbigliando qualcosa tutti eccitati. Il signor Dursley sentì montare la rabbia nel constatare che un paio di loro erano tutt'altro che giovani. Ma che roba! Quello lì doveva essere più anziano di lui e portava un mantello verde smeraldo! Che faccia tosta! Poi però pensò che potesse trattarsi di qualche sciocca trovata. Ma certo! Era gente che faceva una colletta per qualche motivo. Sì, doveva essere proprio così. Poi, il traffico riprese a scorrere e alcuni minuti più tardi il signor Dursley giunse al parcheggio della Grunnings con la mente di nuovo tutta presa dai trapani.

Nel suo ufficio, al nono piano, il signor Dursley sedeva sempre con la schiena rivolta alla finestra. Se così non fosse stato, quella mattina avrebbe avuto ancor più difficoltà a concentrarsi sui suoi trapani. *Lui* non vide i gufi volare a sciami in pieno giorno, ma la gente per strada sì. E li additavano, a bocca aperta, guardandoli passare a tutta velocità, uno dopo l'altro sopra le loro teste. La maggior parte di quelle persone non aveva mai visto un gufo neanche di notte. Cionondimeno, il signor Dursley ebbe il privilegio di una mattinata perfettamente normale, del tutto immune dai gufi. Uscì dai gangheri con cinque persone diverse. Fece molte telefonate importanti e qualche altro urlaccio. Fino all'ora di pranzo, il suo umore si mantenne ottimo. A quel punto decise che, per sgranchirsi le gambe, avrebbe attraversato la strada per andare a comprarsi una ciambella dal fornaio di fronte.

Aveva completamente dimenticato le persone con il mantello fino a che non ne superò un gruppetto proprio accanto al fornaio. Mentre passava, scoccò loro un'occhiata furente. Non sapeva perché, ma lo mettevano a disagio. Anche queste bisbigliavano tutte eccitate, ma di cassette per raccogliere le offerte non ne vide neanche una. Fu passando loro accanto di ritorno dal fornaio, con un'enorme ciambella in un sacchetto, che colse qualcosa di quello che stavano dicendo.

« I Potter, proprio così, è quel che ho sentito... »

« ...già, il figlio, Harry... »

Il signor Dursley si fermò di colpo. Fu invaso dalla paura. Si voltò a guardare il capannello come se volesse dire qualcosa, ma poi ci ripensò.

Attraversò la strada precipitosamente e raggiunse in tutta fretta il suo ufficio; intimò alla segretaria di non disturbarlo per nessuna ragione, afferrò il telefono, e aveva quasi finito di fare il numero di casa quando cambiò idea. Mise giù il ricevitore, si lisciò i baffi, pensando... no, era stato uno stupido. Potter non era poi un nome così insolito. Era certo che esistessero miriadi di persone che si chiamavano Potter e avevano un figlio di nome Harry. E poi, ora che ci pensava, non era neanche tanto sicuro che suo nipote si chiamasse *proprio* Harry. Del resto, non lo aveva neanche mai visto. Avrebbe potuto chiamarsi Harvey. O Harold. Non c'era ragione di impensierire la signora Dursley; se la prendeva tanto ogni volta che le si parlava della sorella! E non poteva darle torto: se l'avesse avuta *lui*, una sorella così... Tuttavia, quella gente avvolta nei mantelli...

Quel pomeriggio trovò molto più difficile concentrarsi sui suoi trapani e quando lasciò l'ufficio alle cinque in punto era ancora talmente assorto che, appena varcata la soglia del palazzo, andò a sbattere dritto dritto contro qualcuno.

« Scusi » bofonchiò, mentre il poveretto – un uomo anziano e mingherlino – inciampava e per poco non finiva lungo disteso.

Ci volle qualche secondo perché il signor Dursley si rendesse conto che l'uomo indossava un mantello viola. L'ometto però non sembrava per niente offeso dal fatto di essere stato quasi scaraventato a terra. Al contrario, un largo sorriso gli illuminò il volto e con una vocina stridula che destò l'attenzione dei passanti disse: « Non si scusi, mio caro signore, perché oggi non c'è niente che possa turbarmi! Si rallegri, perché Lei-Sa-Chi finalmente se n'è andato! Anche i Babbani come lei dovrebbero festeggiare questo felice, felicissimo giorno! »

A quel punto, il vecchietto abbracciò il signor Dursley cingendolo alla vita e poi si allontanò.

Il signor Dursley rimase lì impalato. Era stato abbracciato da un perfetto sconosciuto. Poi pensò che quel tale lo aveva chiamato 'Babbano', qualsiasi cosa volesse dire. Era esterrefatto. Si affrettò a raggiungere la macchina e partì alla volta di casa, sperando di aver lavorato di fantasia, cosa che non aveva mai sperato prima perché non approvava le fantasie.

Non appena ebbe imboccato il vialetto del numero 4 di Privet Drive, la prima cosa che scorse – e che certo non contribuì a migliorare il suo umore – fu il gatto soriano che aveva visto la mattina. Seduto sul muro di cinta del giardino. Era assolutamente certo che fosse lo stesso: i segni intorno agli occhi erano identici.

« Sciò! » gli gridò il signor Dursley.

Il gatto non si mosse. Si limitò a fissarlo con sguardo severo. Il signor Dursley si chiese se normalmente i gatti si comportassero così. Cercando di riprendersi, entrò in casa. Era ancora deciso a non dire niente alla moglie.

La signora Dursley aveva passato una buona giornata, in tutto e per tutto normale. A cena, gli raccontò per filo e per segno i guai che la signora Della-Porta-Accanto aveva con la figlia, e poi che Dudley aveva imparato una nuova frase: « Non *volio*! » Il signor Dursley cercò di comportarsi normalmente. Una volta messo a letto Dudley, se ne andò nel soggiorno appena in tempo per sentire l'ultimo telegiornale.

« E infine, da tutte le postazioni gli avvistatori di uccelli riferiscono che oggi, sull'intero territorio nazionale, i gufi hanno manifestato un comportamento molto insolito. Sebbene normalmente escano di notte a caccia di prede e ben di rado vengano avvistati di giorno, fin dall'alba sono stati segnalati centinaia di gufi che volavano in tutte le direzioni. Gli esperti non sanno spiegare perché, tutt'a un tratto, i gufi abbiano modificato il loro ritmo sonno/veglia ». Lo speaker si lasciò scappare una risatina. « Molto misterioso. E ora, la parola a Jim McGuffin per le previsioni del tempo. Si prevedono altri scrosci di gufi, stanotte, Jim? »

« Francamente, Ted » rispose il meteorologo, « su questo non so dirti niente, ma quest'oggi non sono stati soltanto i gufi a comportarsi in modo strano. Gli osservatori di località distanti fra loro come il Kent, lo Yorkshire e Dundee mi hanno telefonato per informarmi che, al posto della pioggia che avevo promesso ieri, hanno avuto un diluvio di stelle cadenti. Chissà? Forse si è festeggiata in anticipo la Notte dei falò. Ma, gente, la Notte dei falò è soltanto tra una settimana! Comunque, posso assicurare che stanotte pioverà ».

Il signor Dursley rimase seduto in poltrona, come paralizzato. Stelle cadenti in tutta la Gran Bretagna? Gufi che volano di giorno? Gente misteriosa che si aggira dappertutto avvolta in mantelli? E quelle voci, quei bisbigli sui Potter...

La signora Dursley entrò in soggiorno portando due tazze di tè. Non c'era niente da fare: doveva dirle qualcosa. Si schiarì nervosamente la voce. « Ehm, Petunia, mia cara... non è che per caso hai sentito tua sorella, ultimamente? »

Come aveva previsto, la signora Dursley assunse un'aria esterrefatta e adirata. In fin dei conti, erano abituati a far finta che non avesse una sorella.

« No » rispose seccamente. « Perché? »

« Mah, non so... al telegiornale hanno detto cose strane » bofonchiò il signor Dursley. « Gufi... stelle cadenti... e oggi, in città, un sacco di gente strampalata... »

« *E allora?* » sbottò la signora Dursley.

« Niente, pensavo soltanto... forse... qualcosa che avesse a che fare con... hai capito, no?... con lei e i suoi ».

La signora Dursley sorseggiò il tè a labbra strette. Il signor Dursley si chiedeva intanto se avrebbe mai osato dirle di aver sentito pronunciare il nome 'Potter'. Decise che non avrebbe osato. E invece, con il tono più naturale che gli riuscì di trovare, disse: « Il figlio... dovrebbe avere la stessa età di Dudley, giusto? »

« Credo di sì » rispose la signora Dursley, rigida come un manico di scopa.

« E com'è che si chiama? Howard, no? »

« Harry! Che poi è un nome terribilmente ordinario, se proprio lo vuoi sapere ».

« Eh già » disse il signor Dursley con un tuffo al cuore. « Sono proprio d'accordo ».

Salirono in camera per andare a dormire senza più dire una parola sull'argomento. Mentre la moglie era in bagno, il signor Dursley si avvicinò guardingo alla finestra della camera da letto e sbirciò fuori, nel giardino. Il gatto era ancora lì. Stava scrutando Privet Drive, come se aspettasse qualcosa.

La sua fantasia galoppava troppo? Tutto questo poteva avere qualcosa a che fare con i Potter? Se sì... cioè, se veniva fuori che loro erano parenti di una coppia di... be', non credeva proprio di poterlo sopportare.

Si misero a letto. Lei si addormentò subito, ma lui rimase lì steso, con gli occhi sbarrati, a rimuginare. L'ultimo, confortante pensiero prima di addormentarsi fu che, se anche i Potter avevano veramente qualcosa a che vedere con quella faccenda, non era affatto detto che dovessero farsi vivi con lui e sua moglie. I Potter sapevano molto bene quel che lui e Petunia pensavano di loro e di quelli della loro risma... Non vedeva proprio come potessero venire coinvolti, di qualsiasi cosa si trattasse – e qui sbadigliò e si girò dall'altra parte – la cosa non poteva *riguardarli...*

Ma si sbagliava di grosso.

Se il signor Dursley era scivolato in un sonno agitato, il gatto, seduto sul muretto di fuori, non dava alcun segno di aver sonno. Sedeva immobile come una statua, con gli occhi fissi e senza batter ciglio, all'angolo opposto di Privet Drive. E non ebbe il minimo soprassalto neanche quando, nella strada accanto, la portiera di una macchina sbatté forte, né quando due gufi gli sfrecciarono sopra la testa. Dovette farsi quasi mezzanotte prima che il gatto facesse il minimo movimento.

Un uomo apparve all'angolo della strada che il gatto stava tenendo d'occhio; ma apparve così all'improvviso e silenziosamente che si sarebbe detto fosse spuntato direttamente dal terreno. La coda del gatto ebbe un guizzo e gli occhi divennero due fessure.

In Privet Drive non s'era mai visto niente di simile. Era alto, magro e molto vecchio, a giudicare dall'argento dei capelli e della barba, talmente lunghi che li teneva infilati nella cintura. Indossava una tunica, un mantello color porpora che strusciava per terra e stivali con i tacchi alti e le fibbie. Dietro gli occhiali a mezzaluna aveva occhi azzurro chiaro, luminosi e scintillanti, e il naso era molto lungo e ricurvo, come se l'avesse rotto almeno un paio di volte. L'uomo si chiamava Albus Silente.

Albus Silente non sembrava rendersi conto di essere appena arrivato in una strada dove tutto, dal suo nome ai suoi stivali, risultava sgradito. Si dava un gran da fare a rovistare sotto il mantello, in cerca di qualcosa. Sembrò invece rendersi conto di essere osservato, perché all'improvviso guardò il gatto, che lo stava ancora fissando dall'estremità opposta della strada. Per qualche ignota ragione, la vista del gatto sembrò divertirlo. Ridacchiò tra sé borbottando: « Avrei dovuto immaginarlo ».

Aveva trovato quel che stava cercando nella tasca interna del mantello. Sembrava un accendino d'argento. Aprì il cappuccio, lo sollevò in aria e lo fece scattare. Il lampione più vicino si fulminò con un piccolo schiocco. L'uomo lo fece scattare di nuovo, e questa volta si fulminò il lampione appresso. Dodici volte fece funzionare quel suo 'spegnino', fino a che l'unica illuminazione rimasta in tutta la strada furono due capocchie di spillo in lontananza: gli occhi del gatto che lo fissavano. Se in quel momento qualcuno – perfino quell'occhio di lince del signor Dursley – avesse guardato fuori dalla finestra, non sarebbe riuscito a vedere niente di quel che stava accadendo in strada. Silente ripose nuovamente il suo spegnino nella tasca del mantello e si incamminò verso il numero 4 di Privet Drive, dove si mise a sedere sul muretto, accanto al gatto. Non lo guardò, ma dopo un attimo gli rivolse la parola.

« Che combinazione! Anche lei qui, professoressa McGonagall? »

Si voltò con un sorriso verso il soriano, ma questo era scomparso. Al suo posto, davanti a lui, c'era una donna dall'aspetto piuttosto severo, che portava un paio di occhiali squadrati di forma identica ai segni che il gatto aveva intorno agli occhi. Anche lei indossava un mantello, ma color smeraldo. I capelli neri erano raccolti in uno chignon. Aveva l'aria decisamente scombussolata.

« Come faceva a sapere che ero io? » chiese.

« Perché, mia cara professoressa, non ho mai visto un gatto seduto in una posa così rigida ».

« Anche lei sarebbe rigido se fosse rimasto seduto tutto il giorno su un muretto di mattoni » lo rimbeccò la professoressa McGonagall.

« Tutto il giorno? Quando invece avrebbe potuto festeggiare? Venendo qui mi sono imbattuto in una decina e più di feste e banchetti ».

La professoressa McGonagall tirò su sdegnosamente col naso.

« Eh già, stanno proprio tutti festeggiando » disse con tono impaziente. « Ci si sarebbe potuti aspettare che fossero un po' più prudenti, macché... anche i Babbani hanno notato che sta succedendo qualcosa. Lo hanno detto ai loro telegiornali ». E così dicendo si voltò verso la finestra buia del soggiorno dei Dursley. « L'ho sentito personalmente. Stormi di gufi... stelle

23

cadenti... Be', non sono mica del tutto stupidi. Prima o poi dovevano notare qualcosa. Stelle cadenti nel Kent... Ci scommetto che è stato Dedalus Diggle. È sempre stato un po' svitato».

«Non gli si può dar torto» disse Silente con dolcezza. «Per undici anni abbiamo avuto ben poco da festeggiare».

«Lo so, lo so» disse la professoressa McGonagall in tono irritato. «Ma non è una buona ragione per perdere la testa. Stanno commettendo una vera imprudenza a girare per la strada in pieno giorno, senza neanche vestirsi da Babbani, scambiandosi indiscrezioni».

A quel punto, lanciò a Silente un'occhiata obliqua e penetrante, sperando che lui dicesse qualcosa; ma non fu così. Allora continuò: «Sarebbe un bel guaio se, proprio il giorno in cui sembra che Lei-Sa-Chi sia finalmente scomparso, i Babbani dovessero venire a sapere di noi. Ma siamo proprio sicuri che se ne sia andato, Silente?»

«Sembra proprio di sì» rispose questi. «Dobbiamo essere molto grati. Le andrebbe una Frizlemon?»

«Una *che*?»

«Una Frizlemon. È una caramella dei Babbani: io ne vado matto».

«No grazie» rispose freddamente la professoressa McGonagall, come a voler dire che non era il momento adatto per le caramelle. «Come dicevo, anche se Lei-Sa-Chi se ne è *veramente* andato... »

«Mia cara professoressa, una persona di buonsenso come lei potrebbe decidersi a chiamarlo anche per nome! Tutte queste allusioni a 'Lei-Sa-Chi' sono una vera stupidaggine... Sono undici anni che cerco di convincere la gente a chiamarlo col suo vero nome: *Voldemort*». La professoressa McGonagall trasalì, ma Silente, che era impegnato a separare due caramelle che si erano incollate, sembrò non farvi caso. «Crea tanta di quella confusione continuare a dire 'Lei-Sa-Chi'. Non ho mai capito per quale ragione si debba avere tanta paura di pronunciare il nome di Voldemort».

« Io lo so bene » disse la professoressa McGonagall, in tono a metà fra l'esasperato e l'ammirato. « Ma per lei è diverso. Lo sanno tutti che lei è il solo di cui Lei-Sa... oh, d'accordo: *Voldemort*... aveva paura ».

« Lei mi lusinga » disse Silente con calma. « Voldemort aveva poteri che io non avrò mai ».

« Soltanto perché lei è troppo... troppo *nobile* per usarli ».

« Meno male che è buio. Non arrossivo così da quella volta che Madame Pomfrey mi disse quanto le piacevano i miei nuovi paraorecchi ».

La professoressa McGonagall scoccò a Silente un'occhiata penetrante, poi disse: « I gufi sono niente in confronto alle *voci* che sono state messe in giro. Sa che cosa dicono tutti? Sul perché è scomparso? Su quel che l'ha fermato una buona volta? »

Sembrava che la professoressa McGonagall fosse giunta al punto che più le premeva discutere, la vera ragione per cui era rimasta in attesa tutto il giorno su quel muretto freddo e duro, perché mai – né da gatto né da donna – aveva fissato Silente con uno sguardo così intenso. Era chiaro che qualsiasi cosa 'tutti' mormorassero, lei non ci avrebbe creduto sin quando Silente non le avesse detto che era vero. Ma lui era occupato a scegliere un'altra Frizlemon e non rispose.

« Quel che *vanno dicendo* » incalzò lei, « è che la notte scorsa Voldemort è spuntato fuori a Godric's Hollow. È andato a trovare i Potter. Corre voce che Lily e James Potter siano... siano... insomma, siano *morti* ».

Silente annuì silenziosamente. La professoressa McGonagall ebbe un sussulto.

« Lily e James... Non posso crederci... Non volevo crederci... Oh, Albus... »

Silente allungò la mano e le diede un colpetto sulla spalla. « Lo so... lo so... » disse gravemente.

La McGonagall proseguì con voce tremante: « E non è tutto. Dicono che ha anche cercato di uccidere il figlio dei Potter, Harry. Ma che... non c'è riuscito. Quel piccino, non è riuscito a ucciderlo. Nessuno sa né come né perché, ma dicono che quando Voldemort non ce l'ha fatta a uccidere Harry Potter, in qualche modo il suo potere è venuto meno... ed è per questo che se n'è andato».

Silente annuì triste.

«È... è *vero*?» balbettò la professoressa McGonagall. «Dopo tutto quel che ha fatto... dopo tutti quelli che ha ammazzato... non è riuscito a uccidere un bambino indifeso? È strabiliante... di tutte le cose che avrebbero potuto fermarlo... Ma in nome del cielo, come ha fatto Harry a sopravvivere?»

«Possiamo solo fare congetture» disse Silente. «Forse non lo sapremo mai».

La professoressa McGonagall tirò fuori un fazzoletto di trina e si asciugò le lacrime dietro gli occhiali. Con un profondo sospiro, Silente estrasse dalla tasca un orologio d'oro e lo esaminò. Era un orologio molto strano. Aveva dodici lancette, ma al posto dei numeri c'erano alcuni piccoli pianeti che si muovevano lungo il bordo del quadrante. Di certo Silente lo sapeva leggere, perché lo ripose di nuovo nella tasca e disse: «Hagrid è in ritardo. A proposito, suppongo sia stato lui a dirle che sarei venuto qui».

«Sì» rispose la McGonagall, «anche se non credo che lei mi dirà *perché mai*, di tanti posti, abbia scelto proprio questo».

«Sono venuto a portare Harry dai suoi zii. Sono gli unici parenti che gli rimangono».

«Non vorrà mica dire... Non saranno mica quei due che abitano *lì*!» esclamò la McGonagall balzando in piedi e indicando il numero 4. «Silente... non può farlo! È tutto il giorno che li osservo. Non avrebbe potuto trovare persone più diverse da noi. E poi quel bambino che hanno... l'ho visto prendere a calci sua madre per tutta la strada, urlando che voleva le caramelle! Harry Potter... venire ad abitare qui?»

«È il posto migliore per lui» disse Silente con fermezza. «La zia e lo zio potranno spiegargli tutto quando sarà più grande. Ho scritto loro una lettera».

« Una lettera? » gli fece eco la McGonagall con un filo di voce, tornando a sedersi sul muretto. « Ma davvero, Silente, crede di poter spiegare tutto questo per lettera? Questa gente non capirà mai Harry. Lui diventerà famoso... leggendario! Non mi stupirebbe se in futuro la giornata di oggi venisse designata come l'Harry Potter Day. Si scriveranno volumi su di lui, tutti i bambini del nostro mondo conosceranno il suo nome! »

« Proprio così » disse Silente fissandola tutto serio da sopra gli occhiali a mezzaluna. « Ce ne sarebbe abbastanza per far girare la testa a qualsiasi ragazzo. Famoso prima ancora di camminare e di parlare! Famoso per qualcosa di cui non avrà conservato neanche il ricordo! Non riesce a capire quanto starà meglio, se crescerà lontano da tutto questo fino al giorno in cui sarà pronto per reggerlo? »

La professoressa McGonagall aprì bocca per rispondere, poi cambiò idea, deglutì e disse: « Sì... sì, lei ha ragione, naturalmente. Ma in che modo arriverà qui il bambino? »

D'un tratto guardò il mantello di Silente come se pensasse che Harry potesse essere nascosto lì sotto.

« Lo porterà Hagrid ».

« E a lei pare... *saggio*... affidare a Hagrid un compito tanto importante? »

« Affiderei a Hagrid la mia stessa vita » disse Silente.

« Non dico che non abbia cuore » dovette ammettere la McGonagall, « ma non può negare che sia uno sventato. Tende a... Ma cosa è stato? »

Il silenzio che li circondava era stato lacerato da un rombo cupo. Mentre Silente e la McGonagall percorrevano con lo sguardo la strada per vedere se si avvicinassero dei fari, il rumore si fece sempre più forte, fino a diventare un boato. Entrambi levarono lo sguardo al cielo e dall'aria piovve una gigantesca motocicletta che atterrò sull'asfalto proprio davanti a loro.

Pur colossale com'era, la moto sembrava niente a confronto con l'uomo che la inforcava. Era alto circa due volte un uomo normale e almeno cinque volte più grosso. Sembrava semplicemente troppo per essere vero, e aveva un aspetto terribilmente *selvaggio*: lunghe ciocche di ispidi capelli neri e una folta barba gli nascondevano gran parte del volto; ogni mano era grande come il coperchio di un bidone dei rifiuti e i piedi, che calzavano stivali di cuoio, sembravano due piccoli delfini. Tra le braccia immense e muscolose reggeva un fagotto di coperte.

« Hagrid! » esclamò Silente sollevato. « Finalmente! Ma dove hai preso quella motocicletta? »

« Ce l'ho in prestito, professor Silente, signore » e così dicendo, il gigante scese con circospezione dalla moto. « Me l'ha data il giovane Sirius Black. *Lui* ce l'ho qui, signore ».

« Ci sono stati problemi? »

« Nossignore; la casa era distrutta, diciamo, ma io sono riuscito a tirarlo fuori prima che i Babbani cominciassero a ficcare il naso. Si è addormentato mentre volavamo su Bristol ».

Silente e la McGonagall si chinarono sul fagotto. Dentro, appena visibile, c'era un bambino profondamente addormentato. Sotto il ciuffo di capelli corvini che gli ricadeva sulla fronte, scorsero il segno di un taglio dalla forma bizzarra, simile a una saetta.

« È qui che... » chiese in un bisbiglio la professoressa McGonagall.

« Sì » rispose Silente. « Questa cicatrice se la terrà per sempre ».

« E lei non può fare qualcosa, Silente? »

« Anche se potessi, non lo farei. Le cicatrici possono tornare utili. Anch'io ne ho una, sopra il ginocchio sinistro, che è una piantina perfetta della metropolitana di Londra. Bene... Dammelo, Hagrid; vediamo di concludere ».

Silente prese Harry tra le braccia e si voltò verso la casa dei Dursley.

« Posso... posso fargli un salutino, signore? » chiese Hagrid.

Chinò la grossa e ispida testa su Harry e gli diede un bacio rasposo per via di tutta quella barba. Poi, d'un tratto, ululò come un cane ferito.

«Shhh!» sibilò la McGonagall. «Sveglierai i Babbani!»

«S-s-scusatemi...» singhiozzò Hagrid tirando fuori un immenso fazzoletto a pallini e seppellendoci il viso dentro, «ma proprio n-n-non ce la faccio... Lily e James morti... e il povero piccolo Harry che se ne va a vivere coi Babbani...»

«Sì, certo, è molto triste, ma vedi di controllarti, Hagrid, o ci scopriranno» sussurrò la McGonagall battendogli con cautela un colpetto sul braccio mentre Silente, scavalcando il basso muretto del giardino, si avviava verso la porta d'ingresso. Depose dolcemente Harry sul gradino, tirò fuori dal mantello una lettera, l'infilò tra le coperte che avvolgevano Harry e tornò verso gli altri due. Per un lungo minuto i tre rimasero lì a guardare quel fagottino; Hagrid era scosso dai singhiozzi, la professoressa McGonagall non faceva che battere le palpebre, e lo scintillio che normalmente emanava dagli occhi di Silente sembrava svanito.

«Be'» disse infine Silente, «ecco fatto. Non c'è più ragione di restare qui. Tanto vale che andiamo a prender parte ai festeggiamenti».

«Già» disse Hagrid con voce soffocata, «allora io porto via la moto. 'Notte, professoressa McGonagall. Professor Silente, signore».

Asciugandosi gli occhi inondati di lacrime con la manica della giacca, Hagrid si rimise a cavalcioni della motocicletta e accese il motore; si sollevò in aria con un rombo e sparì nella notte.

«Penso che ci rivedremo presto, professoressa McGonagall» disse Silente facendole un cenno col capo. Per tutta risposta, lei si soffiò il naso.

Silente si voltò e si avviò lungo la strada. Giunto all'angolo, si fermò ed estrasse il suo spegnino d'argento. Uno scatto, e dodici sfere luminose si riaccesero di colpo nei lampioni, illuminando Privet Drive di un bagliore aranciato. In quel chiarore vide un gatto soriano che se la svignava dietro l'angolo all'altro capo della strada. Da quella distanza scorgeva appena il mucchietto di coperte sul gradino del numero 4.

« Buona fortuna, Harry » mormorò. Poi girò sui tacchi e, con un fruscio del mantello, sparì.

Una lieve brezza scompigliava le siepi ben potate di Privet Drive, che riposava, ordinata e silenziosa, sotto il cielo nero come l'inchiostro. L'ultimo posto dove ci si sarebbe aspettati di veder accadere cose stupefacenti. Sotto le sue coperte, Harry Potter si girò dall'altra parte senza svegliarsi. Una manina si richiuse sulla lettera che aveva accanto e lui continuò a dormire, senza sapere che era speciale, senza sapere che era famoso, senza sapere che di lì a qualche ora sarebbe stato svegliato dall'urlo della signora Dursley che apriva la porta di casa per mettere fuori le bottiglie del latte, né che le settimane successive le avrebbe trascorse a farsi riempire di spintoni e pizzicotti dal cugino Dudley... Non poteva sapere che, in quello stesso istante, da un capo all'altro del Paese, c'erano persone che si riunivano in segreto e levavano i calici per brindare « *a Harry Potter, il bambino che è sopravvissuto* ».

CAPITOLO 2

VETRI CHE SCOMPAIONO

Erano passati quasi dieci anni da quando i Dursley si erano svegliati una mattina e avevano trovato il nipote sul gradino davanti alla porta di casa, ma Privet Drive non era cambiata affatto. Il sole sorgeva sugli stessi giardinetti ben tenuti e illuminava il numero 4 d'ottone sulla porta dei Dursley; si insinuava nel loro soggiorno, che era pressoché identico a quella sera in cui il signor Dursley aveva visto al telegiornale il fatidico servizio sui gufi. Soltanto le fotografie sulla mensola del caminetto rivelavano quanto tempo fosse passato in realtà. Dieci anni prima c'era un'infinità di fotografie di quello che sembrava un grosso pallone da spiaggia rosa, con indosso berrettini col pompon di vari colori. Ma Dudley Dursley non era più un lattante e ora le fotografie ritraevano un bambinone biondo in sella alla sua prima bicicletta, sulle giostre, che giocava al computer col padre o che si faceva abbracciare e baciare dalla madre. Nulla, in quella stanza, suggeriva che in casa vivesse anche un altro bambino.

Eppure, Harry Potter abitava ancora lì; in quel momento dormiva, ma non sarebbe stato per molto. Zia Petunia era sveglia e la sua voce stridula fu il primo rumore della giornata.

«Su, alzati! Immediatamente!»

Harry si svegliò di soprassalto. La zia tamburellò di nuovo sulla porta.

«Sveglia!» urlò. Harry sentì i suoi passi avviarsi verso la cucina e poi il rumore della padella che veniva messa sul fornello.

Si girò sulla schiena e cercò di ricordare il sogno che stava facendo. Era un bel sogno. C'era una motocicletta volante. Ebbe la strana sensazione di averlo già fatto qualche altra volta.

Ecco di nuovo la zia dietro la porta.

« Non ti sei ancora alzato? » chiese.

« Sono quasi pronto » rispose Harry.

« Be', vedi di spicciarti, voglio che sorvegli il bacon che ho messo sul fuoco. E non ti azzardare a farlo bruciare. Voglio che tutto sia perfetto, il giorno del compleanno di Duddy ».

Harry si lasciò sfuggire un gemito.

« Cosa hai detto? » chiese aspra la zia da dietro la porta.

« Niente, niente... »

Il compleanno di Dudley... come aveva potuto dimenticarlo? Si alzò lentamente e cominciò a cercare i calzini. Ne trovò un paio sotto al letto e, dopo aver tolto un ragno da uno dei due, se li infilò. Harry c'era abituato perché il ripostiglio sotto la scala pullulava di ragni, e lui dormiva lì.

Una volta che si fu vestito, attraversò l'ingresso diretto in cucina. Il tavolo scompariva quasi completamente sotto la pila dei regali di compleanno di Dudley. Sembrava proprio che Dudley fosse riuscito a ottenere il nuovo computer che desiderava tanto, per non parlare del secondo televisore e della bici da corsa. Il motivo preciso per cui Dudley voleva una bici da corsa era un mistero per Harry, visto che Dudley era molto grasso e detestava fare moto, a meno che – inutile dirlo – non si trattasse di prendere a pugni qualcuno. Il punching-ball preferito di Dudley era Harry, quando riusciva ad acchiapparlo, il che non era facile. Non sembrava, ma Harry era molto veloce.

Forse per il fatto che viveva in un ripostiglio buio Harry era sempre stato piccolo e mingherlino per la sua età. E lo sembrava ancor più di quanto in realtà non fosse, perché non aveva altro da indossare che i vestiti smessi di Dudley, e Dudley era circa quattro volte più grosso di lui. Harry aveva un viso sottile, ginocchia nodose, capelli neri e occhi di un verde intenso. Portava un paio di occhiali rotondi, tenuti insieme con un sacco di nastro adesivo per tutte le volte che Dudley lo aveva preso a pugni sul naso. L'unica cosa che a Harry piaceva del proprio aspetto era una cicatrice molto sottile sulla fronte, che aveva la forma di una saetta. Per quanto ne sapeva, l'aveva da sempre, e la prima domanda che ricordava di aver mai rivolto a zia Petunia era stata come se la fosse fatta.

« Nell'incidente d'auto in cui sono morti i tuoi genitori » gli aveva risposto lei, « e non fare domande ».

Non fare domande: questa era la prima regola per vivere in pace, con i Dursley.

Zio Vernon entrò in cucina mentre Harry stava girando il bacon.

« Fila a pettinarti! » sbraitò a mo' di buongiorno.

Circa una volta alla settimana, zio Vernon alzava gli occhi dal suo giornale e urlava che Harry doveva tagliarsi i capelli. Harry si era tagliato i capelli più volte di tutti i suoi compagni di classe messi insieme, ma non c'era niente da fare: crescevano in quel modo, senza tregua.

Quando Dudley e sua madre entrarono in cucina, Harry stava friggendo le uova. Dudley assomigliava molto a zio Vernon. Aveva un gran faccione roseo, quasi per niente collo, occhi piccoli celeste acquoso e folti capelli biondi e lisci che gli pendevano su un gran testone. Spesso zia Petunia diceva che Dudley sembrava un angioletto; Harry invece diceva che sembrava un maiale con la parrucca.

Harry mise in tavola i piatti con le uova al bacon, un'operazione non particolarmente facile, dato che lo spazio era poco. Nel frattempo, Dudley contava i regali. Si rabbuiò.

« Trentasei » disse volgendosi a guardare il padre e la madre. « Due meno dell'anno scorso ».

« Caro, non hai contato il regalo di zia Marge. Vedi, è qui, sotto questo regalone grosso grosso di papà e mamma ».

« D'accordo, trentasette » disse Dudley tutto paonazzo. Harry, avendo capito che era in arrivo uno dei terrificanti capricci alla Dudley, cominciò a tranguiare il suo bacon il più in fretta possibile, nel caso il cugino avesse buttato il tavolo a gambe all'aria.

Evidentemente, anche zia Petunia annusò il pericolo, perché si affrettò a dire: « E oggi, mentre siamo fuori, ti compreremo altri *due* regali. Che ne dici, tesoruccio? Altri *due* regali. Va bene così? »

Dudley ci pensò su un attimo. Lo sforzo sembrò immenso. Alla fine disse lentamente: « Così ne avrò trenta... trenta... »

« Trentanove, dolcezza mia » disse zia Petunia.

« Ah! » Dudley si lasciò cadere pesantemente su una sedia e afferrò il pacchetto più vicino. « Allora va bene ».

Zio Vernon ridacchiò sotto i baffi.

« Questa piccola canaglia vuole avere tutto quel che gli spetta fino all'ultimo, proprio come papà. Bravo, Dudley! » E gli scompigliò i capelli.

In quel momento squillò il telefono e zia Petunia andò a rispondere mentre Harry e zio Vernon rimasero a guardare Dudley scartare la bicicletta da corsa, una cinepresa, un aeroplano telecomandato, sedici nuovi videogiochi e un videoregistratore. Stava strappando l'incarto di un orologio da polso d'oro quando zia Petunia tornò nella stanza con l'aria arrabbiata e preoccupata a un tempo.

« Cattive notizie, Vernon » disse. « La signora Figg si è rotta una gamba. Non può prenderselo ». E così dicendo, indicò Harry con un brusco cenno del capo.

Dudley spalancò la bocca inorridito, ma il cuore di Harry balzò di gioia. Ogni anno, per il compleanno di Dudley, i genitori portavano lui e un suo amico fuori per tutto il giorno, in giro per parchi, a fare scorpacciate di hamburger o al cinema. Ogni anno Harry rimaneva con la signora Figg, una vecchia signora mezza matta che viveva due traverse più avanti. Harry detestava quella casa. Puzzava di cavolo e la signora Figg lo costringeva a guardare le fotografie di tutti i gatti che aveva posseduto in vita sua.

« E ora che si fa? » chiese zia Petunia guardando furibonda Harry come se fosse colpa sua. Harry sapeva che avrebbe dovuto dispiacersi per il fatto che la signora Figg si era rotta la gamba, ma non gli fu facile quando si ricordò che ancora per un intero anno non sarebbe stato costretto a vedere Lilli, Baffo, Mascherina e Pallina.

« Si potrebbe provare a telefonare a Marge » suggerì zio Vernon.

« Non dire sciocchezze, Vernon, lo sai benissimo che lo detesta ».

I Dursley parlavano spesso di Harry in quel modo come se lui non fosse presente, o piuttosto come se fosse qualcosa di molto sgradevole e incapace di capirli, come una lumaca.

« Cosa ne dici di... come si chiama... la tua amica... Yvonne? »

« È in vacanza a Maiorca » rimbeccò zia Petunia.

« Potreste lasciarmi semplicemente qui » azzardò Harry speranzoso (una volta tanto, avrebbe potuto guardare quel che voleva alla televisione o persino provare il computer di Dudley).

Zia Petunia fece una faccia come se avesse appena ingoiato un limone.

« Per trovare la casa in rovina quando torniamo? » ringhiò.

« Mica la faccio saltare in aria » disse Harry, ma nessuno lo ascoltò.

« Forse potremmo portarlo allo zoo » disse Petunia lentamente, « ...e lasciarlo in macchina... »

« Non può restare in macchina da solo. È nuova di zecca... »

Dudley cominciò a piangere forte. In realtà, non stava piangendo; erano anni che non piangeva sul serio, ma sapeva che se contorceva la faccia e si lagnava la madre gli avrebbe dato qualsiasi cosa lui avesse chiesto.

« Duddy tesorino caro, non piangere! Mammina non permetterà che quello ti rovini la festa! » esclamò stringendolo tra le braccia.

« N-n-non... voglio... che... venga... pure lui! » gridò Dudley tra un finto singhiozzo e l'altro. « Lui rovina s-s-sempre tutto! » E lanciò a Harry un'occhiata malevola attraverso uno spiraglio tra le braccia della madre.

In quel preciso momento suonò il campanello: « Santo cielo,

sono arrivati! » esclamò zia Petunia frenetica. E un attimo dopo, l'amico del cuore di Dudley, Piers Polkiss, entrò insieme alla madre. Piers era un ragazzo tutto pelle e ossa, con una faccia da topo. Era lui che in genere immobilizzava le persone con le braccia dietro la schiena mentre Dudley le picchiava. Dudley smise all'istante di far finta di piangere.

Mezz'ora più tardi, Harry, che non riusciva a credere a tanta fortuna, si era infilato sul sedile posteriore della macchina dei Dursley insieme a Piers e a Dudley, diretto allo zoo per la prima volta in vita sua. Lo zio e la zia non erano riusciti a inventarsi niente di diverso per lui, ma prima di uscire zio Vernon lo aveva preso da parte.

« Ti avverto » gli aveva detto piazzandoglisi davanti col suo faccione paonazzo a un millimetro dal suo naso, « ti avverto una volta per tutte, ragazzino, niente cose strane, niente di niente, intesi? O resterai chiuso in quel ripostiglio fino a Natale ».

« Non farò proprio niente » disse Harry, « lo prometto... »

Ma zio Vernon non gli credeva. Nessuno gli credeva mai.

Il fatto era che spesso intorno a Harry accadevano fatti strani, e non serviva a niente dire ai Dursley che lui non c'entrava.

Per esempio, una volta zia Petunia, stanca di veder tornare Harry dal barbiere come se non ci fosse stato affatto, aveva preso un paio di forbici da cucina e gli aveva tagliato i capelli talmente corti da lasciarlo quasi pelato, tranne per la frangetta, che non aveva toccato per « nascondere quell'orribile cicatrice ». Dudley era scoppiato a ridere a crepapelle nel vedere Harry così conciato e lui aveva passato una notte insonne al pensiero di come sarebbe andata l'indomani a scuola, dove già tutti lo prendevano in giro per i vestiti sformati e gli occhiali tenuti insieme con lo scotch. Ma la mattina dopo, al risveglio, aveva trovato i capelli esattamente come erano prima che zia Petunia glieli avesse rapati. Per questo era stato punito con una settimana di reclusione nel ripostiglio, sebbene avesse cercato di spiegare che *non sapeva* spiegare come mai gli fossero ricresciuti così in fretta.

Un'altra volta, la zia aveva cercato di infilargli a forza un orrendo maglione smesso di Dudley (marrone con dei pompon arancioni). Ma più cercava di infilarglielo dalla testa, più il maglione si rimpiccioliva, fino a che avrebbe potuto andar bene a un burattino, ma non certo a Harry. Zia Petunia aveva decretato che doveva essersi ritirato in lavatrice e questa volta Harry, con suo gran sollievo, non venne punito.

Invece, il giorno che fu trovato sul tetto delle cucine della scuola, passò un guaio terribile. La banda di amici di Dudley lo stava rincorrendo, come al solito, quando, con immensa sorpresa di Harry e di tutti, lui si era ritrovato seduto sul comignolo. I Dursley avevano ricevuto una lettera molto indignata della direttrice, la quale li informava che Harry aveva dato la scalata all'edificio scolastico. Eppure, lui aveva soltanto cercato (come gridò a zio Vernon attraverso la porta sprangata del ripostiglio) di saltare dietro i grossi bidoni della spazzatura fuori dalla cucina. E credeva che, a metà di quel salto, una folata di vento lo avesse sollevato in aria.

Ma quel giorno niente sarebbe andato storto. E valeva persino la pena di trascorrere una giornata con Dudley e Piers, pur di passarla da qualche parte che non fosse la scuola, il ripostiglio, o il salotto puzzolente di cavolo della signora Figg.

Strada facendo, zio Vernon si lamentava con zia Petunia. A lui piaceva lamentarsi di tutto: i colleghi di lavoro, Harry, il consiglio, Harry, la banca, Harry erano solo alcuni dei suoi argomenti preferiti. Quella mattina aveva scelto di lamentarsi delle motociclette.

« ...corrono come pazzi, questi giovani teppisti! » esclamò mentre una moto li sorpassava.

« Anche in un sogno che ho fatto c'era una moto » disse Harry ricordando improvvisamente, « e volava ».

Per poco zio Vernon non tamponò la macchina che lo precedeva. Si voltò di scatto e urlò a Harry, con la faccia che assomigliava a una gigantesca barbabietola con i baffi: « LE MOTOCICLETTE NON VOLANO! »

Dudley e Piers repressero una risata.

« Lo so che non volano » rispose Harry. « Era soltanto un sogno ».

Ma si pentì di aver parlato. Se c'era una cosa che i Dursley odiavano ancor più delle sue domande era sentirlo parlare di cose che non si comportavano come dovevano, anche se si trattava di sogni o di cartoni animati. A quanto pareva, temevano che si facesse venire in mente idee pericolose.

Era un sabato assolato e lo zoo era pieno di famigliole. All'ingresso, i Dursley comprarono a Dudley e a Piers due enormi gelati al cioccolato e poi, siccome la sorridente barista del baracchino aveva chiesto a Harry cosa volesse prima che loro avessero potuto allontanarlo, gli comprarono un economico ghiacciolo al limone. Non era neanche male, pensò Harry leccandolo, mentre guardavano un gorilla che si grattava la testa e assomigliava terribilmente a Dudley, tranne che non era biondo.

Fu la mattinata più felice che Harry avesse passato da molto tempo. Ebbe cura di camminare a una certa distanza dai Dursley in modo che Dudley e Piers, che per l'ora di pranzo avevano già cominciato ad annoiarsi degli animali, non tornassero al loro passatempo preferito: prenderlo a pugni. Pranzarono al ristorante dello zoo e, quando Dudley fece un capriccio perché il suo Trionfo di Gelato con Panna non era abbastanza grande, zio Vernon gliene comprò un altro e a Harry fu permesso di finire il primo.

In seguito Harry si disse che avrebbe dovuto sapere che era troppo bello per durare.

Dopo pranzo andarono al rettilario. Il luogo era fresco e semibuio, con teche illuminate lungo tutte le pareti. Dietro ai vetri, lucertole e serpenti di ogni specie strisciavano e si arrampicavano su tronchi di legno e sassi. Dudley e Piers volevano vedere i giganteschi e velenosi cobra e i possenti pitoni capaci di stritolare un uomo. Dudley fu molto veloce nell'individuare il serpente più grosso di tutti. Avrebbe potuto benissimo avvolgersi due volte intorno alla macchina di zio Vernon e ridurla alle dimensioni di un bidone per la spazzatura, ma al momento non sembrava in vena. Anzi, era profondamente addormentato. Dudley rimase con il naso spiaccicato contro il vetro, a contemplarne le spire brune e lucenti.

«Fallo muovere» chiese piagnucolando al padre. Zio Vernon picchiò sul vetro, ma il serpente non si mosse.

«Ancora!» ordinò Dudley. Zio Vernon tornò a bussare forte con le nocche sul vetro, ma il serpente continuò a ronfare.

«Che noia!» disse Dudley con voce lagnosa. E corse via.

Harry si spostò davanti alla vetrina e guardò intensamente il serpente. Non si sarebbe stupito se anche lui fosse morto di noia, senza altra compagnia che quegli stupidi che tamburellavano tutto il giorno con le dita contro il vetro cercando di disturbarlo. Era peggio che avere per camera da letto un ripostiglio, dove l'unico visitatore era zia Petunia che pestava sulla porta per svegliarti; Harry, almeno, poteva girare per tutta la casa.

D'un tratto il serpente aprì gli occhi piccoli e luccicanti. Lentamente, molto lentamente, sollevò la testa finché poté guardare dritto in quelli di Harry.

Gli fece l'occhiolino.

Harry lo fissò stupito. Poi sbirciò rapido in giro per vedere se qualcuno li osservava. Nessuno. Tornò a fissare il serpente e ricambiò la strizzatina d'occhi.

Il serpente girò la testa di scatto verso zio Vernon e Dudley, poi alzò lo sguardo al cielo. Lanciò a Harry un'occhiata che equivaleva a dire: «*Questo è quel che mi tocca sempre*».

«Lo so» mormorò Harry di qua dal vetro, anche se non era sicuro che il serpente potesse udirlo. «Deve essere veramente fastidioso».

Il serpente annuì energicamente.

«Ma tu da dove vieni?» gli chiese Harry.

Il serpente colpì con la coda un cartellino accanto al vetro. Harry lo guardò attentamente.

Boa constrictor, Brasile.

«Era un bel posto?»

Il boa colpì di nuovo con la coda il cartellino e Harry lesse ancora: *Questo esemplare è nato e cresciuto in cattività*. « Ah, capisco, non sei mai stato in Brasile, tu! »

Il serpente scosse la testa e in quello stesso momento un grido assordante alle spalle di Harry li fece trasalire entrambi: « DUDLEY! SIGNOR DURSLEY! VENITE A VEDERE QUESTO SERPENTE! È INCREDIBILE QUEL CHE STA FACENDO! »

Dudley caracollò verso di loro più in fretta che poté.

« Fuori dai piedi, tu! » intimò mollando un pugno nelle costole a Harry, che, colto alla sprovvista, cadde a terra come un sacco. Quel che seguì avvenne così in fretta che nessuno si rese conto del come: un attimo prima Piers e Dudley erano chini vicinissimi al vetro, e un attimo dopo erano saltati all'indietro tra grida di orrore.

Harry si tirò su a sedere boccheggiando; il vetro anteriore della teca del boa constrictor era scomparso. Il grosso serpente stava svolgendo rapidamente le sue spire e scivolando sul pavimento, mentre in tutto il rettilario la gente si metteva a urlare e cominciava a correre verso le uscite.

Mentre gli strisciava accanto a tutta velocità, Harry avrebbe giurato di aver udito una voce bassa e sibilante dire: « Brasile, sto arrivando... Grazzzie, *amigo* ».

Il custode del rettilario era sotto shock.

« Ma il vetro » continuava a dire, « dove è finito il vetro? »

Il direttore dello zoo in persona preparò a zia Petunia una tazza di tè molto forte e zuccherato, e intanto non la finiva più di scusarsi. Piers e Dudley non riuscivano a far altro che farfugliare. Per quel che aveva visto Harry, il serpente gli aveva soltanto dato un colpettino giocoso sui tacchi, mentre passava, ma il tempo di tornare tutti nella macchina di zio Vernon e già Dudley raccontava come il boa gli avesse quasi staccato la gamba a morsi, mentre Piers giurava che aveva cercato di soffocarlo nella sua stretta mortale. Ma il peggio, almeno per Harry, fu che Piers riuscì a calmarsi quel tanto che gli consentì di dire: « Harry gli ha parlato. Non è vero, Harry? »

Zio Vernon aspettò che Piers fosse uscito di casa prima di cominciare a prendersela con Harry. Era così arrabbiato che parlava a stento. Riuscì a malapena a dire: « Vai... ripostiglio... stai lì... niente cibo » prima di crollare su una sedia, tanto che zia Petunia dovette correre a prendergli un grosso bicchiere di brandy.

Molto più tardi Harry, steso al buio nel suo ripostiglio, desiderò avere un orologio. Non sapeva che ora fosse e non era sicuro che i Dursley dormissero. Fino a quel momento, non poteva rischiare di sgattaiolare in cucina a mangiare qualcosa.

Viveva con i Dursley da quasi dieci anni, dieci anni di infelicità, per quanto poteva ricordare, fin da quando era piccolo e i suoi genitori erano morti in quell'incidente d'auto. Non ricordava di essere stato anche lui nella macchina al momento della loro morte. Talvolta, quando sforzava la memoria durante le lunghe ore trascorse nel ripostiglio, aveva una strana visione: un lampo accecante di luce verde e un dolore bruciante sulla fronte. Quello, immaginava, era stato l'incidente, anche se non riusciva a capire da dove venisse la luce verde. I genitori, non li ricordava affatto. Gli zii non ne parlavano mai e, naturalmente, era proibito fare domande al riguardo. In casa, non c'era neanche una loro fotografia.

Quando era più piccolo aveva sognato tante volte che qualche parente sconosciuto venisse a portarlo via, ma questo non era mai accaduto; gli unici suoi familiari erano i Dursley. Eppure, talvolta gli sembrava (o forse sperava) che gli estranei per strada lo riconoscessero. Ed erano degli estranei veramente strani. Una volta un ometto mingherlino col cilindro viola gli aveva fatto un inchino mentre era a far spese con zia Petunia e Dudley. Furiosa, dopo avergli chiesto se conosceva quell'uomo, zia Petunia li aveva trascinati fuori dal negozio senza comprare niente. Un'altra volta, in autobus, un'anziana donna dall'aspetto stravagante, tutta vestita di verde, lo aveva salutato allegramente. Qualche giorno prima, un uomo calvo, con indosso un mantello color porpora molto lungo, gli aveva stretto la mano per strada e poi si era allontanato senza una parola. La cosa più stramba di tutte quelle persone era che sembravano dileguarsi nel nulla nel momento stesso in cui Harry cercava di guardarle da vicino.

A scuola Harry non aveva amici. Tutti sapevano che la ghenga di Dudley odiava quello strano Harry Potter, infagottato nei suoi vestiti smessi e con gli occhiali rotti, e a nessuno piaceva mettersi contro la ghenga di Dudley.

CAPITOLO 3

LETTERE
DA NESSUNO

La fuga del boa constrictor brasiliano costò a Harry il castigo più lungo mai ricevuto fino a quel momento. Quando finalmente gli fu permesso di uscire dal ripostiglio, erano ormai iniziate le vacanze estive e Dudley aveva già rotto la nuova cinepresa, mandato a sbattere l'aeroplanino telecomandato, e la prima volta che aveva provato la bicicletta da corsa aveva investito l'anziana signora Figg che attraversava Privet Drive con le stampelle.

Harry era molto contento che la scuola fosse finita, ma non c'era modo di sfuggire alla ghenga di Dudley che veniva a casa ogni santo giorno. Piers, Dennis, Malcolm e Gordon erano grandi e stupidi, ma poiché Dudley era il più grande e il più stupido di tutti, era il capo. Tutti gli altri erano ben felici di unirsi a lui nel praticare il suo sport preferito: la caccia a Harry.

Ecco perché Harry passava più tempo possibile fuori di casa, gironzolando nei dintorni e pensando alla fine delle vacanze, che gli avrebbe portato un esile raggio di speranza. A settembre sarebbe andato alle medie e, per la prima volta in vita sua, non sarebbe stato con Dudley. Dudley aveva un posto riservato a Smeltings, la scuola dove aveva studiato zio Vernon. Anche Piers Polkiss sarebbe andato lì. Harry, invece, sarebbe andato a Stonewall High, la scuola pubblica del quartiere. Dudley trovava la cosa molto divertente.

« Lo sai che a Stonewall il primo giorno di scuola ti ficcano la

43

testa nella tazza del gabinetto? » disse a Harry. « Vuoi venire di sopra a fare esercizio? »

« No, grazie » rispose Harry. « La povera tazza del gabinetto non si è mai vista cacciare dentro niente di così orribile come la tua testa; potrebbe sentirsi male ». Poi scappò via prima che Dudley potesse capire quello che aveva detto.

Un giorno di luglio, zia Petunia accompagnò Dudley a Londra per comprare l'uniforme di Smeltings, lasciando Harry dalla signora Figg. Quel giorno, la vecchia signora era meno peggio del solito. Si era rotta la gamba inciampando in uno dei suoi gatti e quindi non sembrava più entusiasta di loro come prima. Permise a Harry di guardare la televisione e gli diede un pezzo di torta al cioccolato, che sapeva di stantio come se fosse lì da qualche anno.

Quella sera Dudley sfilò in salotto per la famiglia, nella sua uniforme nuova di zecca. I ragazzi di Smeltings indossavano una marsina bordeaux, pantaloni arancioni alla zuava e un cappello piatto detto paglietta. Erano inoltre dotati di un bastone bitorzoluto usato per picchiarsi a vicenda quando gli insegnanti non guardavano. Si riteneva che questo fosse un buon addestramento per la vita futura.

Guardando Dudley nei suoi nuovi pantaloni alla zuava, zio Vernon disse con tono burbero che non si era mai sentito tanto orgoglioso in vita sua. Zia Petunia scoppiò in lacrime e disse che non le sembrava vero che quello fosse il suo Didino, da quanto era bello e cresciuto. Harry non si arrischiò a parlare. Aveva l'impressione di essersi rotto un paio di costole nel tentativo di non ridere.

La mattina dopo, quando Harry entrò in cucina, c'era un odore orribile che sembrava provenire da una grossa bacinella di metallo che era dentro il lavandino. Si avvicinò per dare un'occhiata. La bacinella era piena di quelli che sembravano stracci sporchi a mollo in un'acqua grigia.

« E questo cos'è? » chiese a zia Petunia. Lei serrò le labbra come faceva sempre quando Harry azzardava una domanda.

« La tua nuova uniforme scolastica » rispose.

Harry guardò di nuovo dentro la bacinella.

« Oh! » disse. « Non avevo capito che dovesse essere tanto bagnata ».

« Non fare lo sciocco! » lo apostrofò aspramente zia Petunia. « Ti sto tingendo di grigio alcuni vestiti smessi di Dudley. Quando avrò finito sembreranno uguali a quelli di tutti gli altri ».

Di questo Harry dubitava seriamente, ma pensò fosse meglio non discutere. Si sedette a tavola e cercò di non immaginare che aspetto avrebbe avuto il primo giorno di scuola a Stonewall High. Probabilmente quello di qualcuno con addosso pezzi di pelle di un vecchio elefante.

Dudley e zio Vernon entrarono in cucina ed entrambi arricciarono il naso per via dell'odore che emanava la nuova uniforme di Harry. Zio Vernon aprì come al solito il giornale e Dudley picchiò il tavolo con il bastone di Smeltings, che ormai si portava dappertutto.

In quel momento, udirono lo scatto della cassetta delle lettere e il rumore lieve della posta che cadeva sullo zerbino.

« Vai a prendere la posta, Dudley » disse zio Vernon da dietro il giornale.

« Mandaci Harry ».

« Vai a prendere la posta, Harry ».

« Mandaci Dudley ».

« Punzecchialo con il bastone di Smeltings, Dudley ».

Harry schivò il bastone e andò a prendere la posta. Sullo zerbino c'erano tre cose: una cartolina della sorella di zio Vernon, Marge, che era in vacanza nell'Isola di Wight, una busta marrone che sembrava una bolletta e... *una lettera per Harry*.

Harry la raccolse e la fissò con il cuore che sussultava. Nessuno in vita sua gli aveva mai scritto. E chi avrebbe dovuto farlo? Non aveva amici, non aveva altri parenti; non era neanche socio della biblioteca e quindi non aveva mai ricevuto perentori avvisi di restituzione. Eppure, eccola lì, una lettera dall'indirizzo così inequivocabile da non poter essere frainteso:

Signor H. Potter
Ripostiglio del sottoscala
Privet Drive, 4
Little Whinging
Surrey

La busta era spessa e pesante, di pergamena giallastra, e l'indirizzo era scritto con inchiostro verde smeraldo. Non c'era francobollo. Girando la busta con mano tremante, Harry vide un sigillo di ceralacca color porpora con uno stemma araldico: un leone, un'aquila, un tasso e un serpente intorno a una grossa 'H'.

« Allora, sbrigati un po'! » gridò lo zio Vernon dalla cucina. « Che stai facendo, controlli che non ci siano pacchi bomba tra la posta? » E ridacchiò della propria battuta.

Harry tornò in cucina continuando a fissare la lettera. Consegnò a zio Vernon la bolletta e la cartolina, si sedette lentamente e cominciò ad aprire la busta gialla.

Zio Vernon strappò la busta della bolletta, sbuffò disgustato e voltò la cartolina.

« Marge sta male » informò zia Petunia. « Ha mangiato uno strano frutto di mare... »

« Papà » disse Dudley d'un tratto, « papà, Harry ha ricevuto qualcosa! »

Harry stava per aprire la lettera che era scritta sulla stessa pesante pergamena della busta, quando questa gli venne strappata di mano da zio Vernon.

« È *mia*! » disse Harry cercando di riprendersela.

« E chi mai ti scriverebbe? » sibilò zio Vernon sventolando la lettera con una mano per aprirla e gettandovi un'occhiata. In men che non si dica, la faccia gli passò dal rosso al verde, più rapida di un semaforo. Ma non finì lì. Nel giro di pochi secondi diventò grigiastra, come il porridge andato a male.

« P-P-Petunia! » ansimò.

Dudley cercò di carpirgli la lettera per leggerla, ma zio Vernon la teneva in alto fuori dalla sua portata. Zia Petunia, incuriosita, la prese e lesse la prima riga. Per un attimo sembrò che stesse per svenire. Si portò le mani alla gola ed emise un suono soffocato.

« Vernon, oh, mio Dio, Vernon!... »

Si fissarono l'un l'altra, pareva avessero dimenticato che Harry e Dudley erano ancora lì. Dudley non era abituato a essere ignorato. Assestò al padre un colpo secco sulla testa con il bastone di Smeltings.

« Voglio leggere quella lettera » disse forte.

« *Io* voglio leggerla » disse Harry furioso, « è *mia* ».

« Fuori, tutti e due! » gracchiò zio Vernon ricacciando la lettera nella busta.

Harry non si mosse.

« VOGLIO LA MIA LETTERA! » gridò.

« Falla vedere *a me*! » ribatté Dudley.

« FUORI! » ruggì zio Vernon. Poi li prese entrambi per la collottola e li scaraventò nell'ingresso sbattendogli la porta della cucina in faccia. Immediatamente, i due ragazzi ingaggiarono una lotta furibonda ma silenziosa per decidere chi dovesse guardare dal buco della serratura. Vinse Dudley, per cui Harry, con gli occhiali che gli penzolavano da un orecchio, si stese a pancia in giù sul pavimento per carpire qualcosa attraverso la fessura della porta.

« Vernon » stava dicendo zia Petunia con voce tremante, « guarda l'indirizzo... Ma come fanno a sapere dove dorme? Pensi che stiano sorvegliando la casa? »

« Sorvegliando... spiando... forse ci pedinano » borbottò zio Vernon fuori di sé.

« Ma cosa dobbiamo fare? Rispondere? Dire che non vogliamo... »

Harry vedeva le scarpe nere tirate a lucido di zio Vernon misurare a grandi passi la cucina.

« No » disse infine. « No, ignoreremo la faccenda. Se non ricevono risposta... Sì, è la cosa migliore... non faremo niente... »

« Ma... »

« Non intendo averne uno per casa, Petunia! Non avevamo giurato, quando lo abbiamo preso, che avremmo messo fine a quella pericolosa insensatezza? »

Quella sera, tornato dal lavoro, zio Vernon fece una cosa che non aveva mai fatto prima: andò a trovare Harry nel suo ripostiglio.

« Dov'è la mia lettera? » chiese il ragazzo non appena zio Vernon fu riuscito a passare dalla porticina. « Chi mi scrive? »

« Nessuno. Era indirizzata a te per sbaglio » tagliò corto zio Vernon. « L'ho bruciata ».

« *Non* è stato uno sbaglio » disse Harry arrabbiato. « C'era segnato l'indirizzo del mio ripostiglio ».

« SILENZIO! » urlò zio Vernon, e due ragni caddero dal soffitto. Fece un paio di respiri profondi e poi si costrinse a un sorriso che parve costargli molto sforzo.

« Ehm... già, Harry... a proposito del ripostiglio. Con tua zia stavamo pensando... sei davvero cresciuto troppo per stare qui dentro... pensavamo che sarebbe carino se ti trasferissi nella seconda camera da letto di Dudley ».

« E perché? » chiese Harry.

« Non fare domande » lo rimbeccò lo zio. « E ora, porta tutta questa roba di sopra ».

La casa dei Dursley aveva quattro camere da letto: una per zio Vernon e zia Petunia, una per gli ospiti (in genere, la sorella di zio Vernon, Marge), una dove Dudley dormiva e un'altra dove Dudley teneva tutti i giocattoli e le cose che non entravano nella sua prima camera. A Harry bastò un solo viaggio per trasferire dal ripostiglio tutti i suoi averi. Si sedette sul letto e si guardò intorno. Non c'era una cosa che fosse integra. La cinepresa ricevuta appena un mese prima era buttata sopra a un piccolo carro armato semovente con cui una volta Dudley aveva investito il cane dei vicini; in un angolo c'era il primo televisore di Dudley, che il ragazzo aveva sfondato con un calcio quando avevano cancellato il suo programma preferito; c'era una grossa gabbia per uccelli, che un tempo era servita per un pappagallo che

Dudley aveva barattato a scuola con un vero fucile ad aria compressa, ora poggiato su una mensola con un'estremità tutta contorta perché lui ci si era seduto sopra. Gli altri scaffali erano pieni di libri. Quelli erano l'unica cosa nella stanza che sembrava non essere mai stata toccata.

Da sotto giungeva la voce di Dudley che urlava a sua madre con quanto fiato aveva in gola: «Non ce lo voglio... quella stanza mi serve... fallo uscire...!»

Harry sospirò e si stese sul letto. Il giorno prima avrebbe dato qualsiasi cosa per essere lì. Mentre ora avrebbe preferito tornare nel suo ripostiglio con la lettera, piuttosto che essere lassù senza.

L'indomani mattina, a colazione, tutti erano piuttosto taciturni. Dudley era stravolto. Aveva gridato, picchiato suo padre con il bastone, vomitato di proposito, preso a calci sua madre e fatto volare la tartaruga sopra il tetto della serra, e ancora non aveva riottenuto la sua camera. Harry pensava alla mattina precedente, a quella stessa ora, e rimpiangeva amaramente di non aver aperto la lettera nell'ingresso. Zio Vernon e zia Petunia si scambiavano sguardi cupi.

Quando arrivò la posta, zio Vernon, che sembrava si stesse sforzando di essere carino con Harry, mandò Dudley a prenderla. Lo udirono picchiare colpi a destra e a manca con il suo bastone lungo tutto il tragitto. Poi gridò: «Ce n'è un'altra! *Signor H. Potter, Cameretta, Privet Drive, 4...*»

Con un grido strozzato, zio Vernon balzò dalla sedia e si precipitò nell'ingresso, con Harry alle calcagna. Zio Vernon dovette lottare e atterrare Dudley perché mollasse la lettera, mentre Harry l'aveva afferrato per il collo, da dietro. Dopo qualche minuto di grande confusione in cui nessuno riuscì a evitare i colpi di bastone di Dudley, zio Vernon si raddrizzò annaspando per riprendere fiato, con la lettera di Harry stretta in mano.

«Va' nel ripostiglio... cioè, volevo dire, in camera tua!» intimò ansimando a Harry. «E tu, Dudley... va' fuori!... Esci!»

Harry camminava su e giù per la sua nuova stanza. Qualcuno

sapeva che aveva traslocato dal ripostiglio e apparentemente sapeva anche che non aveva ricevuto la prima lettera. Questo significava che ci avrebbe provato di nuovo? Se sì, avrebbe fatto in modo che non fallisse. Aveva un piano.

La mattina dopo, la sveglia, che era stata riparata, suonò alle sei. Harry la spense subito e si vestì senza far rumore. Non doveva svegliare i Dursley. Sgattaiolò giù per le scale senza accendere le luci.

Avrebbe aspettato il postino all'angolo di Privet Drive per farsi consegnare la posta del numero 4. Il cuore gli batteva forte mentre attraversava con cautela l'ingresso diretto verso la porta.

« AAAAARRRRGGGGHHHH! »

Harry fece un salto: aveva inciampato in qualcosa di grosso e molle steso sullo zerbino... una cosa *viva*!

Di sopra si accesero le luci e con orrore Harry si rese conto che la cosa grossa e molle era la faccia di suo zio Vernon. Aveva dormito in un sacco a pelo, davanti alla porta di casa, per esser certo che Harry non facesse proprio quello che aveva cercato di fare. Sbraitò contro di lui per circa mezz'ora e poi gli ordinò di andare a preparargli una tazza di tè. Harry si trasferì tristemente in cucina e al suo ritorno la posta era arrivata dritta dritta in grembo a zio Vernon. Vide tre lettere con l'indirizzo scritto in inchiostro verde.

« Voglio... » cominciò, ma zio Vernon le stava facendo a pezzi davanti ai suoi occhi.

Quel giorno, zio Vernon non andò in ufficio. Rimase a casa e sigillò la cassetta delle lettere.

« Capisci » spiegò a zia Petunia con una manciata di chiodi in bocca, « se non riescono a consegnarla, ci rinunceranno e basta ».

« Non sono sicura che funzionerà, Vernon ».

« Oh, la mente di questa gente funziona in modo strano, Petunia; non sono mica come te e me » disse lui cercando di battere un chiodo con il pezzo di dolce alla frutta che zia Petunia gli aveva appena portato.

Venerdì arrivarono non meno di dodici lettere per Harry. Poiché non passavano dalla buca, erano state infilate sotto la porta, nelle fessure laterali e alcune persino nella finestrella del bagno al piano terra.

Zio Vernon rimase di nuovo a casa. Dopo aver bruciato tutte le lettere, tirò fuori chiodi e martello e chiuse con assi di legno tutte le possibili fessure sulla porta davanti e su quella del retro, cosicché non si poteva più uscire. Mentre lavorava, canticchiava un allegro motivetto e trasaliva a ogni minimo rumore.

Sabato la cosa cominciò a sfuggire di mano. Ventiquattro lettere indirizzate a Harry trovarono il modo di entrare in casa arrotolate e nascoste dentro ognuna delle due dozzine di uova che il lattaio, perplesso, aveva consegnato a zia Petunia attraverso la finestra del soggiorno. Mentre zio Vernon faceva telefonate inferocite all'ufficio postale e alla latteria, cercando qualcuno con cui prendersela, zia Petunia, in cucina, sminuzzava le lettere col frullatore.

« Ma chi diavolo è che vuole tanto parlarti? » chiese sbalordito Dudley a Harry.

Domenica mattina zio Vernon si sedette per fare colazione con un'aria stanca e sofferente, ma felice.

« Niente posta, la domenica » ricordò agli altri tutto contento, spalmando il giornale di marmellata d'arancia. « Oggi niente maledettissime lettere... »

Mentre pronunciava queste parole, qualcosa piovve con un fruscio giù per la cappa del camino e lo colpì sulla nuca. Un attimo dopo, trenta o quaranta lettere piombarono giù come una gragnuola di proiettili. I Dursley le schivarono, ma Harry fece un balzo per cercare di prenderne una...

« Fuori! FUORI! »

Zio Vernon abbrancò Harry all'altezza della vita e lo scaraventò nell'ingresso. Una volta che zia Petunia e Dudley furono corsi fuori proteggendosi il viso con le braccia, zio Vernon sbatté la porta. Da fuori, si sentivano ancora le lettere inondare la stanza, rimbalzando sulle pareti e sul pavimento.

« Questo è troppo » disse zio Vernon cercando di parlare con calma e al tempo stesso strappandosi a ciuffi i folti baffi. « Vi voglio qui tra cinque minuti, pronti a partire. Ce ne andiamo. Prendete solo qualche vestito. Niente discussioni ».

Aveva un'aria così minacciosa, con i baffi che gli mancavano per metà, che nessuno osò contraddirlo. Dieci minuti dopo, si erano aperti un varco strappando le assi inchiodate sulle porte ed erano saliti in macchina, dirigendosi a tutta velocità verso l'autostrada. Dudley, seduto sul sedile posteriore, stava frignando; suo padre gli aveva dato uno scapaccione perché si era attardato a cercare di infilare il televisore, il videoregistratore e il computer nella sacca da ginnastica.

Andarono. E poi continuarono ad andare. Neanche zia Petunia osava chiedere dove. Ogni tanto zio Vernon invertiva la marcia e per un po' procedeva nella direzione opposta.

« Me li levo di torno... vedrai se non me li levo di torno » bofonchiava ogni volta che faceva questa manovra.

Per tutto il giorno non si fermarono né per bere né per mangiare. Giunta l'ora di cena, Dudley ululava dalla disperazione. In vita sua non aveva mai passato una giornata brutta come quella. Aveva fame, aveva perso cinque programmi televisivi che voleva vedere e non era mai rimasto tanto tempo senza far saltare in aria un alieno sul suo computer.

Finalmente, zio Vernon si fermò davanti a uno squallido albergo, alla periferia di una grande città. Dudley e Harry divisero una stanza a due letti con lenzuola umide e ammuffite. Dudley cominciò a russare, ma Harry rimase sveglio, seduto sul davanzale della finestra, a fissare i fari delle macchine che passavano per la strada e a riflettere...

Il giorno dopo, per colazione, mangiarono corn-flakes stantii e pane tostato con pomodori in scatola. Avevano appena finito, quando la proprietaria dell'albergo si avvicinò al loro tavolo.

« Chiedo scusa, ma uno di voi è il signor H. Potter? È che di là sul bancone ho un centinaio di queste ».

E così dicendo mostrò una lettera su cui tutti poterono leggere l'indirizzo scritto con inchiostro verde:

Signor H. Potter
Stanza 17
Railview Hotel
Cokeworth

Harry fece per prendere la lettera, ma zio Vernon lo colpì scansandogli la mano. La donna osservava stupita.

« Le prenderò io » disse zio Vernon alzandosi in fretta e seguendola fuori dalla sala da pranzo.

« Non sarebbe meglio andarsene a casa, caro? » suggerì timidamente zia Petunia ore dopo, ma zio Vernon sembrò non sentirla. Nessuno di loro sapeva esattamente che cosa stesse cercando. Li condusse nel bel mezzo di una foresta, scese dall'auto, si guardò intorno, scosse il capo, risalì a bordo e ripartirono. La stessa cosa accadde nel centro esatto di un campo arato, a metà di un ponte sospeso e in cima a un parcheggio multipiano.

« Papà è ammattito, vero? » chiese Dudley con voce piatta a zia Petunia verso sera. Zio Vernon aveva parcheggiato l'auto in riva al mare, li aveva chiusi tutti dentro ed era scomparso.

Cominciò a piovere. Grossi goccioloni tambureggiavano sul tettuccio dell'auto. Dudley tirò su col naso.

« È lunedì » disse alla madre. « Stasera ci sono i cartoni. Voglio andare da qualche parte dove hanno il *televisore* ».

Lunedì. Questo ricordò qualcosa a Harry. Se *era* lunedì – e in genere si poteva star certi che Dudley sapesse i giorni della settimana per via della televisione – allora l'indomani, martedì, sarebbe stato l'undicesimo compleanno di Harry. Naturalmente, i suoi compleanni non erano mai propriamente divertenti: l'anno prima i Dursley gli avevano regalato una gruccia appendiabiti e un paio di calzini smessi di zio Vernon. Tuttavia, undici anni non si compiono mica tutti i giorni.

Zio Vernon era tornato e sorrideva. Portava un pacchetto lungo e sottile e non rispose a zia Petunia quando gli chiese che cosa avesse comprato.

« Ho trovato il posto ideale! » disse. « Venite! Tutti fuori! »

Fuori dall'auto faceva molto freddo. Zio Vernon stava indicando qualcosa al largo che assomigliava a un grosso scoglio. Appollaiata in cima allo scoglio c'era la catapecchia più miserabile che si possa immaginare. Una cosa era certa: là dentro di televisori non ce n'erano.

« Le previsioni per stasera annunciano tempesta! » disse zio Vernon in tono gaio, battendo le mani. « Questo signore ha gentilmente acconsentito a prestarci la sua barca! »

Un vecchio sdentato venne verso di loro a passo lento, additando, con un ghigno alquanto malvagio, una vecchia barca a remi che ballonzolava sulle acque plumbee proprio sotto di loro.

« Ho già comprato un po' di provviste » disse zio Vernon, « perciò tutti a bordo! »

Sulla barca faceva un freddo cane. Spruzzi d'acqua gelida e gocce di pioggia scendevano giù per il collo e un vento glaciale frustava loro la faccia. Dopo quelle che sembrarono ore raggiunsero lo scoglio dove zio Vernon, fra uno scivolone e l'altro, li guidò alla casetta diroccata.

L'interno era orribile; c'era un forte odore di alghe, attraverso le fessure delle pareti di legno fischiava il vento e il caminetto era umido e vuoto. C'erano solo due stanze.

Le provviste di zio Vernon si rivelarono essere un sacchetto di patatine a testa e quattro banane. Cercò di fare un fuoco, ma i sacchetti di patatine vuoti fecero soltanto un gran fumo e si accartocciarono.

« Adesso tornerebbe proprio utile qualcuna di quelle lettere, eh? » fece tutto allegro.

Era di ottimo umore. Era chiaro che pensava che nessuno avesse la minima possibilità di raggiungerli per consegnare la posta, con la burrasca che c'era. In cuor suo, Harry era d'accordo, anche se quel pensiero non lo rallegrava affatto.

Al calar della notte, la tempesta annunciata esplose attorno a loro. La schiuma delle onde altissime schizzava sulle pareti della catapecchia e un vento feroce faceva sbattere le luride finestre. Zia Petunia trovò alcune coperte ammuffite nella seconda stanza e arrangiò un letto per Dudley sul divano tutto roso dalle tarme. Lei e zio Vernon si sistemarono sul materasso bitorzoluto della stanza accanto e a Harry non rimase che rannicchiarsi nel punto più morbido del pavimento sotto la coperta più sottile e sbrindellata.

La notte avanzava e la tempesta infuriava sempre più feroce. Harry non riusciva a dormire. Scosso da brividi, si rigirava alla ricerca di una posizione comoda, con lo stomaco che gli gorgogliava per la fame. Il russare di Dudley era soffocato dal rombo dei tuoni che si scatenarono attorno a mezzanotte. Il quadrante luminoso dell'orologio di Dudley, che penzolava oltre il bordo del divano al suo polso grassoccio, informò Harry che avrebbe compiuto undici anni di lì a dieci minuti. Restò sdraiato a guardare il suo compleanno avvicinarsi a ogni ticchettio, a chiedersi se i Dursley se ne sarebbero ricordati, a domandarsi dove fosse in quel momento l'autore delle lettere.

Ancora cinque minuti. Harry udì qualcosa scricchiolare fuori. Sperò che il tetto non crollasse. Ancora quattro minuti. Forse, al loro ritorno, la casa di Privet Drive sarebbe stata talmente piena di lettere che in qualche modo sarebbe riuscito a rubarne una.

Ancora tre minuti. Era il mare a produrre quei forti schiocchi sullo scoglio? E (ancora due minuti) che cosa era mai quello strano scricchiolio? Era forse lo scoglio che si sgretolava nel mare?

Ancora un minuto e avrebbe compiuto undici anni. Trenta

secondi... venti... dieci... nove... forse avrebbe svegliato Dudley soltanto per dargli fastidio... tre... due... uno.

BUM!

Tutta la catapecchia fu scossa da un tremito e Harry saltò su a sedere di scatto fissando la porta. Fuori c'era qualcuno che bussava chiedendo di entrare.

CAPITOLO 4

IL CUSTODE
DELLE CHIAVI

B UM! Bussarono di nuovo. Dudley si svegliò di soprassalto. «Dov'è il cannone?» chiese stupidamente.

Alle loro spalle si udì un boato e zio Vernon piombò slittando nella stanza. In mano aveva un fucile... ora sapevano che cosa conteneva l'involto lungo e sottile che si era portato dietro.

«Chi va là?» gridò. «Vi avverto... sono armato!»

Ci fu una pausa. Poi...

SMASH!

La porta venne colpita con una tale forza che uscì di netto dai cardini e atterrò con uno schianto assordante sul pavimento.

Sulla soglia si stagliava un uomo gigantesco. Aveva il volto quasi nascosto da una criniera lunga e ispida e da una barba incolta e aggrovigliata, ma si distinguevano gli occhi che scintillavano come scarafaggi neri sotto tutti quei capelli.

Il gigante sembrò farsi piccolo piccolo per entrare nella catapecchia, piegandosi in modo da sfiorare appena il soffitto con la testa. Poi si chinò a terra, raccolse la porta e la rinfilò nei cardini con la massima disinvoltura. Il fragore della tempesta fuori si attutì un poco. Il gigante si voltò per guardarli a uno a uno.

«Che, si potrebbe avere una tazza di tè? Non è stato mica un viaggio facile, eh...»

A grandi passi, si avvicinò al divano dove Dudley giaceva pietrificato dal terrore.

«Scansati, ciccione!» gli intimò lo sconosciuto.

Con uno squittio, Dudley corse a nascondersi dietro la madre, che per il terrore si era rannicchiata dietro zio Vernon.

« Oh, ecco Harry! » disse il gigante.

Harry alzò lo sguardo su quel volto feroce, misterioso e selvaggio, e vide gli occhi lucidi come scarafaggi socchiudersi in un sorriso.

« L'ultima volta che ti ho visto, eri ancora un soldo di cacio » disse il gigante. « Assomigli un sacco a tuo papà, ma gli occhi, quelli li hai presi dalla mamma ».

Zio Vernon emise uno strano rumore stridulo.

« Le ingiungo di andarsene immediatamente, signore! » disse. « Questa è un'effrazione bella e buona! »

« Ma chiudi il becco, scemo d'un Dursley! » esclamò il gigante; allungò la mano oltre lo schienale del divano, strappò il fucile dalle mani di zio Vernon, annodò la canna con la massima facilità come fosse stata di gomma e lo scaraventò in un angolo.

Zio Vernon emise un altro rumore strano, come un topo che viene calpestato.

« Allora, Harry » disse il gigante voltando le spalle ai Dursley, « buon compleanno! Ho una cosetta per te... mi sa che a un certo punto mi ci sono seduto sopra, ma il sapore sarà ancora buono ».

Da una tasca interna del suo pastrano nero estrasse una scatola leggermente schiacciata. Harry l'aprì con dita tremanti. Dentro c'era una torta al cioccolato grossa e appiccicosa con su scritto, a lettere verdi di glassa: 'Buon Compleanno Harry'.

Harry guardò il gigante. Voleva dirgli grazie, ma le parole si persero prima di arrivargli alle labbra, e quel che invece gli uscì fu: « Chi sei? »

Il gigante ridacchiò.

« Giusto, va', non mi sono presentato. Rubeus Hagrid, Custode delle Chiavi e dei Luoghi a Hogwarts ».

Tese una mano enorme e strinse tutto il braccio di Harry.

« Allora, 'sto tè? » disse poi sfregandosi le mani. « Be', se c'è qualcosa di più forte non dico mica di no, si capisce ».

Lo sguardo gli cadde sul focolare vuoto, a eccezione dei pacchetti di patatine accartocciati, e sbuffò. Si chinò sul caminetto; gli altri non potevano vedere quel che faceva, ma quando si ritrasse, un attimo dopo, il fuoco scoppiettava, illuminando l'umida catapecchia di un tremulo bagliore. Harry sentì il calore inondarlo come se si fosse immerso in un bagno caldo.

Il gigante tornò a sedersi sul divano che cedette sotto il suo peso e cominciò a tirare fuori dalle tasche del pastrano ogni sorta di oggetti: un bollitore di rame, un pacchetto di salsicce tutto molle, un attizzatoio, una teiera, alcune tazze sbeccate e una bottiglietta contenente un liquido color ambra da cui bevve una sorsata prima di cominciare a fare il tè. Ben presto la catapecchia fu piena dello sfrigolio e dell'odore di salsiccia. Nessuno disse una parola mentre il gigante si dava da fare, ma non appena ebbe fatto scivolare dall'attizzatoio le prime sei salsicce, grasse, succulente e leggermente abbrustolite, Dudley diede segni di irrequietezza. Zio Vernon gli disse in tono aspro: «Non toccare niente di quel che ti dà, Dudley!»

Il gigante ridacchiò beffardo.

«Non preoccuparti, Dursley, quel ciccione di tuo figlio non ha bisogno di ingrassare ancora».

E passò le salsicce a Harry: il ragazzo era talmente affamato che gli parve di non aver mai assaggiato niente di così squisito; intanto, non riusciva a togliere gli occhi di dosso al gigante. Infine, visto che nessuno si decideva a dare spiegazioni, disse: «Scusa, ma ancora non ho capito bene chi sei».

Il gigante bevve un sorso di tè e si asciugò la bocca col dorso della mano.

«Chiamami Hagrid» disse, «tutti mi chiamano così. E, come ti ho detto, sono il Custode delle Chiavi a Hogwarts. Naturalmente, saprai tutto di Hogwarts».

«Ehm... no» disse Harry.

Hagrid fece una faccia sbalordita.

«Mi spiace» si affrettò a dire Harry.

«Ti spiace *a te*?» abbaiò Hagrid voltandosi a guardare i Dursley che si ritrassero in un angolo buio. «È *a loro* che deve dispiacere! Sapevo che non ti davano le lettere, ma... che non sapevi niente di Hogwarts... diamine! Non ti sei mai chiesto dove i tuoi genitori avevano imparato tutto quel po' po' di roba che sapevano? »

« Tutto cosa? » chiese Harry.

« TUTTO COSA?! » tuonò Hagrid. « No, aspetta un attimo! »

Balzò in piedi. Arrabbiato com'era, sembrava riempire tutta la stanza. I Dursley erano appiattiti contro la parete.

« Devo capire » gli ringhiò in faccia, « che questo ragazzo – *questo ragazzo!* – non sa niente... di NIENTE? »

Questo, a Harry, sembrava un po' troppo. Dopotutto, era andato a scuola e i suoi voti non erano poi tanto male.

« *Alcune* cose le so » disse. « So le tabelline e altre cose del genere ».

Ma Hagrid fece un gesto impaziente con la mano e disse: « Del *nostro* mondo, dico. Del *tuo* mondo. Del *mio* mondo. *Del mondo dei tuoi genitori* ».

« Quale mondo? »

Pareva che Hagrid stesse per esplodere.

« DURSLEY! » sbottò.

Zio Vernon, che si era fatto pallidissimo, biascicò qualcosa che suonò come un *pio pio*. Hagrid fissò Harry furibondo.

« Ma devi pur sapere di tua madre e tuo padre » disse. « Insomma, sono *famosi*. Tu sei *famoso* ».

« Come? Papà e mamma non erano famosi! O sì? »

« Tu non sai... non sai... » Hagrid si passò le dita tra i capelli, fissando Harry con uno sguardo incredulo.

« Tu non sai *chi sei*? » disse infine.

D'un tratto, zio Vernon ritrovò la voce.

« La smetta » gli intimò, « la smetta immediatamente! Le proibisco di dire qualsiasi cosa al ragazzo! »

Anche un uomo più coraggioso di Vernon Dursley avrebbe tremato di paura allo sguardo furibondo che Hagrid gli lanciò. Quando il gigante parlò, ogni sillaba fu uno scoppio di rabbia.

« Non glielo hai mai detto? Non gli hai mai detto che cosa

c'era scritto nella lettera che Silente gli ha appiccicato addosso? Guarda che io c'ero. Ho visto Silente che lo faceva, Dursley! E gliel'hai tenuta nascosta per tutti questi anni? »

« *Che cosa* mi ha tenuto nascosto? » chiese Harry avido di sapere.

« BASTA! GLIELO PROIBISCO! » gridò zio Vernon in preda al panico.

Zia Petunia emise un rantolo d'orrore.

« Oh, andate a quel paese, voi due! » disse Hagrid. « Harry... tu sei un mago ».

Nella catapecchia piombò il silenzio. Si sentiva solo il frangersi delle onde e l'ululato del vento.

« *Che cosa* sono, io? » chiese Harry senza fiato.

« Un mago, chiaro? » disse Hagrid tornando a sedersi sul divano che gemette e si affossò ancora di più. « Anzi, un mago coi fiocchi, direi, una volta che avrai studiato un pochetto. Con un papà e una mamma come i tuoi, che cos'altro poteva venir fuori? Penso proprio che è venuto il momento di leggere quella lettera ».

Harry allungò la mano per prendere finalmente la busta giallastra, scritta con l'inchiostro verde smeraldo, indirizzata al *Signor H. Potter, Piano terra, Catapecchia sullo scoglio, Mare*. Tirò fuori la lettera e lesse:

SCUOLA DI MAGIA E STREGONERIA DI HOGWARTS

Preside: Albus Silente
(Ordine di Merlino, Prima Classe,
Grande Mago, Stregone Capo, Supremo Pezzo Grosso,
Confed. Internaz. dei Maghi)

Caro signor Potter,
siamo lieti di informarLa che Lei ha diritto a frequentare la Scuola di Magia e Stregoneria di Hogwarts. Qui accluso troverà l'elenco di tutti i libri di testo e delle attrezzature necessarie.

L'anno scolastico avrà inizio il 1° settembre. Restiamo in atte-
sa del Suo gufo entro e non oltre il 31 luglio p.v.

Distinti saluti,

Minerva McGonagall
Vicepreside

Harry sentì una ridda di domande che gli esplodeva nella testa come un fuoco d'artificio, ma non riusciva a decidere da quale cominciare. Dopo alcuni minuti balbettò: « Che cosa significa che aspettano il mio gufo? »

« Per mille Gorgoni! L'avevo dimenticato » disse Hagrid battendosi una mano sulla fronte così forte che avrebbe mandato a zampe all'aria un cavallo da tiro, e dall'ennesima tasca interna del pastrano estrasse un gufo – un gufo in carne e ossa, con le penne tutte arruffate – una lunga penna d'oca e un rotolo di pergamena. Con la lingua tra i denti per lo sforzo, buttò giù un biglietto che Harry riuscì a leggere all'incontrario:

Caro professor Silente,
dato la lettera a Harry. Domani lo porto a comprare la roba
che gli serve.
C'è un tempo orrendo qui. Spero che Lei sta bene.

Hagrid

Poi arrotolò la pergamena, la porse al gufo che l'afferrò col becco, si diresse verso la porta e lanciò il volatile nella bufera. Quindi tornò indietro e si sedette come se tutta quella faccenda fosse normale come fare una telefonata.

Harry, rendendosi conto che aveva la bocca aperta per lo stupore, si affrettò a richiuderla.

« Dove ero arrivato? » riprese Hagrid, ma in quello stesso momento zio Vernon, ancora terreo in volto ma con espressione molto arrabbiata, si avvicinò al fuoco.

« Non ci andrà » disse.

Hagrid grugnì.

« Vorrei proprio vedere un Babbano come te che ferma Harry » disse.

« Un che cosa? » chiese Harry interessato.

« Un Babbano » disse Hagrid. « È così che chiamiamo le persone senza poteri magici, come loro. E per tua sfortuna sei cresciuto nella famiglia dei peggio Babbani che ho mai visto ».

« Quando lo abbiamo preso, abbiamo giurato di farla finita con tutte queste stupidaggini » disse zio Vernon, « che gliel'avremmo fatta passare, con le buone o con le cattive. Un mago! Figuriamoci! »

« Lo *sapevate*? » esclamò Harry. « Voi *sapevate* che io sono un mago? »

« Se lo sapevamo! » strillò zia Petunia. « Certo che sapevamo! Come avresti potuto sfuggire a questa dannazione, visto che tipo era mia sorella? Ricevette una lettera proprio come la tua e sparì, inghiottita in quella... in quella *scuola*... e ogni volta che tornava a casa per le vacanze, aveva le tasche piene di uova di rana, e trasformava le tazze da tè in topi. Io ero l'unica che la vedeva per quello che era: una balorda! Ma per mio padre e mia madre, no! Loro... Lily di qua, Lily di là! Erano tutti fieri di avere una strega in famiglia! »

Si interruppe per riprendere fiato e poi ricominciò a sbraitare. Sembrava che avesse atteso per anni il momento di sputar fuori tutto.

« Poi, a scuola conobbe quel Potter. Se ne andarono insieme, si sposarono e nascesti tu, e naturalmente sapevo benissimo che tu saresti stato identico a loro, altrettanto strampalato, altrettanto... *balordo*... e poi, se permetti, hanno avuto la bella idea di saltare in aria, ed ecco che tu ci sei piombato tra capo e collo! »

Harry era sbiancato. Non appena ebbe ritrovato la voce disse: « Saltati in aria? Mi avete detto che erano morti in un incidente d'auto ».

« INCIDENTE D'AUTO? » tuonò Hagrid saltando su così infuriato che i Dursley corsero a rintanarsi nel loro cantone. « Come potevano Lily e James Potter morire in un incidente d'auto? È pazzesco! È uno scandalo che Harry Potter non sa la sua storia, quando non c'è marmocchio nel nostro mondo che non conosce il suo nome! »

« Ma perché? Che cosa è successo? » chiese Harry impaziente. L'ira svanì dal viso di Hagrid. D'un tratto parve preoccupato.

« Proprio non me lo aspettavo » disse con voce bassa e angustiata. « Quando Silente mi ha detto che potevo avere qualche problema a portarti via, non avevo idea di quanto tu non sapevi. Oh, Harry, non so mica se sono la persona giusta per dirtelo... ma qualcuno deve: non puoi andare a Hogwarts senza sapere ».

Lanciò un'occhiataccia ai Dursley.

« Be', è meglio che sai quel che posso dirti io... però non posso raccontarti tutto, perché è un gran mistero, un bel po' grande, sì ».

Si sedette, fissò per alcuni istanti il fuoco e poi disse: « Credo che tutto è iniziato con... con una persona di nome... È incredibile che tu non sai come si chiama: tutti, nel nostro mondo, lo sanno... »

« Chi? »

« Be', preferisco non dire il nome, se posso. Tutti preferiscono, tutti ».

« E perché? »

« Per tutti i gargoyle, Harry, la gente ha ancora una fifa nera. Miseriaccia, quant'è difficile! Vedi, c'era questo mago che poi ha... ha preso la via del male. Tutto il male che riesci a immaginare. Il peggio. Il peggio del peggio. Il suo nome era... »

Hagrid prese fiato ma non gli uscì una parola di bocca.

« Puoi scriverlo? »

« No, non so scriverlo. E va bene: *Voldemort* » Hagrid rabbrividì, « ma non farmelo ripetere. Insomma, circa vent'anni fa, questo mago cominciò a cercare seguaci. E li trovò, pure. Qualcuno lo seguì per paura, altri perché volevano una briciola del suo potere: perché lui, di potere, ne stava conquistando parecchio. Tempi bui, Harry. Non sapevi di chi fidarti, non potevi metterti a fare amicizia con maghi e streghe sconosciuti... Sono successe cose terribili. Lui stava prendendo il sopravvento. Chiaro, qualcuno cercò di fermarlo... e lui lo uccise. In modo orribile. Uno dei pochi posti rimasti ancora sicuri era Hogwarts. Credo che Silente è il solo di cui Tu-Sai-Chi aveva paura. Non ha osato impadronirsi della scuola, in ogni caso non allora.

« Ora, tua mamma e tuo papà erano i migliori maghi che ho mai conosciuto. Ai loro tempi erano Capiscuola a Hogwarts. Il mistero è perché Tu-Sai-Chi non aveva mai cercato di tirarli dalla sua parte prima... Forse sapeva che erano troppo vicini a Silente e non volevano avere niente a che fare con il Lato Oscuro.

« Forse pensava di riuscire a convincerli... forse voleva soltanto che si levavano dai piedi. Tutto quel che si sa è che dieci anni fa, il giorno di Halloween, spuntò nel villaggio dove abitavate voi. Tu avevi solo un anno. Lui entrò in casa e... e... »

D'un tratto Hagrid tirò fuori un fazzoletto a pallini tutto sporco e si soffiò il naso con il fragore di una sirena da nebbia.

« Chiedo scusa » disse, « ma è così triste... conoscevo la tua mamma e il tuo papà... le persone più carine che si possono immaginare... Ma insomma...

« Tu-Sai-Chi li uccise. E poi – e questa è la cosa veramente misteriosa – cercò di uccidere anche te. Chissà, voleva fare piazza pulita, o forse a quel tempo ammazzava solo per il gusto di farlo. Ma non ci riuscì. Ti sei mai chiesto come hai quella cicatrice sulla fronte? Non è una ferita qualsiasi. Quello è il segno che ti rimane quando vieni colpito da una maledizione potente: non ha risparmiato tua mamma e tuo papà, e neanche la casa, ma su di te non ha funzionato, e questo è il motivo per cui sei famoso, Harry. Nessuno di quelli che lui aveva deciso di uccidere l'ha fatta franca, nessuno, solo tu. E guarda che ha ucciso maghi e streghe fra i migliori del suo tempo: i McKinnon, i Bones, i Prewett; e tu, che eri soltanto un piccoletto, ce l'hai fatta ».

In quel momento Harry ricordò qualcosa di molto doloroso. Mentre il racconto di Hagrid si avviava alla conclusione, rivide il bagliore accecante di luce verde più chiaramente di quanto non fosse mai accaduto prima; poi, gli tornò in mente anche qualche cos'altro, per la prima volta in vita sua: una risata lunga, fredda, crudele.

Hagrid lo guardava pieno di tristezza.

« Ti ho raccolto tra le macerie della casa con le mie mani, su ordine di Silente. E ti ho portato da questi qua ».

« Tutte balle! » esclamò zio Vernon. Harry ebbe un soprassalto: aveva quasi dimenticato la presenza dei Dursley. Zio Vernon aveva tutta l'aria di aver recuperato il coraggio. Fissava Hagrid con odio e teneva i pugni serrati.

« E ora, sta' a sentire, ragazzo » disse in tono adirato. « Ammetto che in te ci sia qualcosa di strano, probabilmente nulla che non sarebbe guarito con una bella sculacciata... Ma quanto a tutte queste storie sui tuoi genitori... è vero, erano strampalati, inutile negarlo, e a mio parere il mondo sta molto meglio senza di loro. Quel che gli è capitato se lo sono cercato, a forza di frequentare tutti quei maghi... È accaduto proprio quel che avevo previsto; ho sempre saputo che avrebbero fatto una brutta fine ».

Ma in quel preciso istante, Hagrid balzò in piedi ed estrasse da sotto il pastrano un ombrello rosa malconcio. Puntandolo contro zio Vernon come una spada, disse: « Ti avverto, Dursley... ti avverto: un'altra parola e... »

All'idea di finire infilzato sul puntale di un ombrello da un gigante barbuto, il coraggio di zio Vernon venne meno un'altra volta. Si appiattì contro la parete e rimase in silenzio.

« Così va meglio » fece Hagrid col respiro affannoso, e si sedette di nuovo sul divano, che questa volta cedette definitivamente fino a toccare terra.

Intanto, Harry aveva un sacco di domande da fare: anzi, centinaia.

« Ma che ne è stato di Vol... ehm, scusa, di Tu-Sai-Chi? »

« Buona domanda, Harry. Scomparso. Sparito nel nulla. La notte stessa che cercò di ucciderti. E questo ti ha reso ancor più famoso. Questo è il mistero dei misteri, vedi... Lui stava diventando sempre più potente. Perché sparire?

« Alcuni dicono che è morto. Balle, secondo me. Non so se dentro aveva ancora qualcosa di abbastanza umano che poteva morire. Altri dicono che è ancora lì che aspetta il momento buono, ma io non ci credo. Gente che stava dalla sua parte è tornata dalla nostra. Alcuni sembrava che uscivano da una trance. Non credo che potevano farlo se lui tornava.

« I più di noi credono che è ancora là fuori da qualche parte, ma che ha perso i suoi poteri, che è troppo debole per andare avanti. Perché qualcosa di te, Harry, lo ha fermato. È successo qualcosa, quella notte, che lui non aveva pensato... Io non so che cosa, nessuno lo sa... ma c'è qualche cosa, in te, che lo ha messo k.o. ».

Hagrid guardava Harry e nei suoi occhi brillavano calore e rispetto; Harry, dal canto suo, anziché sentirsi compiaciuto e orgoglioso, era abbastanza sicuro che ci fosse un terribile errore. Un mago? Lui? Com'era possibile? Aveva passato una vita a farsi picchiare da Dudley e tormentare da zia Petunia e da zio Vernon; se fosse stato veramente un mago, perché non si erano trasformati in rospi verrucosi ogni volta che avevano cercato di rinchiuderlo nel ripostiglio? Se una volta aveva sconfitto il più grande stregone del mondo, come mai Dudley lo aveva sempre preso a calci come un pallone?

« Hagrid » disse tranquillamente, « credo che ti sia sbagliato. Secondo me è impossibile che io sia un mago ».

Con sua grande sorpresa, Hagrid ridacchiò.

« Non sei un mago, eh? Senti un po': non ti capita mai di far succedere qualcosa, quando ti spaventano o ti fanno arrabbiare? »

Harry fissò il fuoco. Ora che ci pensava... le cose strane che mandavano gli zii su tutte le furie erano sempre accadute quando lui, Harry, era turbato o arrabbiato... Quando era inseguito dalla ghenga di Dudley, chissà come, si ritrovava sempre fuori tiro... Quando il pensiero di andare a scuola con quel ridicolo taglio di capelli l'aveva spaventato era riuscito a farseli ricrescere... E poi, l'ultima volta che Dudley lo aveva picchiato non si era forse preso la rivincita, senza neanche rendersene conto? Non gli aveva aizzato contro un boa constrictor?

Harry tornò a guardare Hagrid con un sorriso e si accorse che il gigante lo ricambiava apertamente.

« Visto? » disse Hagrid. « Harry Potter non è un mago, eh? Aspetta e vedrai: presto sarai famoso, a Hogwarts! »

Ma zio Vernon non era intenzionato a cedere senza dar battaglia.

« Mi pareva di averle detto che il ragazzo non ci va, in quel posto » sibilò. « Andrà a Stonewall e dovrà anche ringraziarci. Ho letto tutte quelle lettere in cui chiedono un mucchio di stupidaggini... libri di incantesimi, bacchette magiche... »

« Se lui vuole andarsene, neanche un grosso Babbano come te riuscirà a fermarlo » ringhiò Hagrid. « Impedire al figlio di Lily e James Potter di andare a Hogwarts! Roba da pazzi! È iscritto da quando è nato. Frequenterà la migliore scuola di magia e stregoneria del mondo. Sette anni laggiù e non si riconoscerà più neanche lui. Starà insieme a giovani come lui, una volta tanto, sotto il più grande preside che Hogwarts ha mai avuto, Albus Silen... »

« IO NON INTENDO PAGARE PERCHÉ UN VECCHIO PAZZO STRAVAGANTE GLI INSEGNI QUALCHE TRUCCHETTO! » urlò zio Vernon.

Ma aveva superato il limite. Hagrid afferrò l'ombrello e lo fece roteare sopra la testa. « MAI... » tuonò, « INSULTARE – ALBUS – SILENTE – DAVANTI – A – ME! »

Sferzando l'aria con l'ombrello, lo puntò contro Dudley: ci fu un bagliore di luce violetta, uno scoppio come di petardo e un acuto squittio. Un attimo dopo, Dudley saltellava sul posto con le mani serrate sul grosso deretano, ululando di dolore. Quando volse loro le spalle, Harry vide un codino arricciato da maiale che gli spuntava da un buco nei pantaloni.

Zio Vernon emise un ruggito. Spinti zia Petunia e Dudley

nella stanza accanto, gettò un ultimo sguardo terrorizzato a Hagrid e si sbatté la porta alle spalle.

Hagrid guardò l'ombrello e si accarezzò la barba.

« Non dovevo dar di matto » disse con aria dolente. « Ma tanto, non ha funzionato. Volevo trasformarlo in un maiale, ma gli assomiglia già così tanto che non c'era molto altro da fare ».

Gettò uno sguardo in tralice a Harry da sotto le sopracciglia cespugliose.

« Che non ti scappi con nessuno, a Hogwarts, eh? » disse. « Ehm... vedi, secondo la regola, io non devo fare magie. Mi è stato permesso di farne qualcuna, ma solo per seguire te e per portarti le lettere e roba del genere... e questa era una delle ragioni per cui desideravo tanto questa missione ».

« Perché non ti è permesso fare magie? » chiese Harry.

« Oh, be', sai... anch'io una volta andavo a scuola a Hogwarts, ma... ehm... per dirla tutta, sono stato espulso. Al terzo anno. Mi hanno spezzato la bacchetta a metà, eccetera eccetera. Ma Silente mi ha permesso di rimanere come guardacaccia. Grand'uomo, Silente! »

« E perché sei stato espulso? »

« Mi sa che si fa tardi e domani abbiamo un mucchio di cose da fare » disse Hagrid alzando la voce. « Dobbiamo arrivare in città, comprare i libri e tutto il resto ».

Si tolse di dosso il pesante pastrano nero e lo gettò a Harry.

« Puoi schiacciare un pisolino qui sotto » disse. « Non ti preoccupare se lo senti muovere un po'. Credo che in una delle tasche sono rimasti un paio di ghiri ».

CAPITOLO 5

DIAGON ALLEY

Il mattino dopo Harry si svegliò di buon'ora. Benché si rendesse conto che era giorno fatto, tenne gli occhi ben chiusi.

« È stato tutto un sogno » si disse con fermezza. « Ho sognato che un gigante di nome Hagrid era venuto a dirmi che avrei frequentato una scuola per maghi. Quando aprirò gli occhi mi ritroverò a casa dentro il ripostiglio ».

D'un tratto si sentì bussare forte.

'Ecco zia Petunia che bussa alla porta' pensò Harry con il cuore che gli si faceva piccolo piccolo. Ma continuò a tenere gli occhi chiusi. Era stato un sogno così bello!

Toc. Toc. Toc.

« E va bene » borbottò Harry, « mi sto alzando ».

Si mise seduto e il pesante pastrano di Hagrid gli cadde di dosso. La catapecchia era tutta illuminata dal sole, la bufera era passata; Hagrid, in carne e ossa, dormiva sul divano sfondato e un gufo raspava con gli artigli alla finestra, tenendo un giornale nel becco.

Harry scattò in piedi. Era talmente contento che si sentiva leggero come un palloncino. Andò alla finestra e la spalancò. Il gufo volò dentro e lasciò cadere il giornale su Hagrid, e poiché non si svegliava, cominciò a svolazzare sul pavimento beccando il suo pastrano.

« Non fare così ».

Harry cercò di scacciarlo con la mano, ma quello schioccò il becco con aria feroce e continuò a infierire sul soprabito.

« Hagrid! » disse Harry a voce alta. « C'è un gufo! »

« Pagalo » grugnì Hagrid dal divano.

« Come? »

« Bisogna pagarlo per la consegna del giornale. Guarda nelle tasche ».

Sembrava che il pastrano di Hagrid fosse fatto soltanto di tasche. Mazzi di chiavi, repellente per lumache in granelli, gomitoli di spago, caramelle alla menta, bustine di tè... finalmente, Harry tirò fuori una manciata di monete dall'aspetto strano.

« Dagli cinque zellini » disse Hagrid con voce assonnata.

« *Zellini?* »

« Le monetine di bronzo ».

Harry contò cinque piccole monete di bronzo e il gufo allungò la zampa per consentirgli di mettere il denaro in un borsellino di cuoio che vi portava legato. Poi volò via dalla finestra aperta.

Hagrid sbadigliò rumorosamente, si mise seduto e si stiracchiò.

« Meglio che andiamo, Harry, abbiamo un sacco di cose da fare, oggi: dobbiamo arrivare a Londra e comprare la roba per la scuola ».

Harry si rigirava tra le mani le monete dei maghi, osservandole. Gli era appena venuto in mente un pensiero che lo fece sentire come se quel palloncino di felicità gli si fosse bucato.

« Ehm... Hagrid? »

« Mmm? » chiese Hagrid mentre si infilava gli enormi stivali.

« Io non ho soldi... e hai sentito zio Vernon, ieri sera... Lui non tirerà fuori un centesimo perché io frequenti la scuola di magia ».

« Che ti preoccupi? » rispose Hagrid alzandosi e grattandosi la testa. « Pensi che i tuoi genitori non ti hanno lasciato niente? »

« Ma se la loro casa è andata distrutta! »

« Non tenevano mica l'oro in casa, ragazzo! Allora, prima fermata alla Gringott. La banca dei maghi. Acchiappa una salsiccia, fredde non sono malaccio... e non mi dispiacerebbe neanche una fetta della tua torta di compleanno».

«Esistono *banche* dei maghi?»

«Una sola, la Gringott. Sono i goblin che se ne occupano».

Harry lasciò cadere il pezzo di salsiccia che aveva in mano.

«*Goblin?*»

«Sì... E bisogna essere matti per tentare una rapina, te lo dico io. Con i goblin non si scherza. La Gringott è il posto più sicuro del mondo, se vuoi custodire qualcosa... tranne Hogwarts, forse. Ora che ci penso, alla Gringott ci devo andare comunque. Per Silente. Affari di Hogwarts». Hagrid gonfiò il petto tutto fiero. «Di solito lui mi manda a fare le sue commissioni importanti. Venire a prendere te... portargli certe cose dalla Gringott... Sa che di me si può fidare, capisci?

«Hai preso tutto? Allora andiamo» disse poi.

Harry seguì Hagrid fuori, sullo scoglio. Ora il cielo era terso e il mare luccicava sotto il sole. La barca che zio Vernon aveva preso in affitto era ancora lì, piena d'acqua per via del temporale.

«Come hai fatto ad arrivare fin qui?» chiese Harry guardandosi intorno in cerca di un'altra barca.

«In volo» rispose Hagrid.

«*In volo?*»

«Sì. Ma per tornare indietro useremo questa. Ora che sono con te, non devo fare magie».

Presero posto nella barca. Ma Harry continuava a guardare Hagrid, cercando di immaginarselo mentre volava.

«Che seccatura dover remare, però» disse Hagrid lanciando a Harry un'altra delle sue occhiate di sottecchi. «Se accelero un po' la cosa, ti va di non dire niente, quando saremo a Hogwarts?»

«Certo che sì» disse Harry, che non vedeva l'ora di assistere ad altre magie. Hagrid estrasse di nuovo l'ombrello rosa, lo batté due volte sulla fiancata della barca e partirono verso terra a tutta velocità.

« Perché bisogna essere matti per organizzare una rapina alla Gringott? » chiese Harry.

« Magie... incantesimi » disse Hagrid, sfogliando il giornale mentre parlava. « Dicono che a guardia delle camere blindate ci sono dei draghi. E poi bisogna trovare la strada... Vedi, la Gringott si trova centinaia di chilometri sotto Londra. Molto più giù della metropolitana. Anche se riesci a mettere le mani su qualcosa, prima di rivedere la luce fai in tempo a crepare di fame ».

Harry continuava a pensare a tutte queste cose mentre Hagrid leggeva il giornale, *La Gazzetta del Profeta*. Zio Vernon gli aveva insegnato che alla gente piace essere lasciata in pace quando legge il giornale, ma era molto difficile farlo, perché non aveva mai avuto tante domande da fare in vita sua.

« Il Ministero della Magia ha fatto dei pasticci, come al solito » borbottò Hagrid girando pagina.

« Esiste un Ministero della Magia? » chiese Harry, incapace di trattenersi.

« Certo » rispose Hagrid. « Naturalmente, come Ministro volevano Silente, ma lui non lascerebbe mai Hogwarts, e così l'incarico è andato al vecchio Cornelius Fudge. È casinista come pochi: perciò, tutte le mattine inonda Silente di gufi, per chiedere consigli ».

« Ma che cosa fa il Ministero della Magia? »

« Be', il compito più importante è non far sapere ai Babbani che in giro per il Paese ci sono ancora streghe e maghi ».

« E perché? »

« *Perché?* Diamine, Harry, perché tutti altrimenti vogliono risolvere i loro problemi con la magia. No, è meglio che non ci immischiamo ».

In quel momento, la barca urtò dolcemente la banchina del porto. Hagrid ripiegò il giornale ed entrambi risalirono la scaletta di pietra che portava alla strada. I passanti guardavano Hagrid con tanto d'occhi, mentre i due attraversavano la cittadina diretti alla stazione. Harry non poteva dar loro torto. Non soltanto Hagrid era due volte più alto del normale, ma continuava a additare cose del tutto comuni, come i parchimetri, dicendo ad alta voce: « Vedi, Harry? Questa è la roba che si inventano i Babbani! »

« Hagrid » disse Harry ansimando un poco mentre correva per tenergli dietro, « mi dicevi che alla Gringott ci sono i *draghi*? »

« Be', così dicono » rispose Hagrid. « Caspita, quanto mi piacerebbe avere un drago ».

« Ah, sì? »

« Lo desidero da quando ero piccolo... Ecco, da questa parte ».

Avevano raggiunto la stazione. Il treno per Londra partiva di lì a cinque minuti. Hagrid, che non capiva i 'soldi dei Babbani', come li chiamava lui, diede le banconote a Harry perché comprasse i biglietti.

Sul treno la gente li scrutava più che mai. Hagrid occupava due posti a sedere e aveva preso a sferruzzare quello che sembrava un tendone da circo color giallo canarino.

« Hai ancora la lettera, Harry? » chiese mentre contava le maglie.

Harry tirò fuori dalla tasca la busta di pergamena.

« Bene » disse Hagrid. « Lì c'è un elenco di tutto quel che ti serve ».

Harry spiegò un secondo foglio che la sera prima non aveva notato e lesse.

SCUOLA DI MAGIA E STREGONERIA DI HOGWARTS

Uniforme
Gli studenti del primo anno dovranno avere:
  Tre divise da lavoro in tinta unita (nero)
  Un cappello a punta in tinta unita (nero) da giorno
  Un paio di guanti di protezione (in pelle di drago o simili)
  Un mantello invernale (nero con alamari d'argento)
  N.B. Tutti gli indumenti degli allievi devono essere contrassegnati da una targhetta con il nome.

Libri di testo

Tutti gli allievi dovranno avere una copia dei seguenti testi:

Manuale degli Incantesimi, Volume primo, *di Miranda Goshawk*

Storia della Magia, *di Bathilda Bagshot*

Teoria della Magia, *di Adalbert Waffling*

Guida pratica alla Trasfigurazione per principianti, *di Emeric Switch*

Mille erbe e funghi magici, *di Phyllida Spore*

Infusi e pozioni magiche, *di Arsenius Jigger*

Gli Animali Fantastici: dove trovarli, *di Newt Scamander*

Le Forze Oscure: guida all'autodifesa, *di Quentin Trimble*

Altri accessori

1 bacchetta

1 calderone (in peltro, misura standard 2)

1 set di provette di vetro o cristallo

1 telescopio

1 bilancia d'ottone

Gli allievi possono portare anche un gufo, OPPURE un gatto, OPPURE un rospo.

SI RICORDA AI GENITORI CHE AGLI ALLIEVI DEL PRIMO ANNO NON È CONSENTITO L'USO DI SCOPE PERSONALI.

« Si può comprare tutto a Londra? » si chiese ad alta voce Harry.

« Sì, se uno sa dove andare » rispose Hagrid.

Harry non era mai stato a Londra. Per quanto fosse evidente che Hagrid sapesse dove stava andando, era altrettanto chiaro che non fosse abituato a girare per la città come un comune mortale. Rimaneva incastrato nei tornelli della metropolitana e si lamentava ad alta voce che i sedili delle vetture erano troppo piccoli e i treni troppo lenti.

« Non so proprio come fanno i Babbani a cavarsela senza magia» disse mentre si arrampicavano su per una scala mobile guasta che portava a una strada affollata e piena di negozi.

Hagrid era così grosso che riusciva facilmente a fendere la folla; quanto a Harry, bastava che gli stesse alle calcagna. Passarono davanti a negozi di libri e di musica, a fast food e cinema, ma in nessuno pareva si vendessero bacchette magiche. Era una strada qualsiasi, piena di gente qualsiasi. Possibile che sepolti sotto i loro piedi si nascondessero mucchi d'oro appartenenti ai maghi? Possibile che esistessero negozi che vendevano libri di incantesimi e scope? Non poteva essere una burla monumentale architettata dai Dursley? Se Harry non avesse saputo che i Dursley erano privi del benché minimo senso dell'umorismo ci avrebbe quasi creduto; eppure, per quanto incredibile gli sembrasse tutto quel che Hagrid gli aveva raccontato fino a quel momento, Harry non riusciva a non fidarsi di lui.

«Eccoci arrivati» disse Hagrid fermandosi. «Il Paiolo Magico. Un posto famoso».

Era un piccolo pub, dall'aspetto sordido. Se Hagrid non glielo avesse indicato, Harry non ci avrebbe neanche fatto caso. I passanti frettolosi non gli gettavano neanche un'occhiata. Gli sguardi andavano dalla grossa libreria su un lato della strada al negozio di dischi sull'altro, come se per loro il Paiolo Magico fosse invisibile. E infatti, Harry aveva la stranissima sensazione che solo lui e Hagrid lo vedessero. Prima che potesse dire una parola, Hagrid lo spinse dentro.

Per essere un posto famoso, il Paiolo Magico era molto buio e malandato. Alcune vecchie erano sedute in un angolo e sorseggiavano un bicchierino di sherry. Una di loro fumava una lunga pipa. Un ometto col cappello a cilindro stava parlando al vecchio barista che era calvo come una noce. Il sordo brusio della conversazione si arrestò al loro ingresso. Sembrava che tutti conoscessero Hagrid; lo salutarono e gli sorrisero, e il barista prese un bicchiere dicendo: «Il solito, Hagrid?»

«Non posso, Tom, sono in servizio, affari di Hogwarts» disse il gigante dando una grossa pacca con la manona sulla spalla di Harry, al quale si piegarono le ginocchia.

« Buon Dio! » esclamò il barista scrutando Harry. « Questo è... non sarà mica...? »

Al Paiolo Magico cadde d'un tratto il silenzio; tutti si immobilizzarono.

« Mi venisse un colpo... » sussurrò con un filo di voce il vecchio barista. « Ma è Harry Potter! Quale onore! »

Uscì di corsa da dietro il bancone, si precipitò verso Harry e gli afferrò la mano con le lacrime agli occhi.

« Bentornato, signor Potter, bentornato! »

Harry non sapeva che cosa dire. Tutti lo guardavano. La vecchia continuava a dar tirate alla pipa senza accorgersi che si era spenta. Hagrid era raggiante.

Ci fu un grande tramestio di sedie e subito dopo Harry si trovò a stringere la mano di tutti i presenti.

« Sono Doris Crockford, signor Potter. Non riesco a crederci! Finalmente la conosco! »

« Sono così onorato, signor Potter, veramente onorato ».

« Ho sempre desiderato stringerle la mano... Sono così emozionato! »

« Oh, signor Potter, non so dirle quanto piacere mi fa conoscerla! Mi chiamo Diggle, Dedalus Diggle ».

« Ma io la conosco! » disse Harry, mentre a Dedalus Diggle per l'emozione cadeva il cappello a cilindro. « Una volta mi ha fatto l'inchino in un negozio ».

« Se lo ricorda! » gridò l'ometto guardando tutti a uno a uno. « Avete sentito? Si ricorda di me! »

Harry strinse mani a non finire. Doris Crockford non la smetteva più di tornare a porgergli la sua.

Si fece largo un giovanotto pallido dall'aria molto nervosa. Aveva un tic a un occhio.

« Professor Quirrell! » disse Hagrid. « Harry, il professore sarà uno dei tuoi insegnanti a Hogwarts ».

« P-P-Potter » balbettò il professor Quirrell afferrando la mano di Harry, « n-n-non so d-d-dirle qu-quanto s-sono felice di c-c-conoscerla ».

« Che tipo di magia insegna, professor Quirrell? »

« D-difesa co-contro le Arti O-o-oscure » balbettò Quirrell come se avesse preferito non saperlo. « N-n-non che a lei s-serva, eh, P-P-Potter? » E rise nervosamente. « Su-su-ppongo che s-s-starà ri-rifornendosi d-di tu-tu-tutto quel che le s-s-serve, v-vero, P-Potter? I-io devo p-prendere u-un nuovo li-libro s-sui va-va-vampiri ». Appariva terrorizzato al solo pensiero.

Ma gli altri non gli permisero di tenersi Harry tutto per sé. Ci vollero almeno dieci minuti per liberarsi di tutti. Finalmente, Hagrid riuscì a farsi udire al di sopra del cicaleccio.

« Ora dobbiamo andare... un mucchio di cose da comprare. Sbrigati, Harry ».

Doris Crockford strinse un'ultima volta la mano a Harry e Hagrid gli fece strada attraverso il bar; uscirono in un piccolo cortile circondato da un muro, dove non c'era altro che un bidone della spazzatura e qualche erbaccia.

Hagrid sorrise a Harry.

« Te l'avevo detto, no? Te l'avevo detto che sei famoso. Anche il professor Quirrell tremava tutto quando ti ha conosciuto... Va bene che per lui tremare è normale ».

« È sempre così nervoso? »

« Oh, sì! Povero diavolo. Una gran testa. Tutto bene finché ha studiato sui libri, ma poi si è preso un anno per andare a fare un po' di esperienza sul campo... Dicono che nella Foresta Nera ha incontrato i vampiri e che c'è anche stata una brutta storia con una fattucchiera... Da allora non è più lui. Ha paura degli studenti, ha paura della materia che insegna... Ma vediamo un po', dov'è finito il mio ombrello? »

Vampiri? Fattucchiere? A Harry girava la testa. Nel frattempo, Hagrid stava contando i mattoni sul muro sopra il bidone della spazzatura.

« Tre verticali... due orizzontali... » bofonchiava. « Bene. Sta' indietro, Harry ».

Batté sul muro tre volte con la punta dell'ombrello.

Il mattone che aveva colpito vibrò... si contorse... al centro, apparve un piccolo buco... si fece sempre più grande... e un attimo dopo si trovarono di fronte un arco abbastanza largo da far passare Hagrid. L'arco dava su una strada selciata tutta curve, di cui non si vedeva la fine.

«Benvenuto a Diagon Alley!» disse Hagrid.

Sorrise allo stupore di Harry. Attraversarono l'arco. Harry gettò una rapida occhiata alle sue spalle e vide l'arco rimpicciolirsi, ridiventando un muro compatto.

Il sole splendente illuminava una pila di calderoni fuori dal negozio più vicino. Un'insegna appesa sopra diceva: 'Calderoni. Tutte le dimensioni. Rame, ottone, peltro, argento. Autorimestanti. Pieghevoli'.

«Sì, te ne servirà uno» disse Hagrid, «ma prima dobbiamo andare a prenderci i soldi».

Harry avrebbe voluto avere altre quattro paia di occhi. Strada facendo, si girava di qua e di là nel tentativo di vedere tutto e subito: i negozi, le cose esposte all'esterno, la gente che faceva compere. Mentre passavano, una donna grassottella, appena uscita dalla bottega di uno speziale, scuoteva la testa commentando: «Fegato di drago sedici falci l'oncia: roba da matti!»

Da un negozio buio la cui insegna diceva: 'Emporio del Gufo di Eeylop: allocchi, barbagianni, gufi dei granai, gufi bruni e civette delle nevi' proveniva un chiurlare debole e sommesso. Molti ragazzi, più o meno dell'età di Harry, tenevano il naso schiacciato contro una vetrina, dove erano esposte delle scope. «Guarda» Harry sentì dire uno di loro, «la Nimbus Duemila, la più veloce di tutte». Alcuni negozi vendevano abiti, altri telescopi e bizzarri strumenti d'argento che Harry non aveva mai visto prima; c'erano vetrine stipate di barili, contenenti milze di pipistrello e pupille d'anguilla, pile traballanti di libri di incantesimi, penne d'oca e rotoli di pergamena, boccette di pozioni, globi lunari...

«Ecco la Gringott» disse Hagrid a un certo punto.

Erano giunti a un edificio bianco come la neve che svettava sopra le piccole botteghe. Ritto in piedi, dietro un portale di bronzo brunito, con indosso un'uniforme scarlatta e oro, c'era...

« Proprio così, quello è un goblin » disse Hagrid tutto tranquillo, mentre salivano gli scalini di candida pietra diretti verso di lui. Il goblin era più basso di Harry di quasi tutta la testa. Aveva un viso dal colorito scuro e dall'aria intelligente, una barba a punta e, come Harry poté notare, dita e piedi molto lunghi. Si inchinò al loro passaggio. Ora si trovavano di fronte una seconda porta, questa volta d'argento, su cui erano incise le seguenti parole:

Entra, straniero, ma ti ricordo
cosa spetta a chi è ingordo.
Chi prende senza meritare
molto cara la dovrà pagare.
Quindi se cerchi nei sotterranei qui da noi
tesori che non furono mai tuoi,
sta' attento, ladro, sei avvisato:
ben altro che un tesoro ti è riservato.

« Come ho detto, bisogna davvero essere matti a cercare di rapinare questa banca » disse Hagrid.

Quando attraversarono la porta d'argento, una coppia di goblin si inchinò davanti a loro e li introdusse in un grande salone marmoreo. Un centinaio di altri goblin seduti su alti scranni dietro un lungo bancone scribacchiavano su grandi libri mastri, pesavano le monete su bilance d'ottone, ed esaminavano pietre preziose con la lente. Le porte erano troppo numerose per poterle contare, e altri goblin erano occupati ad aprirle e richiuderle per fare entrare e uscire le persone. Hagrid e Harry si avvicinarono al bancone.

« 'Giorno » disse Hagrid a un goblin che in quel momento era libero. « Siamo venuti a prendere un po' di soldi dalla cassaforte del signor Harry Potter ».

« Avete la chiave, signore? »

« Ce l'ho qui, da qualche parte » fece Hagrid, cominciando a svuotare le tasche sul banco e sparpagliando sul libro contabile del goblin una manciata di biscotti ammuffiti per cani. Il goblin storse il naso. Harry, intanto, osservava un altro goblin alla loro destra pesare un mucchio di rubini rossi come tizzoni accesi.

« Trovata! » disse finalmente Hagrid che aveva in mano una piccola chiave d'oro.

Il goblin la osservò da vicino.

« Sembra che vada bene ».

« E qui ho anche una lettera del professor Silente » disse Hagrid col petto in fuori, ostentando un'aria d'importanza. « Riguarda lei-sa-cosa della camera blindata settecentotredici ».

Il goblin lesse attentamente la lettera.

« Molto bene » disse restituendola a Hagrid, « qualcuno vi accompagnerà in entrambe le camere blindate. Griphook! » chiamò.

Griphook era un altro goblin. Hagrid ripose tutti i biscotti per cani nelle tasche del suo pastrano e insieme a Harry seguì il goblin verso una delle porte che conducevano fuori dal salone.

« Che cos'è il lei-sa-cosa della camera blindata settecentotredici? » chiese Harry.

« Questo non te lo posso dire » rispose Hagrid con fare misterioso. « È una cosa segretissima. Faccende di Hogwarts. Silente si è fidato di me. Non ho il permesso di dirtelo ».

Griphook tenne la porta aperta per farli passare. Harry, che si era aspettato di vedere altro marmo, restò sorpreso. Si trovarono in uno stretto passaggio di pietra, illuminato da torce. Scendeva ripido e scosceso e per terra correvano i binari di una piccola ferrovia. Griphook fischiò e un piccolo carrello arrivò sferragliando verso di loro. Salirono a bordo – Hagrid con una certa difficoltà – e partirono.

Da principio percorsero un dedalo di passaggi tortuosi. Harry cercava di tenere a mente: sinistra, destra, destra, sinistra, bivio di mezzo, destra, sinistra, ma era impossibile. Il carrello sferragliante sembrava conoscere da solo la strada, perché Griphook non manovrava.

A Harry bruciavano gli occhi per via dell'aria fredda che gli sferzava la faccia, ma li tenne bene aperti. A un certo punto, credette di scorgere una fiammata in fondo a un passaggio e si girò per vedere se era un drago, ma troppo tardi: scesero ancora più giù, superando un lago sotterraneo dove, dal soffitto e dal pavimento, spuntavano enormi stalattiti e stalagmiti.

« Non mi ricordo mai... che differenza c'è fra stalagmiti e stalattiti? » gridò Harry a Hagrid, cercando di sovrastare con la voce il frastuono del carrello.

« Le stalagmiti hanno la 'm' » disse Hagrid. « E non mi fare domande adesso. Credo che sto per sentirmi male ».

Infatti aveva un colorito verde, e quando scese, dopo che il carrello si fu finalmente fermato accanto a una porticina sul muro di un corridoio, dovette appoggiarsi alla parete per farsi passare la tremarella alle gambe.

Griphook fece scattare la serratura della porta. Ne fuoruscì una nube di fumo verde e, quando si fu dissipata, Harry rimase senza fiato. Dentro, c'erano montagne di monete d'oro. Cumuli d'argento. Mucchi di piccoli zellini di bronzo.

« Tutto tuo » disse Hagrid con un sorriso.

Tutto suo? Era incredibile. I Dursley non dovevano saperne niente, altrimenti lo avrebbero immediatamente costretto a dare tutto a loro. Quante volte si erano lamentati di quel che gli costava mantenerlo? E pensare che sepolta nelle viscere di Londra c'era da sempre una piccola fortuna che gli apparteneva.

Hagrid aiutò Harry a raccogliere un po' di quel bendidio in una borsa.

« Quelli d'oro sono galeoni » spiegò. « Diciassette falci d'argento fanno un galeone e ventinove zellini fanno una falce: facilissimo, no? Bene, questo dovrebbe bastare per un paio di trimestri. Il resto te lo terremo da conto ». Si rivolse a Griphook: « E ora, alla camera blindata settecentotredici, per favore, non è che... si può andare più piano? »

« Ha una marcia sola » rispose Griphook.

Stavolta scesero ancora più giù, guadagnando velocità. A ognuna delle strettissime curve l'aria si faceva più fredda. Oltrepassarono sferragliando un burrone sotterraneo e Harry si sporse fuori per cercare di vedere quel che c'era nel fondo, immerso nell'oscurità, ma Hagrid, con un ruggito, lo tirò dentro afferrandolo per la collottola.

La camera blindata settecentotredici non aveva serratura.

« State indietro » disse Griphook, dandosi un'aria d'importanza. Colpì leggermente la porta con un dito lunghissimo e quella, semplicemente, scomparve.

« Chiunque non fosse un goblin della Gringott e provasse a farlo, verrebbe risucchiato attraverso la porta rimanendo imprigionato dentro » disse Griphook.

« Ogni quanto tempo controllate se dentro c'è qualcuno? » chiese Harry.

« Circa ogni dieci anni » rispose Griphook con un sorriso che pareva un ghigno.

Dentro quella camera blindata di massima sicurezza doveva esserci qualcosa di veramente straordinario, Harry ne era certo; così, si sporse in avanti pieno di curiosità, aspettandosi di vedere come minimo gioielli favolosi, ma in un primo momento pensò che fosse vuota. Poi notò, sul pavimento, un pacchettino tutto sporco, avvolto in una carta marrone. Hagrid lo raccolse e lo ripose accuratamente nel suo pastrano. Harry bruciava dalla voglia di sapere che cosa fosse, ma sentiva che era meglio non chiedere.

« Andiamo, dai, di nuovo su quel dannato carrello, e non mi parlare finché non siamo arrivati: meglio se tengo la bocca chiusa » disse Hagrid.

Una volta usciti dalla Gringott, dopo la pazza corsa di ritorno, rimasero un poco a sbattere le palpebre, accecati dalla luce del sole. Anche se ora aveva una borsa piena zeppa di soldi, Harry non sapeva da dove iniziare a fare i suoi acquisti. Non aveva bisogno di sapere quanti galeoni entravano in una sterlina per capire che disponeva di più denaro di quanto non ne avesse mai avuto in vita sua: più di quanto non ne avesse mai avuto lo stesso Dudley.

« Potremmo andare per la tua uniforme » disse Hagrid accennando con la testa al negozio di 'Madame Malkin: abiti per tutte le occasioni'. « Senti, Harry, ti spiace se io intanto faccio un salto al Paiolo Magico? Ho bisogno di qualcosa per tirarmi su, detesto quei carrelli della Gringott ». Aveva ancora l'aria un po' sbattuta e quindi Harry entrò da solo nel negozio di Madame Malkin, con un certo nervosismo.

Madame Malkin era una strega tarchiata, sorridente e tutta vestita di color malva.

« Hogwarts, caro? » chiese quando Harry cominciò a parlare. « Ho qui tutto l'occorrente... Di là c'è un altro giovanotto che sta provando l'uniforme ».

Nel retro del negozio, un ragazzino dal viso pallido e affilato stava ritto su uno sgabello, mentre un'altra strega gli appuntava con gli spilli l'orlo di una lunga tunica nera. Madame Malkin fece salire Harry su un altro sgabello vicino al primo, infilò anche a lui una lunga veste dalla testa e cominciò ad appuntarla per farla della giusta lunghezza.

« Ciao » disse il ragazzo. « Anche tu a Hogwarts? »

« Sì » rispose Harry.

« Mio padre, nel negozio qui accanto, mi sta comprando i libri, e mia madre sta guardando le bacchette, un po' più avanti » disse il ragazzo. Aveva una voce annoiata e strascicata. « Dopo li porterò a vedere le scope da corsa. Non capisco proprio perché noi del primo anno non possiamo averne di personali. Penso che costringerò mio padre a comprarmene una e la porterò a scuola di nascosto, in un modo o nell'altro ».

A Harry ricordò molto Dudley.

« E *tu* ce l'hai, una scopa tua? » proseguì il ragazzo.

« No » disse Harry.

« Non giochi a Quidditch? »

« No » rispose di nuovo Harry chiedendosi in cuor suo di che cosa mai stesse parlando.

« *Io* sì. Papà dice che sarebbe un delitto se non mi scegliessero per far parte della squadra della mia Casa, e devo dire che non posso che essere d'accordo. Tu sai già in quale Casa andrai a stare? »

« No » rispose Harry sentendosi sempre più stupido ogni minuto che passava.

« Be', nessuno lo sa veramente finché non si trova sul posto, non è vero? Ma io so che starò a Serpeverde: tutta la nostra famiglia è stata lì. Pensa, ritrovarsi a Tassofrasso! Io credo che me ne andrei, e tu? »

« Mmm... » rispose Harry, rammaricandosi di non riuscire a dire niente di più interessante.

« Ehi! Guarda quello! » disse d'un tratto il ragazzo indicando con un cenno del capo la vetrina principale. Hagrid era lì, ritto in piedi: sorrideva a Harry e indicava due grossi gelati per fargli capire che non poteva entrare.

« Quello è Hagrid » disse Harry tutto contento di sapere qualcosa che il ragazzo ignorava. « Lavora a Hogwarts ».

« Oh » disse il ragazzo, « l'ho sentito nominare. Cos'è? Un inserviente, vero? »

« È il guardacaccia! » ribatté Harry. Ogni attimo che passava, quel ragazzino gli stava sempre meno simpatico.

« Sì, proprio così, ho sentito dire che è una specie di *selvaggio*... vive in una capanna nel comprensorio della scuola. Ogni tanto si ubriaca, cerca di fare delle magie e finisce con l'appiccare il fuoco al suo letto ».

« Secondo me, è fantastico » commentò Harry in tono gelido.

« Davvero? » disse il ragazzo con un lieve sogghigno. « Ma perché sei con lui? Dove sono i tuoi genitori? »

« Sono morti » tagliò corto Harry. Non si sentiva molto in vena di approfondire l'argomento con quel ragazzo.

« Oh, scusa » disse l'altro, senza mostrare il minimo rincrescimento. « Ma erano come *noi*? »

« Erano una strega e un mago, se è questo che intendi ».

« Io non penso che dovrebbero permettere agli 'altri' di frequentare, non trovi? Loro non sono come noi, non sono cresciuti alla nostra maniera. Pensa che alcuni, quando hanno ricevuto la lettera, non avevano neanche mai sentito parlare di Hogwarts. Secondo me, dovrebbero limitare la frequenza alle più antiche famiglie di maghi. A proposito, come fai di cognome? »

Ma prima che Harry avesse il tempo di rispondere, Madame Malkin disse: « Ecco fatto, mio caro ». E Harry, tutt'altro che spiacente d'avere una scusa per interrompere la conversazione con il ragazzo, saltò giù dallo sgabello.

« Bene, penso che ci rivedremo a Hogwarts » si congedò il ragazzo, sempre con la stessa parlata lenta e strascicata.

Harry gustò in silenzio il gelato che Hagrid gli aveva comprato (cioccolato e lamponi con granella di noccioline).

« Che cosa c'è? » chiese Hagrid.

« Niente » mentì Harry. Si fermarono per acquistare pergamena e penne d'oca. L'umore di Harry migliorò quando trovò una bottiglia d'inchiostro che, scrivendo, cambiava colore. Una volta fuori dal negozio chiese: « Hagrid, che cos'è il Quidditch? »

« Diamine, Harry. Continuo a dimenticare quanto poco sai... Certo che... non conoscere il Quidditch! »

« Non farmi sentire ancora più a disagio » lo pregò Harry. E raccontò a Hagrid del ragazzino pallido che aveva incontrato nel negozio di Madame Malkin.

« E ha detto che ai ragazzi cresciuti in famiglie di Babbani non dovrebbe essere permesso di frequentare ».

« Ma tu non vieni *da* una famiglia di Babbani. Se sapeva chi sei... Conosce il tuo nome da quando è nato, se i suoi genitori sono maghi... hai visto al Paiolo Magico. Comunque il ragazzo non sa quel che dice: alcuni dei migliori erano gli unici che avevano poteri magici in una lunga stirpe di Babbani... Prendi tua madre! Guarda che razza di sorella aveva! »

« Allora, che cos'è il Quidditch? »

« È il nostro sport. Lo sport dei maghi. È come... come il calcio nel mondo dei Babbani: tutti seguono il Quidditch. Si gioca in aria, a cavallo di scope e con quattro palle... È difficile spiegare le regole».

« E che cosa sono Serpeverde e Tassofrasso? »

« Sono Case. A Hogwarts ce ne sono quattro. Tutti dicono che quelli di Tassofrasso sono un branco di schiappe, ma... »

« Scommetto che io finisco a Tassofrasso » disse Harry tristemente.

« Meglio Tassofrasso che Serpeverde » disse Hagrid cupo. « Tutti i maghi e le streghe che hanno preso la via del male erano Serpeverde. Tu-Sai-Chi era uno di loro ».

« Vol... oh, scusa... Tu-Sai-Chi è stato a Hogwarts? »

« Tanti anni fa » disse Hagrid.

Comprarono i libri di testo per Harry in un negozio chiamato 'Il Ghirigoro di Flourish & Blott' dove gli scaffali erano stipati fino al soffitto di libri grossi come lastroni di pietra e rilegati in pelle; libri delle dimensioni di un francobollo, foderati in seta; libri pieni di simboli strani e alcuni con le pagine bianche. Anche Dudley, che non leggeva mai niente, avrebbe fatto pazzie per metterci le mani sopra. Hagrid dovette quasi trascinare via Harry da *Maledizioni e Contromaledizioni (Stregate gli amici e confondete i nemici con le vendette all'ultimo grido: Teste Rapate, Gambemolli, Languelingua e molte altre ancora)* del professor Vindictus Viridian.

« Stavo cercando di scoprire come scagliare una maledizone contro Dudley ».

« Non dico che non è una buona idea, ma nel mondo dei Babbani non devi usare la magia tranne che in circostanze speciali » disse Hagrid. « E in ogni caso, ancora non ti può venire nessuna di quelle maledizioni: devi studiare un mucchio per arrivare a quel livello ».

Hagrid non permise a Harry di comprare un calderone d'oro massiccio (« Nella lista c'è scritto 'peltro' »), ma acquistarono una bella bilancia per pesare gli ingredienti delle pozioni, e un telescopio pieghevole in ottone. Poi andarono dallo speziale, luogo talmente interessante da ripagare del pessimo odore che vi regnava, un misto di uova marce e cavoli putridi. Per terra c'erano barili di roba viscida; vasi di erbe officinali, radici secche e polveri dai colori brillanti erano allineati lungo le pareti; fasci di piume, di zanne e artigli aggrovigliati pendevano dal soffitto. Mentre Hagrid chiedeva all'uomo dietro il bancone una provvista di certi ingredienti fondamentali per preparare pozioni, Harry esaminava alcuni corni argentati di unicorno, che costavano ventuno galeoni ciascuno, e minuscoli occhi di coleottero neri e lucenti (a cinque zellini la manciata).

Una volta fuori dalla bottega dello speziale, Hagrid spuntò di nuovo la lista di Harry.

« È rimasta la bacchetta... e non ti ho ancora preso il regalo di compleanno ».

Harry arrossì.

« Ma non devi... »

« Lo so che non devo. Ecco che cosa farò: ti regalerò un animale. Non un rospo, i rospi sono passati di moda anni fa, ti riderebbero dietro... e i gatti non mi piacciono, mi fanno starnutire. Ti prenderò un gufo. Tutti i ragazzini vogliono i gufi, sono molto utili, portano la posta e tutto il resto ».

Venti minuti dopo, uscivano dall'Emporio del Gufo, un locale buio, pieno di animali che raspavano e frullavano in aria, con gli occhi luccicanti come gemme preziose. Ora Harry trasportava una grossa gabbia che conteneva una bella civetta bianca come la neve, profondamente addormentata con la testa sotto l'ala. Non riusciva a smettere di balbettare ringraziamenti, tanto che sembrava il professor Quirrell.

« Ma di niente! » rispondeva Hagrid burbero. « Non credo che i Dursley ti hanno mai fatto molti regali. E ora ci manca solo Ollivander... è l'unico posto per comprare una bacchetta; vai da Ollivander e avrai il meglio, parlando di bacchette ».

Bacchette magiche... Harry non vedeva l'ora di possederne una.

Quest'ultimo negozio era angusto e trasandato. Un'insegna a

lettere d'oro scortecciate sopra la porta diceva: 'Ollivander: fabbrica di bacchette di qualità superiore dal 382 a.C.' Nella vetrina polverosa, su un cuscino color porpora stinto, era esposta una sola bacchetta.

Un lieve scampanellio, proveniente da anfratti non meglio identificati del negozio, accolse il loro ingresso. Era un luogo minuscolo, vuoto, tranne che per una sedia malferma su cui Hagrid si sedette, nell'attesa. Harry si sentiva strano, come se fosse entrato nella saletta riservata di una biblioteca. Ricacciò via un mucchio di nuove domande che gli erano appena venute in mente e si mise a osservare le migliaia di scatoline strette strette, tutte impilate in bell'ordine fino al soffitto. Chissà perché, sentiva un pizzicore alla nuca. Persino la polvere e il silenzio di quel luogo sembravano fremere di una segreta magia.

«Buon pomeriggio» disse una voce sommessa. Harry fece un balzo e lo stesso dovette fare Hagrid, perché si sentì un forte scricchiolio e lui si affrettò ad alzarsi dalla sedia traballante.

Avevano di fronte un uomo anziano con occhi grandi e scoloriti che rilucevano nella penombra del negozio come due astri lunari.

«Salve» disse Harry imbarazzato.

«Ah, sì» disse l'uomo. «Sì, sì, sì, ero sicuro che avrei fatto presto la sua conoscenza. Harry Potter». Non era una domanda. «Ha gli occhi di sua madre. Sembra ieri che è venuta qui a comprare la sua prima bacchetta. Lunga dieci pollici e un quarto, sibilante, di salice. Una bella bacchetta, lavorava d'incanto».

Il signor Ollivander si avvicinò a Harry. Quest'ultimo sperava che Ollivander battesse le palpebre. Quegli occhi d'argento gli facevano venire la pelle d'oca.

«Suo padre, invece, preferì una bacchetta di mogano. Undici pollici. Flessibile. Un po' più potente e ottima per la Trasfigurazione. Be', ho detto che suo padre l'aveva preferita... ma in realtà, è la bacchetta a scegliere il mago, naturalmente».

Ollivander si era fatto talmente vicino da toccare quasi il naso di Harry, che si vedeva riflesso in quegli occhi velati.

« Ed è qui che... »

Ollivander toccò con un dito lungo e bianco la cicatrice a forma di saetta sulla fronte di Harry.

« Mi spiace dire che sono stato io a vendere la bacchetta che ha fatto questo » disse con un filo di voce. « Tredici pollici e mezzo. Legno di tasso. Una bacchetta potente, molto potente, e nelle mani sbagliate... Certo, se avessi saputo che cosa avrebbe fatto quella bacchetta in giro per il mondo... »

Scosse la testa e poi, con grande sollievo di Harry, si accorse di Hagrid.

« Rubeus! Rubeus Hagrid! Che piacere rivederti! Quercia, sedici pollici, piuttosto flessibile; non era così? »

« Azzeccato, signore » disse Hagrid.

« Una bella bacchetta, quella. Ma suppongo che l'abbiano spezzata a metà quando ti hanno espulso, vero? » chiese Ollivander, facendosi serio d'un tratto.

« Ehm... sì, signore, proprio così » rispose Hagrid strisciando un po' i piedi. « Però conservo ancora le due metà » aggiunse vivacemente.

« Ma non le usi, vero? » chiese Ollivander con fare inquisitorio.

« Oh, no, signore » si affrettò a rispondere Hagrid. Harry notò che, nel parlare, si stringeva forte forte al suo ombrello rosa.

« Mmm... » disse Ollivander lanciando a Hagrid un'occhiata penetrante. « Allora, signor Potter, vediamo un po' » e tirò fuori dalla tasca un lungo metro a nastro con le tacche d'argento. « Qual è il braccio con cui usa la bacchetta? »

« Uso la mano destra, signore » rispose Harry.

« Alzi il braccio. Così ». Misurò il braccio di Harry dalla spalla alla punta delle dita, poi dal polso al gomito, dalla spalla a terra, dal ginocchio all'ascella e poi prese anche la circonferenza della testa. E intanto diceva: « Ogni bacchetta Ollivander ha il nucleo fatto di una potente sostanza magica, signor Potter. Usiamo crini di unicorno, piume della coda della fenice e corde del cuore di drago. Non esistono due bacchette Ollivander che siano uguali, così come non esistono due unicorni, due draghi o due fenici del tutto identici. E naturalmente, non si ottengono mai risultati altrettanto buoni con la bacchetta di un altro mago».

All'improvviso, Harry si accorse che il metro a nastro, che gli stava misurando la distanza fra le narici, stava facendo tutto da solo. Ollivander, infatti, volteggiava tra gli scaffali, tirando giù scatole.

«Può bastare così» disse, e il metro a nastro si afflosciò sul pavimento. «Allora, signor Potter, provi questa. Legno di faggio e corde di cuore di drago. Nove pollici. Bella flessibile. La prenda e la agiti in aria».

Harry prese la bacchetta e, sentendosi un po' sciocco, la agitò debolmente, ma Ollivander gliela strappò quasi subito di mano.

«Acero e piume di fenice. Sette pollici. Molto flessibile. La provi».

Harry la provò, ma ancora una volta, non aveva fatto in tempo ad alzarla che Ollivander gli strappò di mano anche quella.

«No, no... ecco, ebano e crini di unicorno, otto pollici e mezzo, elastica. Avanti, avanti, la provi».

Harry provò, provò ancora. Non aveva idea di che cosa cercasse Ollivander. Le bacchette si stavano ammucchiando sulla sedia, ma più Ollivander ne tirava fuori dagli scaffali, più sembrava felice.

«Un cliente difficile, eh? No, niente paura, troveremo quella che va a pennello... Ora, mi chiedo... sì, perché no... combinazione insolita... agrifoglio e piume di fenice, undici pollici, bella flessibile».

Harry la prese in mano. Avvertì un calore improvviso alle dita. La alzò sopra la testa, la abbassò sferzando l'aria polverosa e una scia di scintille rosse e oro si sprigionò dall'estremità come un fuoco d'artificio, proiettando sulle pareti minuscoli riflessi danzanti di luce. Hagrid gridò d'entusiasmo e batté le mani e

Ollivander esclamò: « Bravo! Sì, proprio così, molto bene. Bene, bene, bene... che strano... ma che cosa davvero strana... »

Rimise la bacchetta di Harry in una scatola e la avvolse in carta da pacchi sempre borbottando: « Ma che strano... davvero strano ».

« Scusi » fece Harry, « ma *che cosa c'è* di strano? »

Ollivander lo fissò con i suoi occhi sbiaditi.

« Ricordo una per una tutte le bacchette che ho venduto, signor Potter. Una per una. Si dà il caso che la fenice dalla cui coda proviene la piuma della sua bacchetta abbia prodotto un'altra piuma, una sola. È veramente molto strano che lei sia destinato a questa bacchetta, visto che la sua gemella... sì, la sua gemella le ha procurato quella cicatrice ».

Harry deglutì.

« Sì, tredici pollici e mezzo. Legno di tasso. Curioso come accadano queste cose. È la bacchetta che sceglie il mago, lo ricordi. Credo che da lei dobbiamo aspettarci grandi cose, signor Potter... Dopotutto, Colui-Che-Non-Deve-Essere-Nominato ha fatto grandi cose... terribili, è vero, ma grandi ».

Harry rabbrividì. Non era certo di trovare molto simpatico quel signor Ollivander. Pagò sette galeoni d'oro per la sua bacchetta e, mentre uscivano, Ollivander li salutò con un inchino da dentro il negozio.

Era ormai pomeriggio avanzato e il sole era basso all'orizzonte quando Harry e Hagrid si misero sulla via del ritorno ripercorrendo Diagon Alley e riattraversarono il muro fino al Paiolo Magico, ormai deserto. Lungo il tragitto, Harry non disse una parola; non notò nemmeno quanta gente li guardasse a bocca aperta, in metropolitana, carichi com'erano di tutti quei pacchi dalle forme bizzarre e con la civetta candida addormentata sulle ginocchia. Su per un'altra scala mobile, fuori di nuovo, giù verso Paddington Station; Harry si rese conto di dove si trovavano soltanto quando Hagrid gli batté sulla spalla.

« C'è tempo per un boccone, prima del tuo treno » disse.

Gli comprò un hamburger e si sedettero a mangiare su panchine di plastica. Harry continuava a guardarsi intorno. In un certo senso, tutto aveva un'aria molto strana.

«Ti senti bene, Harry? Te ne stai così zitto» disse Hagrid.

Harry non era sicuro di riuscire a spiegarsi. Quello era stato il più bel compleanno della sua vita. Eppure... Continuò a mangiare il suo hamburger cercando di trovare le parole.

«Tutti pensano che io sia speciale» disse infine. «Tutte quelle persone del Paiolo Magico, il professor Quirrell, il signor Ollivander... ma io non so niente di magia. Come fanno ad aspettarsi grandi cose? Sono famoso, ma non ricordo neanche il motivo per cui sono famoso. Non so che cosa è successo quando Vol... scusa... voglio dire, la notte che i miei genitori sono morti».

Hagrid si chinò verso di lui. Dietro la barba incolta e le folte sopracciglia faceva capolino un sorriso pieno di gentilezza.

«Non preoccuparti, Harry. Imparerai presto. A Hogwarts tutti cominciano dalle basi. Starai benone. Basta che sei te stesso. Lo so che è dura. Tu sei un caso speciale, e questo rende sempre la vita difficile. Ma starai benissimo a Hogwarts... così è stato per me, e lo è ancora, davvero».

Hagrid aiutò il ragazzo a salire sul treno che lo avrebbe riportato dai Dursley, e poi gli porse una busta.

«Il tuo biglietto per Hogwarts» disse. «1° settembre, King's Cross... è tutto scritto sul biglietto. Se hai problemi con i Dursley, spediscimi una lettera con la tua civetta, lei saprà dove trovarmi... A presto, Harry».

Il treno uscì dalla stazione. Harry avrebbe voluto seguire Hagrid con lo sguardo fin quando non l'avesse perso di vista; si alzò in piedi sul sedile e schiacciò il naso contro il finestrino, ma non fece in tempo a battere le palpebre che Hagrid era sparito.

CAPITOLO 6

IN PARTENZA
DAL BINARIO NOVE
E TRE QUARTI

L' ultimo mese che Harry trascorse con i Dursley non fu affatto divertente. Anche se ora Dudley aveva tanta paura di Harry che non voleva stare neanche un attimo nella stessa stanza con lui, e zia Petunia e zio Vernon non lo chiudevano più nel ripostiglio, non lo costringevano a fare niente e non lo sgridavano: anzi, per la verità non gli rivolgevano neanche la parola. Per metà terrorizzati e per metà furibondi, si comportavano come se il posto dove Harry sedeva fosse vuoto. Benché, per molti versi, questo avesse rappresentato un netto miglioramento, dopo un po' era diventato deprimente.

Rimaneva chiuso nella sua stanza, in compagnia della sua nuova civetta. Aveva deciso di chiamarla Edvige: il nome l'aveva trovato in *Storia della Magia*. I libri di testo erano interessantissimi. Steso sul letto, leggeva fino a notte fonda, con Edvige che andava e veniva, libera, dalla finestra aperta. Fortuna che zia Petunia non veniva più a passare l'aspirapolvere, perché Edvige non faceva che portare dentro topi morti. Ogni sera, prima di andare a dormire, Harry spuntava un altro giorno sul foglio di carta che aveva appeso alla parete, facendo il conto alla rovescia fino al primo di settembre.

L'ultimo giorno di agosto ritenne opportuno dire agli zii che l'indomani si sarebbe dovuto recare alla stazione di King's Cross; per questo scese in soggiorno, dove loro stavano guardando un quiz alla televisione. Si schiarì la gola per segnalare la sua presenza e Dudley si precipitò urlando fuori dalla stanza.

«Ehm... zio Vernon?»

Zio Vernon grugnì per far capire che stava ascoltando.

«Ehm... domani devo essere a King's Cross per... per andare a Hogwarts».

Zio Vernon grugnì di nuovo.

«Potreste per caso darmi un passaggio?»

Grugnito. Harry suppose che volesse dire sì.

«Grazie».

Stava per tornarsene di sopra, quando zio Vernon si decise a parlare.

«Strano mezzo, il treno, per raggiungere una scuola per maghi. Di' un po', i tappeti volanti hanno forato?»

Harry non rispose.

«E comunque, dove si trova questa scuola?»

«Non lo so» rispose Harry facendo mente locale per la prima volta. Tirò fuori dalla tasca il biglietto che gli aveva dato Hagrid.

«So solo che devo prendere il treno delle undici in punto al binario nove e tre quarti» lesse.

Zio Vernon e zia Petunia ebbero un soprassalto.

«Binario che cosa?»

«Nove e tre quarti».

«Non dire stupidaggini» disse zio Vernon, «non esistono binari contrassegnati da questo numero».

«Ma è scritto sul biglietto».

«Ma quelli» disse zio Vernon, «sono tutti svitati, matti da legare. Vedrai, vedrai. Aspetta e vedrai. E va bene, ti porteremo a King's Cross. Tanto per la cronaca, a Londra ci dobbiamo andare comunque, domani. Altrimenti non mi prenderei il disturbo».

«Perché dovete andare a Londra?» chiese Harry cercando di mantenere un tono amichevole.

«A portare Dudley in ospedale» ringhiò zio Vernon. «Bisogna fargli togliere quella dannata coda, prima che vada a Smeltings».

Il mattino dopo Harry si svegliò alle cinque, ma era troppo eccitato e nervoso per riaddormentarsi. Si alzò e si infilò i jeans, perché non voleva arrivare alla stazione con gli abiti da mago: si sarebbe cambiato poi in treno. Controllò ancora una volta l'elenco di Hogwarts per accertarsi di avere tutto quel che gli serviva, verificò che Edvige fosse ben chiusa nella sua gabbia, e cominciò a passeggiare per la stanza, in attesa che i Dursley si alzassero. Due ore dopo, il suo voluminoso e pesante baule era stato caricato sulla macchina dei Dursley, zia Petunia era riuscita a convincere Dudley a sedersi accanto a Harry, ed erano partiti.

Raggiunsero King's Cross alle dieci e mezzo. Zio Vernon mollò il baule su un carrello, spingendolo poi personalmente fin dentro la stazione. Harry si stupì per quel gesto stranamente cortese, ma si ricredette quando zio Vernon si fermò di botto, davanti ai binari, con un ghigno malevolo sul volto.

«Eccoci arrivati, ragazzo. Binario nove... binario dieci. Il tuo dovrebbe essere da qualche parte in mezzo, ma sembra che non l'abbiano ancora costruito, o sbaglio?»

Aveva ragione, era evidente. Sopra un binario torreggiava un grosso numero nove, in plastica, e su quello accanto un altrettanto grosso numero dieci, sempre in plastica; ma tra i due, niente.

«Auguri per la scuola» disse zio Vernon con un sorriso ancor più maligno. Si allontanò senza aggiungere altro. Harry si voltò e vide i Dursley ripartire in macchina. Ridevano tutti e tre. Gli si seccò la bocca. Che cosa diavolo avrebbe fatto? Intanto, stava cominciando ad attirare molti sguardi incuriositi per via di Edvige. Avrebbe dovuto chiedere a qualcuno.

Fermò un capotreno di passaggio, ma non osò fare parola del binario nove e tre quarti. Il capotreno non aveva mai sentito parlare di Hogwarts e quando si rese conto che Harry non era in grado di dirgli neanche in che regione si trovasse, cominciò a infastidirsi, come se Harry facesse apposta a fare lo stupido. Disperato, Harry chiese del treno in partenza alle undici, ma l'uomo disse che non ce n'erano. Finì che il capotreno si allontanò imprecando contro i perditempo. A quel punto, Harry lottava per non cadere nel panico. Se il grosso orologio che sovrastava il cartellone degli arrivi funzionava, aveva ancora solo dieci minuti per prendere il treno per Hogwarts e non aveva la più pallida idea di come fare. Era lì, nel bel mezzo della stazione ferroviaria, con un baule che a stento riusciva a sollevare, le tasche piene di soldi dei maghi e una grossa civetta.

Hagrid doveva aver dimenticato di dirgli qualcosa di essenziale, come quando, per esempio, per entrare in Diagon Alley era stato necessario battere sul terzo mattone a sinistra. Si chiese se non fosse il caso di tirare fuori la bacchetta e cominciare a colpire la biglietteria tra i binari nove e dieci.

In quel momento, proprio dietro di lui, passò un gruppetto di persone e lui colse un brandello della loro conversazione.

«...pieno zeppo di Babbani, figurarsi...»

Harry si voltò di scatto. A parlare era stata una signora grassottella, che si rivolgeva a quattro ragazzi dai capelli rosso fiamma. Ciascuno spingeva un baule come quello di Harry... e avevano anche un *gufo*.

Col cuore che gli martellava in petto, Harry li seguì, sempre spingendo il suo carrello. Quando si fermarono lui fece altrettanto, abbastanza vicino per sentire quel che dicevano.

«Allora, binario numero?» chiese la donna, che era la madre dei ragazzi.

«Nove e tre quarti!» disse con vocina stridula una ragazzina, anch'essa con i capelli rossi, che dava la mano alla madre. «Mamma, posso andare anch'io...»

«Tu sei troppo piccola, Ginny. Sta' zitta, adesso. Va bene, Percy, vai avanti tu».

Quello che sembrava il maggiore si avviò verso i binari nove e dieci. Harry stette a guardare, bene attento a non battere ciglio per non perdere nessun particolare... ma proprio nel momento in cui il ragazzo aveva raggiunto la barriera tra i due binari, un folto gruppo di turisti gli passò davanti togliendogli la visuale, e quando l'ultimo zaino si fu tolto di mezzo, il ragazzo dai capelli rossi era sparito.

« Fred, ora tocca a te » disse la donna grassottella.

« Ma io non sono Fred, sono George » disse il ragazzo. « Parola mia, donna! E dici di essere nostra madre? *Non lo vedi* che sono George? »

« Scusami, George caro ».

« Te l'ho fatta! Io sono Fred » disse il ragazzo e si avviò. Il suo gemello gli gridò di sbrigarsi e lui dovette affrettarsi davvero, perché un attimo dopo era sparito... ma come aveva fatto?

Ora il terzo fratello si dirigeva spedito verso la barriera... eccolo, era quasi arrivato... e poi, d'un tratto, non c'era più.

Tutto qui.

Harry si rivolse alla donna: « Mi scusi ».

« Salve, ragazzo » gli disse lei. « È la prima volta che vai a Hogwarts? Anche Ron è nuovo ».

Indicò il più giovane dei suoi figli maschi, l'ultimo rimasto. Era un ragazzino dinoccolato e goffo, aveva le lentiggini, mani e piedi grandi e il naso lungo.

« Sì » disse Harry. « Il fatto è... il fatto è che non so come... »

« Come raggiungere il binario? » chiese la donna gentilmente, e Harry annuì.

« Non ti preoccupare » disse lei. « Devi soltanto camminare dritto in direzione della barriera tra i binari nove e dieci. Non ti fermare e non aver paura di andarci a sbattere contro: questo è molto importante. Se sei nervoso, meglio andare un po' di corsa. E adesso vai, prima di Ron ».

« Ehm... Va bene » disse Harry.

Girò il carrello e guardò la barriera. Aveva un aspetto molto solido.

Cominciò a camminare in quella direzione. La gente che si dirigeva verso i binari nove e dieci lo urtava. Harry affrettò il passo. Stava per andare dritto dritto a sbattere contro la biglietteria, e allora sarebbero stati guai... Chinandosi in avanti sul carrello, spiccò una corsa... la barriera si avvicinava sempre di più... ecco, non sarebbe più riuscito a fermarsi... aveva perso il controllo del carrello... era a un passo... chiuse gli occhi, pronto all'urto...

Ma l'urto non venne... lui continuò a correre... aprì gli occhi.

Una locomotiva a vapore scarlatta era ferma lungo un binario gremito di gente. Un cartello in testa al treno diceva *Hogwarts Express, ore 11*. Harry si guardò indietro e, là dove prima c'era la biglietteria, vide un arco in ferro battuto, con su scritto *Binario Nove e Tre Quarti*. Ce l'aveva fatta.

Una nube di fumo proveniente dalla locomotiva si alzava in grossi anelli sopra la testa della folla rumorosa, mentre gatti di ogni colore si aggiravano qua e là tra le gambe della gente. Gufi e civette si chiamavano vicendevolmente col loro verso cupo, quasi di malumore, sovrastando il cicaleccio e il rumore dei pesanti bauli che venivano trascinati.

Le prime carrozze erano già gremite di studenti, alcuni si sporgevano dai finestrini a parlare con i familiari, altri si litigavano un posto. Harry spinse il suo carrello lungo il binario in cerca di un posto libero. Passò accanto a un ragazzo dalla faccia tonda che stava dicendo: «Nonna, ho perso di nuovo il mio rospo».

«Oh, Neville!» udì sospirare l'anziana signora.

Un ragazzo con le treccine rasta era circondato da una piccola folla.

«Dai, Lee, un'occhiata soltanto!»

Il ragazzo sollevò il coperchio di una scatola che teneva tra le braccia e quando qualcosa, da dentro, sporse una zampa lunga e pelosa, quelli che gli stavano intorno cominciarono a gridare e a strepitare.

Harry si fece largo tra la folla finché non trovò uno scompartimento vuoto verso la coda del treno. Prima di tutto sistemò Edvige e poi cominciò a spingere e a tentare di sollevare il baule per caricarlo sul treno. Cercò di fargli superare i gradini, ma riuscì a malapena a sollevarne un'estremità, e due volte se lo fece cadere dolorosamente su un piede.

«Serve una mano?» Era uno dei due gemelli dai capelli rossi che Harry aveva seguito oltre la barriera dei tornelli.

«Sì, grazie» ansimò.

«Ehi, Fred! Vieni, c'è bisogno d'aiuto!»

Con il soccorso dei gemelli, il baule di Harry venne finalmente sistemato in un angolo dello scompartimento.

«Grazie» disse Harry allontanandosi dagli occhi i capelli madidi di sudore.

«E quella che cos'è?» chiese d'un tratto uno dei gemelli indicando la cicatrice che aveva sulla fronte.

«Miseriaccia...» esclamò l'altro gemello. «Non sarai mica per caso...?»

«È proprio *lui*» disse il primo gemello. «Vero?» chiese poi rivolto a Harry.

«Che cosa?» chiese Harry.

«*Harry Potter*» risposero in coro i gemelli.

«Oh, lui» disse Harry. «Ehm, voglio dire, sì, sono io».

I due ragazzi rimasero a guardarlo a bocca aperta e Harry si sentì arrossire. Poi, con suo gran sollievo, giunse una voce dalla porta del treno ancora aperta.

«Fred? George? Siete lì?»

«Veniamo, mamma».

Con un'ultima occhiata a Harry, i gemelli saltarono a terra.

Harry si sedette accanto al finestrino dove, seminascosto, poteva osservare la famiglia pel di carota sul binario e udire quel che dicevano. La madre aveva appena tirato fuori il fazzoletto.

«Ron, hai qualcosa sul naso».

Il più piccolo cercò di scansarsi, ma lei lo afferrò e cominciò a strofinargli la punta del naso.

«Mamma... piantala!» Ron si divincolò liberandosi dalle sue grinfie.

« Ah! Ronnie piccolino ha qualcosa sul nasino? » cantilenò uno dei gemelli.

« Chiudi il becco! » intimò Ron.

« Dov'è Percy? » chiese la madre.

« Eccolo che arriva ».

In quel momento arrivò a grandi passi il maggiore dei fratelli. Si era già cambiato d'abito e indossava l'ampia uniforme nera di Hogwarts. Harry notò che sul petto gli brillava un distintivo rosso e oro con su incisa la lettera *P*.

« Non posso trattenermi a lungo, mamma » disse. « Sono sulla carrozza di testa, i prefetti hanno due scompartimenti riservati... »

« Oh, tu sei un *prefetto*, Percy? » chiese uno dei gemelli con aria di grande sorpresa. « Avresti dovuto dircelo, non ne sapevamo niente ».

« Aspetta un attimo, mi ricordo di avergli sentito dire qualcosa in proposito » disse l'altro gemello. « Una volta... »

« O due... »

« Un minuto... »

« Tutta l'estate... »

« Oh, piantatela! » esclamò il prefetto Percy.

« E come mai Percy ha degli abiti nuovi? » chiese uno dei gemelli.

« Perché lui è un *prefetto* » disse la madre tutta intenerita. « Bene, caro, buon anno scolastico e... mandami un gufo quando arrivi ».

Lo baciò sulla guancia e il ragazzo si allontanò. Poi la madre si rivolse ai gemelli.

« E ora, voi due... quest'anno vedete di comportarvi bene. Se ricevo un altro gufo che mi dice che avete... che avete fatto saltare in aria un gabinetto o... »

« Un gabinetto? Ma noi non abbiamo mai fatto saltare in aria un gabinetto ».

« Che bella idea ci hai dato, grazie mamma! »

« Niente scherzi. E badate a Ron ».

« Non ti preoccupare, con noi il piccolo Ronnuccio è al sicuro ».

« Chiudete il becco » ripeté Ron. Aveva già raggiunto i gemelli in altezza, e aveva ancora il naso arrossato nel punto dove la madre glielo aveva strofinato.

« Ehi, mamma, vediamo se indovini chi abbiamo appena incontrato sul treno! »

Harry si ritrasse rapidamente per non dare a vedere che li stava guardando.

« Sai quel ragazzo coi capelli neri che era vicino a noi alla stazione? Lo sai chi è? »

« Chi è? »

« *Harry Potter* ».

Harry udì la vocina della più piccola.

« Oh, mamma, posso salire sul treno per vederlo? Mamma, ti prego... »

« L'hai già visto, Ginny, e quel povero ragazzo non è mica un animale dello zoo. Ma è davvero lui, Fred? Come lo sai? »

« Gliel'ho chiesto. Ho visto la cicatrice. È proprio... come una saetta ».

« Povero *caro*... non c'è da stupirsi che fosse solo, allora. È stato così beneducato quando mi ha chiesto come raggiungere il binario! »

« Ma a parte questo, pensi che ricordi che aspetto aveva Tu-Sai-Chi? »

D'un tratto la madre assunse un'aria molto grave.

« Ti proibisco di chiederglielo, Fred! Non ti azzardare a farlo. Non c'è proprio bisogno di ricordarglielo il primo giorno di scuola ».

« D'accordo, non ti agitare tanto ».

Si udì un fischio.

« Svelti, su! » disse la madre, e i tre ragazzi si arrampicarono sul treno. Si sporsero dal finestrino per un ultimo bacio di addio e la sorellina più piccola si mise a piangere.

« Non piangere, Ginny, ti manderemo stormi di gufi ».

« Ti manderemo una tavoletta del gabinetto da Hogwarts ».

« Ma George! »

« Sto scherzando, ma' ».

Il treno si mosse. Harry vide la madre salutare i ragazzi con la mano e la sorellina, tra il riso e le lacrime, rincorrere il treno, ma quello guadagnò velocità e lei rimase indietro, allora continuò a salutare con la mano.

Harry guardò la ragazzina e la madre scomparire dietro la prima curva. Dal finestrino vedeva le case sfrecciare via veloci. Sentì un fremito di eccitazione. Non sapeva bene a che cosa stesse andando incontro... ma certamente doveva essere meglio di quel che si stava lasciando alle spalle.

La porta dello scompartimento si aprì ed entrò il più giovane dei ragazzi coi capelli rossi.

« Quel posto è occupato? » chiese indicando il sedile di fronte a Harry. « Il treno è pieno zeppo... »

Harry scosse la testa e il ragazzo si sedette. Lanciò una rapida occhiata a Harry e poi si mise subito a osservare il paesaggio fuori dal finestrino, facendo finta di non averlo guardato. Harry notò che aveva ancora un segno nero sul naso.

« Ehi, Ron ».

I gemelli erano tornati.

« Senti, noi andiamo verso la metà del treno... C'è Lee Jordan che ha una tarantola gigante ».

« Va bene » borbottò Ron.

« Harry » disse il secondo gemello, « ci siamo presentati? Fred e George Weasley. E questo è nostro fratello Ron. Allora, ci vediamo dopo ».

« Ciao » fecero Harry e Ron. I gemelli si richiusero alle spalle la porta scorrevole dello scompartimento.

« Sei davvero Harry Potter? » chiese d'impulso Ron.

Harry annuì.

« Oh... be', pensavo che fosse uno degli scherzi di Fred e George » disse Ron. « E hai veramente... voglio dire... »

E così dicendo indicò la fronte di Harry.

Harry si scostò la frangia per mostrare la cicatrice a forma di saetta.

Ron lo guardò fisso fisso.

« Allora è lì che Tu-Sai-Chi...? »

« Sì » rispose Harry, « ma io non ricordo niente ».

« Proprio niente? » chiese Ron tutto interessato.

« Be'... mi ricordo una gran luce verde e niente altro ».

« Wow! » esclamò Ron. Continuò a star seduto e a osservare Harry per qualche istante; poi, come se di colpo si fosse reso conto di quel che stava facendo, si affrettò a guardare di nuovo fuori dal finestrino.

« Nella tua famiglia siete tutti maghi? » chiese Harry che ricambiava Ron dello stesso interesse che Ron aveva per lui.

« Eh... sì, credo di sì » disse Ron. « Penso che mamma abbia un cugino di secondo grado che fa il ragioniere, ma non ne parliamo mai ».

« Allora voi conoscete già un mucchio di magie ».

I Weasley erano chiaramente una di quelle vecchie famiglie di maghi di cui aveva parlato il ragazzo dal colorito pallido a Diagon Alley.

« Ho sentito dire che sei andato a vivere con i Babbani » disse Ron. « Come sono? »

« Orribili... be', non tutti. Mia zia, mio zio e mio cugino sì, però; avrei preferito avere tre fratelli maghi ».

« Cinque » precisò Ron. Per qualche ignota ragione si era rabbuiato. « Io sono il sesto della nostra famiglia a frequentare Hogwarts. Puoi ben dire che mi tocca essere all'altezza di un sacco di aspettative. Bill e Charlie hanno già finito... Bill era Caposcuola e Charlie Capitano della squadra di Quidditch. E adesso Percy è prefetto. Fred e George sono un po' dei mascalzoni, ma hanno ottimi voti e tutti li trovano davvero spiritosi. In famiglia, ci si aspetta che io faccia bene come gli altri, ma se poi ci riesco, nessuno la considererà una grande impresa, visto che loro l'hanno fatto prima di me. E poi, con cinque fratelli, non riesci mai a metterti un vestito nuovo. Io mi vesto con gli abiti smessi di Bill, uso la vecchia bacchetta di Charlie e il vecchio topo di Percy».

Ron si infilò la mano nella giacca e tirò fuori un topo grigio e grasso, profondamente addormentato.

« Si chiama Crosta ed è inutile; non si sveglia quasi mai. Percy ha ricevuto in dono un gufo da papà, per via che è stato fatto prefetto, ma i miei non si potevano perm... cioè, voglio dire, io invece, ho ricevuto Crosta».

Le orecchie gli erano diventate rosse. Forse pensava di aver detto troppo, perché tornò a guardare fuori dal finestrino.

Harry non pensava ci fosse niente di male nel fatto di non potersi permettere un gufo. Dopotutto, fino a un mese prima, lui stesso non aveva mai avuto un soldo in tasca, e lo disse a Ron, raccontandogli che anche lui portava sempre gli abiti smessi di Dudley e che non aveva mai ricevuto un regalo di compleanno decente. Il ragazzo sembrò sollevato.

« ...e finché Hagrid non me l'ha detto, non sapevo neanche di essere un mago, e ignoravo tutto sui miei genitori o su Voldemort... »

Ron trattenne il fiato.

« Che cosa c'è? »

« *Hai pronunciato il nome di Tu-Sai-Chi!* » disse Ron con aria sconvolta e colpita a un tempo. « Avrei creduto che proprio tu, fra tutti... »

« Non sto cercando di fare il *coraggioso* o cose del genere, pronunciando quel nome » rispose Harry. « Il fatto è che io, semplicemente, non sapevo che non si dovesse fare. Capisci che cosa intendo? Ho un mucchio di cose da imparare... Scommetto » aggiunse esprimendo ad alta voce per la prima volta una preoccupazione che lo aveva assillato negli ultimi tempi, « scommetto che sarò il peggiore della classe ».

« Ma no, vedrai. Ci sono molti ragazzi che vengono da famiglie babbane e che imparano abbastanza velocemente ».

Mentre parlavano, il treno li aveva portati fuori Londra. Adesso correvano lungo pascoli pieni di mucche e pecore. Rimasero in silenzio per un po', guardando filare via campi e viottoli.

Intorno alla mezza, sentirono un gran fracasso nel corridoio, e una donna sorridente, con due fossette sulle guance, aprì la porta dello scompartimento e chiese: « Desiderate qualcosa del carrello? »

Harry, che non aveva fatto colazione, balzò in piedi, ma Ron, cui si erano di nuovo arrossate le orecchie, bofonchiò che lui aveva portato dei panini. Harry uscì nel corridoio.

Con i Dursley, non aveva mai avuto soldi per i dolci, ma ora che le tasche gli rigurgitavano oro e argento, era pronto a comprarsi tutti i Mars che voleva. Ma la signora non ne aveva. Aveva invece Gelatine Bertie Bott Tuttigusti+1, Gomme Bolle Drooble, Cioccorane, Zuccotti di zucca, Calderotti, Bacchette magiche di liquirizia e un'infinità di altre strane cose che Harry non aveva mai visto in vita sua. Poiché non voleva perdersene nessuna, prese un po' di tutto e pagò alla donnina undici falci d'argento e sette zellini di bronzo.

Ron lo guardò con tanto d'occhi, quando tornò con tutto quel bendidio nello scompartimento, rovesciandolo su un sedile vuoto.

« Fame, eh? »

« Da morire » rispose Harry, addentando uno Zuccotto di zucca.

Ron aveva tirato fuori un pacchetto tutto bitorzoluto e lo scartò. Dentro c'erano quattro panini. Ne aprì uno dicendo: « Mamma si dimentica sempre che non mi piace la carne in scatola ».

« Facciamo cambio: ti do uno di questi » disse Harry porgendo un dolce. « Dai!... »

« Ma questo è immangiabile, è tutto secco » disse Ron. « Mamma non ha molto tempo » si affrettò ad aggiungere, « sai, con cinque figli... »

« Dai, prendi un dolce » ripeté Harry che fino a quel momento non aveva mai avuto niente da dividere con gli altri, o meglio, nessuno con cui dividere qualcosa. Era una sensazione piacevole starsene lì seduto con Ron a dar fondo a tutti quei dolci, dimenticandosi dei panini.

« E queste, che cosa sono? » chiese Harry a Ron mostrandogli un pacchetto di Cioccorane. « Non saranno mica delle rane *vere*? » Cominciava a pensare che tutto fosse possibile.

« No » disse Ron. « Ma guarda che figurina c'è dentro, mi manca Agrippa ».

« Che cosa? »

« Oh, certo, tu non puoi saperlo... Dentro alle Cioccorane ci sono delle figurine... sai, per fare collezione... *Streghe e maghi famosi.* Io ne ho circa cinquecento, ma mi mancano Agrippa e Tolomeo ».

Harry scartò la sua Cioccorana e prese la figurina. Mostrava il viso di un uomo. Portava occhiali a mezzaluna, aveva un naso lungo e adunco e capelli, barba e baffi fluenti e argentei. Sotto, c'era scritto il nome: *Albus Silente.*

« Allora, *questo* è Silente! » disse Harry.

« Ora non dirmi che non sai niente su di lui! » esclamò Ron. « Mi dai una rana? Forse trovo Agrippa... Grazie ».

Harry girò la figurina e lesse:

Albus Silente, attuale Preside di Hogwarts. Considerato da molti il più grande mago dell'era moderna, Silente è noto soprattutto per avere sconfitto nel 1945 il Mago Oscuro Grindelwald, per avere scoperto i dodici usi del sangue di drago e per i suoi esperimenti di alchimia, insieme al collega Nicolas Flamel. Il professor Silente ama la musica da camera e il bowling.

Harry rigirò di nuovo la figurina e con suo grande stupore vide che la faccia di Silente era scomparsa.

« È sparito! »

« Be', non puoi mica pretendere che se ne rimanga lì tutto il giorno » disse Ron. « Tornerà. No! Ho trovato un'altra Morgana e ne ho già sei... La vuoi tu? Puoi cominciare a fare la raccolta ».

Lo sguardo di Ron si perse sulla montagna di Cioccorane che aspettavano ancora di essere scartate.

« Serviti pure » lo invitò Harry. « Ma sai, nel mondo dei Babbani la gente nelle foto non se ne va mica a spasso! »

« Ma davvero? Cioè, non si muovono per niente? » Ron sembrava molto stupito. « *Che strano!* »

Harry rimase con tanto d'occhi nel vedere Silente che ricompariva sulla figurina e gli rivolgeva un impercettibile sorriso. A Ron interessava più mangiare le Cioccorane che guardare le figurine dei Maghi e delle Streghe più famosi; Harry, invece, non riusciva a staccarne gli occhi. Ben presto non ebbe più soltanto Silente e Morgana, ma anche Hengist di Woodcroft, Alberic Grunnion, Circe, Paracelso e Merlino. Finalmente, si decise a staccare gli occhi da Cliodna la druida, che si stava grattando il naso, per aprire un pacchetto di Tuttigusti+1.

« Con quelle devi fare attenzione » lo ammonì Ron. « Tuttigusti vuol dire proprio *tutti* i gusti... puoi trovare quelli più comuni come cioccolato, menta e marmellata d'arancia, ma può anche capitarti spinaci, fegato e trippa. George dice che una volta ne ha trovate alcune alle caccole ».

Ron prese una gelatina verde, la guardò attentamente e ne morse un pezzetto.

« Bleaaah!... Visto? Cavoletti di Bruxelles ».

Si divertirono molto a mangiare le gelatine. Harry ne trovò al sapore di pane tostato, di noce di cocco, di fagioli in scatola, di fragola, di curry, d'erba fresca, di caffè, di sardina, ed ebbe anche il coraggio di assaggiarne una di colore grigio che Ron non aveva voluto neanche toccare e che, scoprirono, sapeva di pepe.

Ora, la campagna che sfrecciava sotto i loro occhi si era fatta più selvaggia. Niente più campi ordinati. C'erano boschi, fiumi tortuosi e colline color verde scuro.

Qualcuno bussò alla porta del loro scompartimento: era il ragazzo dal faccione rotondo che Harry aveva superato al binario nove e tre quarti. Sembrava in lacrime.

« Scusate » disse, « avete mica visto un rospo? »

Quando loro scossero la testa, disse gemendo: «L'ho perso! Continua a scappare!»

«Vedrai, tornerà» disse Harry.

«Sì» convenne tristemente il ragazzo. «Se lo vedete...» E se ne andò.

«Non capisco perché si preoccupa tanto» commentò Ron. «Se mi fossi portato un rospo avrei cercato di perderlo il prima possibile. E comunque non sono certo io che posso parlare: mi sono portato Crosta!»

Il topo stava ancora ronfando sulle ginocchia di Ron.

«Potrebbe essere morto e non ci si farebbe neanche caso» disse Ron con amarezza. «Ieri ho cercato di farlo diventare giallo per renderlo un po' più interessante, ma l'incantesimo non ha funzionato. Guarda, ti faccio vedere...»

Rovistò nel suo baule e tirò fuori una bacchetta dall'aria malconcia. In alcuni punti era scheggiata e all'estremità baluginava qualcosa di bianco.

«I crini di unicorno stanno per scappare fuori. Fa niente...»

Aveva appena alzato in aria la bacchetta che la porta si spalancò di nuovo. Il ragazzo che aveva perso il rospo era tornato, ma questa volta con lui c'era una ragazzina che indossava la sua uniforme di Hogwarts nuova fiammante.

«Qualcuno ha visto un rospo? Neville ha perso il suo» disse. Aveva un tono autoritario, folti capelli bruni e i denti davanti piuttosto grandi.

«Gli abbiamo già detto che non lo abbiamo visto» disse Ron, ma la ragazza non ascoltava; stava guardando la bacchetta che lui teneva in mano.

«State facendo una magia? Vediamo!»

Si sedette. Ron stava lì, tra il sorpreso e il confuso.

«Ehm... va bene».

Si schiarì la gola.

«Sole, mimosa, caciocavallo,
stupido topo, diventa giallo!»

109

Agitò la bacchetta ma non accadde nulla. Crosta era sempre grigio e continuava imperterrito a dormire.

« Sei sicuro che sia un vero incantesimo? » chiese la ragazza. « Comunque, non funziona molto bene, o sbaglio? Io ho provato a fare alcuni incantesimi semplici semplici e mi sono riusciti tutti. Nella mia famiglia, nessuno ha poteri magici; è stata una vera sorpresa quando ho ricevuto la lettera, ma mi ha fatto un tale piacere, naturalmente, voglio dire, è la migliore scuola di magia che esista, ho sentito dire... Ho imparato a memoria tutti i libri di testo, naturalmente, spero proprio che basti... E... a proposito, io mi chiamo Hermione Granger, e voi? »

Tutto questo l'aveva detto quasi senza riprendere fiato.

Harry lanciò un'occhiata a Ron e si sentì molto sollevato nel constatare dalla sua espressione attonita che neanche lui aveva imparato a memoria i libri di testo.

« Io sono Ron Weasley » bofonchiò.

« Harry Potter » si presentò Harry.

« Davvero? » disse Hermione. « So tutto di te, naturalmente... ho comprato alcuni libri facoltativi, come letture preparatorie, e ho visto che sei citato in *Storia moderna della Magia*, in *Ascesa e declino delle Arti Oscure* e anche in *Grandi eventi magici del Ventesimo secolo* ».

« Sul serio? » chiese Harry sbalordito.

« Ma santo cielo, non lo sapevi? Io, se fossi in te, avrei cercato di sapere tutto il possibile » disse Hermione. « Sapete in quale Casa andrete? Io ho chiesto in giro e spero di essere a Grifondoro; sembra di gran lunga la migliore; ho sentito dire che c'è andato anche Silente, ma penso che anche Corvonero non dovrebbe poi essere tanto male... Comunque, meglio che ci muoviamo e andiamo a cercare il rospo di Neville. E voi due fareste bene a cambiarvi, sapete? Credo che tra poco arriveremo ».

E se ne andò portando con sé il padrone del rospo smarrito.

« Qualunque sia la mia Casa, spero che non sia anche la sua » disse Ron. Scaraventò la bacchetta nel baule. « Stupido incantesimo... Me l'ha dato George, scommetto che lui lo sapeva che era una fregatura ».

« In quale Casa sono i tuoi fratelli? »

« Grifondoro » disse Ron e di nuovo sembrò offuscato da un velo di tristezza. « Anche papà e mamma sono stati lì. Chissà che cosa diranno se io non ci vado. Non credo che Corvonero sarebbe tanto male, ma pensa se mi mettono a Serpeverde... »

« Era la Casa di Vol... ehm... di Tu-Sai-Chi, vero? »

« Sì » confermò Ron. E si lasciò ricadere all'indietro sul sedile con aria depressa.

« Sai? Mi sembra che le punte dei baffi di Crosta siano diventate un po' più chiare » disse Harry cercando di distrarlo dal pensiero delle Case. « E... dimmi, che cosa fanno i tuoi fratelli più grandi ora che hanno finito? »

Harry si chiedeva che cosa mai facesse un mago, una volta terminati gli studi.

« Charlie è in Romania a studiare i draghi e Bill in Africa a lavorare per la Gringott » disse Ron. « Hai mai sentito parlare della Gringott? Ne ha scritto molto *La Gazzetta del Profeta*, ma non credo che siano notizie che arrivano nel mondo dei Babbani... qualcuno ha cercato di rapinare una camera di massima sicurezza ».

Harry lo fissò attonito.

« Davvero? E che cosa gli hanno fatto? »

« Niente. Per questo la notizia ha fatto tanto scalpore. Non li hanno presi. Papà dice che ad aggirarsi alla Gringott deve essere stato un potente Mago Oscuro, ma sembra che non sia stato preso niente, questa è la cosa strana. Naturalmente, quando succedono cose di questo genere tutti si spaventano pensando che dietro ci sia Tu-Sai-Chi ».

Harry rimuginò sulla notizia. Cominciava ad avvertire un fremito di paura ogni volta che veniva nominato Tu-Sai-Chi. Riteneva che questo facesse parte del suo ingresso nel mondo della magia, ma si era sentito molto più a suo agio a dire 'Voldemort' senza preoccuparsi.

« Per che squadra di Quidditch tifi? » chiese Ron.

« Ehm... non ne conosco nessuna » ammise.

« Che cosa? » Ron era esterrefatto. « Aspetta e vedrai, è il più bel gioco del mondo... » Ed eccolo partito in quarta a spiegare tutto sulle quattro palle e sulla posizione dei sette giocatori, a descrivere le partite famose cui aveva assistito con i suoi fratelli e la scopa che gli sarebbe piaciuto comprarsi se avesse avuto i soldi. Stava illustrando a Harry gli aspetti più interessanti del gioco quando la porta dello scompartimento si spalancò di nuovo; ma questa volta non era né Neville, il ragazzo che aveva perso il rospo, né Hermione Granger.

Entrarono tre ragazzi e Harry riconobbe immediatamente quello al centro: era il giovane dal colorito pallido che aveva incontrato nel negozio di abbigliamento di Madame Malkin. Stava osservando Harry con un interesse assai maggiore di quello che aveva manifestato in Diagon Alley.

« È vero? » chiese. « Per tutto il treno vanno dicendo che Harry Potter si trova in questo scompartimento. Sei tu? »

« Sì » disse Harry, guardando gli altri due ragazzi. Erano corpulenti e avevano un'aria molto cattiva. Stavano uno di qua e l'altro di là del ragazzo pallido e sembravano guardie del corpo.

« Oh, questo è Crabbe e questo Goyle » fece il ragazzo pallido con noncuranza, notando lo sguardo di Harry. « E io mi chiamo Malfoy. Draco Malfoy ».

Ron diede un colpetto di tosse che avrebbe potuto benissimo dissimulare una risatina. Draco Malfoy lo guardò.

« Trovi buffo il mio nome, vero? Non c'è bisogno che chieda a te come ti chiami. Mio padre mi ha detto che tutti i Weasley hanno capelli rossi, lentiggini e più figli di quelli che si possono permettere ».

Si rivolse di nuovo a Harry.

« Non tarderai a scoprire che alcune famiglie di maghi sono migliori di altre, Potter. Non vorrai mica fare amicizia con le persone sbagliate...? In questo posso aiutarti io ».

Allungò la mano per stringere quella di Harry, ma lui non la prese.

« Credo di essere capace di capire da solo chi sono le persone sbagliate, grazie » gli rispose gelido.

Draco Malfoy non arrossì, ma le guance pallide gli si tinsero di un vago colorito roseo.

« Io ci andrei piano se fossi in te, Potter » disse lentamente. « Se non diventi più gentile, farai la stessa fine dei tuoi genitori. Neanche loro sapevano come ci si comporta. Continua a frequentare gentaglia come i Weasley e quell'altro Hagrid e diventerai né più né meno come loro ».

Harry e Ron balzarono entrambi in piedi. La faccia di Ron era rossa come i suoi capelli.

« Ripetilo! »

« Oh oh, e adesso che cosa fai, ci prendi a pugni? » ghignò Malfoy.

« Sì, se non uscite immediatamente di qui » intimò Harry con più coraggio di quanto non se ne sentisse addosso, visto che Crabbe e Goyle erano molto più grossi di lui e di Ron.

« Ma noi non abbiamo nessuna voglia di andarcene, vero, ragazzi? Abbiamo finito tutte le cose da mangiare e vedo che qui ne avete un bel po' ».

Goyle fece per prendere le Cioccorane posate vicino a Ron... Questi balzò in avanti, ma non aveva fatto in tempo a sfiorare Goyle che quest'ultimo emise un grido lacerante.

Crosta, il topo, gli stava appeso a un dito, i piccoli denti aguzzi piantati nelle nocche... Crabbe e Malfoy si ritrassero mentre Goyle faceva roteare Crosta, ululando, e quando finalmente il topo si staccò andando a sbattere contro il finestrino, tutti e tre scomparvero immediatamente. Forse avevano creduto che tra i dolci avrebbero fatto capolino altri topi, o forse avevano udito dei passi. Infatti, un attimo dopo, era entrata Hermione Granger.

« Che cosa diavolo è successo, *qui*? » chiese guardando tutti i dolci per terra e Ron che raccoglieva Crosta per la coda.

« Mi sa che me l'hanno fatto fuori » disse Ron a Harry. Poi lo guardò più da vicino. « No... è incredibile... si è addormentato di nuovo! »

E difatti, era proprio così.

« Conoscevi già Malfoy? »

Harry raccontò del loro incontro in Diagon Alley.

« Ho sentito parlare della sua famiglia » disse Ron cupo. « Sono stati tra i primi a tornare dalla nostra parte dopo che Tu-Sai-Chi è scomparso. Dissero che erano stati stregati. Papà non ci crede. Dice che al padre di Malfoy non serviva una scusa per passare dal Lato Oscuro ». Poi, volgendosi a Hermione: « Possiamo esserti utili in qualcosa? »

« Dovete sbrigarvi a vestirvi; vengo dalla cabina della motrice e il macchinista mi ha detto che siamo quasi arrivati. Non avrete mica fatto a botte? Sareste nei guai prima ancora di arrivare! »

« È stato Crosta, non noi » disse Ron guardandola storto. « Ti spiacerebbe uscire mentre ci cambiamo? »

« Va bene... Sono venuta qui soltanto perché là fuori c'è gente che si comporta in modo molto infantile e corre su e giù per i corridoi » disse Hermione con voce altezzosa. « A proposito, hai il naso sporco, lo sapevi? »

Ron continuò a guardarla mentre usciva. Harry sbirciò fuori dal finestrino. Stava calando la sera. Le montagne e le foreste si stagliavano contro un cielo violaceo. Sembrò che il treno rallentasse.

Harry e Ron si tolsero la giacca e infilarono la lunga tunica nera. Quella di Ron gli andava un po' corta: da sotto spuntavano le scarpe da ginnastica.

Una voce risuonò per tutto il treno: « Tra cinque minuti arriveremo a Hogwarts. Siete pregati di lasciare il bagaglio sul treno; verrà portato negli edifici della scuola separatamente ».

Harry, che aveva lo stomaco chiuso per l'emozione, si accorse che Ron era pallido, sotto le lentiggini. Infilarono nelle tasche gli ultimi dolci rimasti e si unirono alla calca che affollava il corridoio.

Dopo aver rallentato, infine il treno si fermò. I passeggeri procedettero a spintoni verso lo sportello e poi scesero su un marciapiede stretto e buio. Harry rabbrividì all'aria gelida della notte. Poi, sopra le teste degli studenti, apparve la luce sobbalzante di una lanterna, e Harry udì una voce familiare: «Primo anno! Primo anno da questa parte! Tutto bene, Harry?»

Il faccione irsuto di Hagrid sorrideva radioso sopra il mare di teste.

«Coraggio, seguitemi... C'è qualcun altro del primo anno? E ora attenti a dove mettete i piedi. Quelli del primo anno mi seguano!»

Scivolando e incespicando, seguirono Hagrid giù per quello che sembrava un sentiero ripido e stretto. Da entrambi i lati il buio era così fitto che Harry immaginò che il sentiero fosse fiancheggiato da folti alberi. Nessuno aveva molta voglia di parlare. Neville, il ragazzo che ancora non aveva ritrovato il suo rospo, tirò su col naso un paio di volte.

«Fra un attimo: prima vista panoramica su Hogwarts!» annunciò Hagrid parlando da sopra la spalla. «Ecco, dopo questa curva!»

Ci fu un coro di «Ohhhh!»

Lo stretto sentiero si era spalancato all'improvviso sul bordo di un grande lago nero. Appollaiato in cima a un'alta montagna sullo sfondo, con le finestre illuminate che brillavano contro il cielo pieno di stelle, sorgeva un grande castello con molte torri e torrette.

«Non più di quattro per battello» avvertì Hagrid indicando una flotta di piccole imbarcazioni in acqua, vicino alla riva. Insieme a Harry e Ron salirono Neville e Hermione.

«Tutti a bordo?» gridò Hagrid che aveva un'imbarcazione personale. «Bene... SI PARTE!»

Tutte le barchette si staccarono dalla riva contemporaneamente, scivolando sul lago liscio come vetro. Tutti tacevano, lo sguardo fisso sul grande castello che li sovrastava. Torreggia-va su di loro, man mano che si avvicinavano alla rupe su cui era arroccato.

«Giù la testa!» gridò Hagrid quando le prime barche rag-giunsero la scogliera; i ragazzi obbedirono e i battelli li traspor-tarono attraverso una cortina d'edera che nascondeva una gran-de apertura sul davanti della scogliera stessa. Poi attraversarono un lungo tunnel buio, che sembrava portare dritto sotto il castel-lo, e infine raggiunsero una sorta di porto sotterraneo dove si arrampicarono tra scogli e sassi.

«Ehi, tu! È tuo questo rospo?» fece Hagrid che stava con-trollando le barche via via che i ragazzi scendevano.

«Trevor!» gridò Neville al settimo cielo tendendo le mani. Poi si arrampicarono lungo un passaggio nella roccia, preceduti dalla lanterna di Hagrid e finalmente emersero sull'erba morbi-da e umida, proprio all'ombra del castello.

Salirono una scalinata di pietra e si affollarono davanti al-l'immenso portone di quercia.

«Ci siamo tutti? E tu, ce l'hai ancora il tuo rospo?»
Hagrid alzò il pugno gigantesco e bussò tre volte.

CAPITOLO 7

IL CAPPELLO PARLANTE

L a porta si aprì all'istante. Apparve una strega alta, dai capelli corvini, vestita di verde smeraldo. Aveva un volto molto severo e il primo pensiero di Harry fu questo: è una persona che bisogna evitare di contrariare.

« Ecco qua gli allievi del primo anno, professoressa McGonagall » disse Hagrid.

« Grazie, Hagrid. Da qui in avanti li accompagno io ».

Spalancò la porta. La Sala d'Ingresso era così grande che ci sarebbe entrata comodamente tutta la casa dei Dursley. Le pareti di pietra erano illuminate da torce fiammeggianti come quelle della Gringott, il soffitto era talmente alto che si scorgeva a malapena e di fronte a loro una sontuosa scalinata in marmo conduceva ai piani superiori.

I ragazzi seguirono la professoressa McGonagall calpestando il pavimento a lastre di pietra. Harry udiva il brusio di centinaia di voci provenire da una porta a destra – il resto della scolaresca doveva essere già arrivato – ma la professoressa McGonagall condusse quelli del primo anno in una saletta vuota, oltre la Sala d'Ingresso. Ci si stiparono dentro, molto più pigiati di quanto normalmente avrebbero fatto, guardandosi intorno tutti nervosi.

« Benvenuti a Hogwarts » disse la professoressa McGonagall. « Il banchetto per l'inizio dell'anno scolastico avrà luogo tra breve, ma prima di prendere posto nella Sala Grande, verrete smistati nelle vostre Case. Lo Smistamento è una cerimonia molto importante, perché per tutto il tempo che passerete qui a Hogwarts, la vostra Casa sarà un po' come la vostra famiglia. Frequenterete le lezioni con i vostri compagni di Casa, dormirete nei dormitori della vostra Casa e passerete il tempo libero nella sala comune della vostra Casa.

« Le quattro Case si chiamano Grifondoro, Tassofrasso, Corvonero e Serpeverde. Ciascuna ha la sua nobile storia e ciascuna ha sfornato maghi e streghe di prim'ordine. Per il tempo che resterete a Hogwarts, i trionfi che otterrete faranno vincere punti alla vostra Casa, mentre ogni violazione delle regole gliene farà perdere. Alla fine dell'anno, la Casa che avrà totalizzato più punti verrà premiata con la Coppa delle Case, il che costituisce un grande onore. Spero che ognuno di voi darà lustro alla Casa cui verrà destinato.

« La Cerimonia dello Smistamento inizierà tra pochi minuti, davanti a tutti gli altri studenti. Nell'attesa, vi suggerisco di rimettervi il più possibile in ordine ».

E così dicendo, i suoi occhi indugiarono per un attimo sul mantello di Neville, che era tutto storto, e sul naso sporco di Ron. Harry cercò di lisciarsi i capelli nervosamente.

« Tornerò non appena saremo pronti per la Cerimonia » disse la professoressa McGonagall. « Vi prego di attendere in silenzio ».

Uscì dalla stanza. Harry deglutì.

« Di preciso, in che modo ci smistano per Casa? » chiese a Ron.

« Una specie di prova, credo. Fred ha detto che è molto dolorosa, ma penso che stesse scherzando ».

Harry ebbe un tuffo al cuore. Una prova? Di fronte a tutta la scuola? Ma lui non sapeva niente di magia... cosa avrebbe dovuto fare? Non si era aspettato nulla di simile, all'arrivo. Si guardò intorno ansioso e vide che tutti gli altri erano terrorizzati quanto lui. Nessuno aveva molta voglia di parlare, tranne Hermione Granger che stava spiattellando a bassa voce, con parlantina inarrestabile, tutti gli incantesimi che aveva imparato, chiedendosi di quale dei tanti avrebbe dovuto servirsi. Harry cercava disperatamente di non ascoltarla. Non era mai stato tanto nervoso in vita sua, mai, neanche quando era tornato a casa dai Dursley con una nota della scuola in cui si diceva che, non si sapeva come, aveva fatto diventare blu il parrucchino dell'insegnante. Teneva gli occhi fissi sulla porta. Ormai ogni momento era buono perché la professoressa McGonagall tornasse per condurlo verso il suo destino.

Poi accadde una cosa che gli fece letteralmente fare un salto... Dietro di lui, molti ragazzi gridarono.

« Ma che cosa...? »

Si sentì mancare il fiato, e come lui tutti gli altri. Una ventina di fantasmi erano appena entrati nella stanza, attraversando la parete in fondo. Di color bianco perlaceo e leggermente trasparenti, scivolavano per la stanza parlando tra loro quasi senza guardare gli allievi del primo anno. Sembrava che stessero discutendo. Quello che assomigliava a un monaco piccolo e grasso stava dicendo: « Io sono dell'idea che bisogna perdonare e dimenticare; dobbiamo dargli un'altra possibilità... »

« Mio caro Frate, non abbiamo forse dato a Peeves tutte le possibilità che meritava? Non fa che gettare discredito sul nostro nome, e poi non è neanche un vero e proprio fantasma... Ehi, dico, che cosa ci fate qui? »

Un fantasma in calzamaglia e gorgiera aveva d'un tratto notato gli studenti del primo anno.

Nessuno rispose.

« Nuovi studenti! » disse il Frate Grasso abbracciando tutti con un sorriso. « In attesa di essere smistati, suppongo ».

Alcuni annuirono in silenzio.

« Spero di vedervi tutti a Tassofrasso! » disse il Frate. « Sapete? È stata la mia Casa ».

« E ora, sgombrare! » ordinò una voce aspra. « Sta per cominciare la Cerimonia dello Smistamento ».

La professoressa McGonagall era tornata. Uno a uno, i fantasmi si dileguarono attraversando la parete di fronte.

«Mettetevi in fila e seguitemi» ordinò la professoressa McGonagall agli allievi del primo anno.

Harry, sentendosi le gambe pesanti come il piombo, si mise in fila dietro a un ragazzo dai capelli rossicci e Ron dietro di lui. Uscirono dalla stanza, attraversarono di nuovo la Sala d'Ingresso, oltrepassarono un paio di doppie porte, ed entrarono nella Sala Grande.

Harry non aveva mai immaginato in vita sua che potesse esistere un posto tanto splendido e sorprendente. La sala era illuminata da migliaia e migliaia di candele sospese a mezz'aria sopra quattro lunghi tavoli, intorno ai quali erano seduti gli altri studenti. I tavoli erano apparecchiati con piatti e calici d'oro scintillanti. In fondo, rialzato, c'era un altro tavolo lungo, intorno al quale erano seduti gli insegnanti. Fu lì che la professoressa McGonagall accompagnò gli allievi del primo anno, cosicché, sempre tutti in fila, si fermarono davanti agli altri studenti, dando le spalle agli insegnanti. Alla luce tremula delle candele, le centinaia di facce che li guardavano sembravano tante pallide lanterne. Qua e là, tra gli studenti, i fantasmi punteggiavano la sala come velate luci argentee. Soprattutto per evitare tutti quegli occhi che li fissavano, Harry alzò lo sguardo in alto e vide un soffitto di un nero intenso trapunto di stelle. Udì Hermione bisbigliare: «È un incantesimo che lo fa sembrare come il cielo che c'è fuori! L'ho letto in *Storia di Hogwarts*».

Era addirittura difficile credere che ci fosse un soffitto e che la Sala Grande non si spalancasse semplicemente sul cielo aperto.

Rapidamente Harry abbassò di nuovo lo sguardo, mentre la professoressa McGonagall, senza fare rumore, collocava uno sgabello a quattro gambe davanti agli allievi del primo anno. Sopra lo sgabello mise un cappello a punta, da mago. Era un cappello tutto rattoppato, consunto e pieno di macchie. Zia Petunia non avrebbe permesso neanche di farlo entrare in casa.

Forse sarebbe stato chiesto loro di estrarne un coniglio, pen-

sò Harry emozionato. Sembrava proprio il genere di cosa che...
poi, notando che tutti, nella sala, stavano fissando il cappello,
fece altrettanto. Per qualche secondo regnò il silenzio più assoluto. Poi il cappello si contrasse. Uno strappo vicino al bordo si
spalancò come una bocca, e lui cominciò a cantare:

« Forse pensate che non son bello,
ma non giudicate da quel che vedete:
io ve lo giuro che mi scappello
se uno migliore ne troverete.
Potete tenervi le vostre bombette,
i vostri cilindri lucidi e alteri,
son io quello che a posto vi mette
e al mio confronto gli altri son zeri.
Non c'è pensiero che nascondiate
che il mio potere non sappia vedere,
quindi indossatemi e ascoltate
qual è la Casa a cui appartenere.
È forse Grifondoro la vostra via,
culla dei coraggiosi di cuore:
audacia, fegato, cavalleria
fan di quel luogo uno splendore.
O forse è a Tassofrasso la vostra vita,
dove chi alberga è giusto e leale:
qui la pazienza regna infinita
e il duro lavoro non è innaturale.
Oppure Corvonero, il vecchio e il saggio,
se siete svegli e pronti di mente,
ragione e sapienza qui trovan linguaggio
che si confà a simile gente.
O forse a Serpeverde, ragazzi miei,
voi troverete gli amici migliori,
quei tipi astuti e per niente babbei
che qui raggiungono fini e onori!
Venite dunque senza paure

e mettetemi in capo all'istante;
con me sarete in mani sicure
perché io sono un Cappello Parlante! »

Non appena ebbe terminato la sua filastrocca, tutta la sala scoppiò in un applauso fragoroso. Il cappello fece un inchino a ciascuno dei quattro tavoli e poi tornò immobile.

« Allora dobbiamo semplicemente provare il cappello! » sussurrò Ron a Harry. « Giuro che Fred lo ammazzo: continuava a blaterare di un combattimento con un troll! »

Harry sorrise debolmente. Sì, indossare il cappello era molto meglio che dover fare un incantesimo, ma gli sarebbe piaciuto che la cosa avvenisse in separata sede, non sotto gli occhi di tutti. Sembrava che il cappello chiedesse molto; al momento, Harry non si sentiva né coraggioso, né intelligente né altro. Se solo il cappello avesse nominato una Casa per gente che si sentiva poco sicura di sé, quello sarebbe stato il posto giusto per lui.

A quel punto, la professoressa McGonagall si fece avanti tenendo in mano un lungo rotolo di pergamena.

« Quando chiamerò il vostro nome, metterete il cappello in testa e vi siederete sullo sgabello per essere smistati » disse. « Abbott Hannah! »

Una ragazzina dalla faccia rosea e con due codini biondi venne fuori dalla fila inciampando, indossò il cappello che le ricadde sopra gli occhi e si sedette. Un attimo di pausa...

« TASSOFRASSO! » gridò il cappello.

Il tavolo di Tassofrasso, a destra, si rallegrò ed esplose in un applauso quando Hannah andò a prendervi posto. Harry vide il fantasma del Frate Grasso salutarla allegramente con la mano.

« Bones Susan! »

« TASSOFRASSO! » gridò ancora il cappello e Susan si affrettò ad andare a sedersi accanto a Hannah.

« Boot Terry! »

« CORVONERO! »

Questa volta a battere le mani fu il secondo tavolo da sinistra; molti allievi della Casa di Corvonero si alzarono per stringere la mano a Terry, quando egli ebbe preso posto tra loro.

Anche « Brocklehurst Mandy » fu assegnata a Corvonero, ma « Brown Lavanda » fu la prima nuova Grifondoro e dal tavolo all'estrema sinistra si levò un evviva generale; Harry notò che i gemelli, fratelli di Ron, fischiavano con approvazione.

Poi « Bulstrode Millicent » diventò una Serpeverde. Forse era una pura fantasia di Harry, dopo tutto quel che aveva sentito dire su quella Casa, ma gli venne da pensare che avevano tutti un aspetto sgradevole.

Ora cominciava a sentirsi veramente male. Ricordava quando, nella sua vecchia scuola, veniva selezionato per giocare in una squadra nelle ore di ginnastica. Lo sceglievano sempre per ultimo, non perché non fosse bravo, ma perché nessuno voleva che Dudley pensasse che era simpatico a qualcuno.

« Finch-Fletchley Justin! »

« TASSOFRASSO! »

Harry notò che qualche volta il cappello gridava all'istante il nome della Casa e altre volte, invece, ci metteva un po' a decidersi. « Finnigan Seamus », il ragazzo dai capelli rossicci che precedeva Harry nella fila, rimase seduto quasi per un minuto prima di venire dichiarato un Grifondoro.

« Granger Hermione! »

Hermione arrivò quasi di corsa allo sgabello e si pigiò il cappello in testa con gesto impaziente.

« GRIFONDORO! » gridò il cappello. Ron grugnì.

Harry fu colpito da un pensiero orribile, come sono sempre i pensieri quando siamo molto nervosi. E se lui non fosse stato scelto affatto? Se gli fosse capitato di rimanere lì seduto con il cappello sugli occhi per ore, finché la professoressa McGonagall glielo avesse strappato dalla testa dicendo che evidentemente c'era stato un errore e che lui doveva andarsene e riprendere il treno?

Poi fu chiamato il ragazzo che perdeva continuamente il suo

rospo, Neville Longbottom, che, lungo il percorso verso lo sgabello, cadde. Con lui, il cappello impiegò molto tempo a decidere. Quando finalmente gridò «GRIFONDORO!», Neville corse via senza neanche toglierselo dalla testa, e tra scrosci di risa dovette tornare indietro di corsa per consegnarlo a «MacDougal Morag».

Quando venne chiamato il suo nome, Malfoy si presentò spavaldamente e fu esaudito all'istante: il cappello gli aveva appena sfiorato la testa che gridò: «SERPEVERDE!»

Malfoy andò a unirsi ai suoi amici Crabbe e Goyle, con aria molto compiaciuta.

Ormai erano rimasti in pochi.

«Moon»... «Nott»... «Parkinson»... poi due gemelle, «Patil» e «Patil»... poi «Perks Sally-Anne»... e finalmente...

«Potter Harry!»

A un tratto, mentre Harry si avvicinava allo sgabello, la sala fu percorsa da sussurri simili allo scoppiettio di tanti piccoli fuochi.

«Ha detto *Potter*?»

«Ma proprio *quell'*Harry Potter...?»

L'ultima cosa che Harry vide prima che il cappello gli coprisse gli occhi fu la sala piena di gente che allungava il collo per guardarlo meglio. L'attimo dopo, era immerso nel buio. Rimase in attesa.

«Ehm...» gli sussurrò una vocina all'orecchio. «Difficile. Molto difficile. Vedo coraggio da vendere. E anche un cervello niente male. C'è talento, oh, accipicchia, sì... e un bel desiderio di mettersi alla prova. Molto interessante... Allora, dove ti metto?»

Harry si aggrappò forte ai bordi dello sgabello e pensò: 'Non a Serpeverde, non a Serpeverde!'

«Non a Serpeverde, eh?» disse la vocina. «Ne sei proprio così sicuro? Potresti diventare grande, sai: qui, nella tua testa, c'è di tutto, e Serpeverde ti aiuterebbe sulla via della grandezza, su questo non c'è dubbio... No? Be', se sei proprio così sicuro... meglio GRIFONDORO!»

Harry udì il cappello gridare l'ultima parola a tutta la sala. Se lo tolse e si avviò con passo vacillante verso il tavolo di Grifondoro. Il sollievo di essere stato scelto per quella Casa e non per Serpeverde era tale che a malapena si accorse di essere stato salutato dall'applauso più fragoroso. Percy il prefetto si alzò in piedi e gli strinse vigorosamente la mano, mentre i gemelli Weasley si sgolavano: « Potter è dei nostri! Potter è dei nostri! » Harry si sedette davanti al fantasma con la gorgiera che aveva visto prima. Questo gli batté un colpetto sul braccio, dandogli l'improvvisa, orribile sensazione di averlo appena immerso in un catino di acqua ghiacciata.

Ora poteva vedere bene il tavolo degli insegnanti. All'estremità più vicina a lui sedeva Hagrid che incrociò il suo sguardo e gli fece un segno di vittoria. Harry gli rispose con un sorriso. E là, al centro, su un ampio scranno d'oro, sedeva Albus Silente. Harry lo riconobbe subito per via della figurina che aveva trovato nella Cioccorana, sul treno. La chioma argentea di Silente era l'unica cosa, in tutta la sala, che luccicasse quanto i fantasmi. Harry intravide anche il professor Quirrell, il giovanotto nervoso che aveva incontrato al Paiolo Magico. Aveva un'aria molto strana e in testa un gran turbante color porpora.

Ora erano rimaste solo tre persone da smistare. « Turpin Lisa » divenne una Corvonero e poi fu il turno di Ron. Il ragazzo ormai aveva assunto un colorito verdognolo. Harry incrociò le dita sotto il tavolo e un attimo dopo il cappello gridò: « GRIFONDORO! »

Harry batté le mani forte con tutti gli altri, mentre Ron si accasciava sulla sedia vicino alla sua.

« Ben fatto, Ron, ottimo! » si congratulò pomposamente Percy Weasley da sopra la testa di Harry, mentre « Zabini Blaise » veniva mandato a Serpeverde. A quel punto, la professoressa McGonagall arrotolò la sua pergamena e portò via il Cappello Parlante.

Harry guardò nel suo piatto d'oro: era vuoto. Soltanto ora si era reso conto di quanta fame avesse. Gli Zuccotti di zucca sembravano appartenere a secoli prima.

Albus Silente si era alzato in piedi. Sorrideva agli studenti con uno sguardo radioso, le braccia aperte, come se niente potesse fargli più piacere del vederli tutti lì riuniti.

«Benvenuti!» disse. «Benvenuti a Hogwarts per un nuovo anno scolastico! Prima di dare inizio al nostro banchetto, vorrei dire qualche parola. E cioè: imbecille, medusa, scampolo, pizzicotto! Grazie!»

E tornò a sedersi. Tutti batterono le mani e gridarono entusiasti. Harry non sapeva se ridere o no.

«Ma... è un po' matto?» chiese incerto a Percy.

«Matto?» gli fece quello con disinvoltura. «È un genio! Il miglior mago del mondo! Ma è un po' matto, sì. Patate, Harry?»

Harry rimase a bocca aperta. Di colpo, i piatti davanti a lui furono pieni zeppi di pietanze. Non aveva mai visto tante cose buone tutte insieme su un solo tavolo: roast beef, pollo arrosto, braciole di maiale e di agnello, salsicce, bacon e bistecche, patate lesse, patate arrosto, patatine fritte, Yorkshire pudding, piselli, carote, sugo di carne, salsa ketchup e, per qualche strana ragione, caramelle alla menta.

Non si poteva dire che i Dursley lo lasciassero morire di fame, ma certo non gli veniva mai permesso di mangiare a sazietà. Dudley prendeva sempre tutto quello che faceva gola a Harry, anche a costo di sentirsi male. Harry si riempì il piatto di un po' di tutto, tranne le caramelle alla menta, e cominciò a mangiare. Era squisito.

«Ha l'aria di essere molto buona» disse il fantasma con la gorgiera in tono triste, guardando Harry che tagliava la bistecca.

«Lei non può...?»

«Sono circa cinquecento anni che non mangio» disse il fantasma. «Naturalmente, non ne ho bisogno, ma uno finisce col sentirne la mancanza. Forse non mi sono presentato. Sir Nicholas de Mimsy-Porpington al tuo servizio. Il fantasma della Torre di Grifondoro».

« Io lo so chi è! » disse d'un tratto Ron. « I miei fratelli mi hanno parlato di lei... Lei è Nick-Quasi-Senza-Testa ».

« *Preferirei* che mi chiamaste Sir Nicholas de Mimsy... » cominciò a dire tutto impettito il fantasma, ma Seamus Finnigan, il ragazzo dai capelli rossicci, lo interruppe.

« *Quasi* senza testa? Come è possibile essere *quasi* senza testa? »

Sir Nicholas sembrava estremamente stizzito, come se la conversazione non stesse prendendo la piega da lui desiderata.

« Così » disse irritato. Si afferrò l'orecchio sinistro e tirò. Tutta la testa gli si staccò dal collo e gli ricadde sulla spalla come se fosse incernierata. Qualcuno aveva evidentemente provato a decapitarlo, ma non lo aveva fatto a dovere. Tutto compiaciuto per gli sguardi sbalorditi che lesse sui loro volti, con un movimento deciso, Nick-Quasi-Senza-Testa si rimise la testa sul collo, tossì e disse: « Allora... nuovi Grifondoro! Spero che ci aiuterete a vincere il Campionato delle Case di quest'anno. Non è mai successo che Grifondoro non vincesse per tanto tempo: Serpeverde ha vinto la Coppa per sei anni di fila! Il Barone Sanguinario sta diventando a dir poco insopportabile... ehm... lui è il fantasma di Serpeverde ».

Harry gettò un'occhiata al tavolo di Serpeverde e vide, lì seduto, un orribile fantasma dallo sguardo fisso e vuoto, il volto macilento e gli abiti tutti imbrattati di sangue argentato. Era seduto proprio vicino a Malfoy che – Harry notò con piacere – non sembrava molto soddisfatto per l'assegnazione dei posti.

« Come ha fatto a coprirsi tutto di sangue? » chiese Seamus molto interessato.

« Non gliel'ho mai chiesto » disse con delicatezza Nick-Quasi-Senza-Testa.

Quando tutti si furono rimpinzati a più non posso, gli avanzi del cibo scomparvero dai piatti lasciandoli puliti e splendenti come prima. Un attimo dopo apparvero i dolci. Montagne di gelato di tutti i gusti immaginabili, torte alle mele, crostate alla melassa, bignè al cioccolato e ciambelle alla marmellata, zuppa inglese, fragole, gelatina, budini di riso...

Mentre Harry si serviva una fetta di crostata alla melassa, il discorso virò sulle famiglie.

«Io sono metà e metà» raccontava Seamus. «Papà è un Babbano. Mamma non gli ha detto di essere una strega fino a dopo sposati. È stato un bel colpo per lui!»

Tutti risero.

«E tu, Neville?»

«Be', io sono stato allevato da mia nonna, che è una strega» prese a raccontare Neville, «ma in famiglia per molto tempo hanno pensato che io fossi soltanto un Babbano. Il mio prozio Algie ha cercato per anni di cogliermi alla sprovvista e di strapparmi qualche magia – una volta mi ha buttato in acqua dal molo di Blackpool e per poco non affogavo – ma non è successo niente fino a che non ho avuto otto anni. Zio Algie era venuto a prendere il tè e mi teneva appeso per le caviglie fuori da una finestra del secondo piano, quando zia Enid gli offrì una meringa e lui, senza farlo apposta, mi lasciò andare. Ma io caddi in giardino e rimbalzando arrivai fino in strada. Tutti erano felici, mia nonna piangeva per la contentezza. E avreste dovuto vedere le facce, quando sono stato ammesso qui... perché pensavano che non avessi abbastanza poteri magici, capite? Zio Algie era così contento che mi ha comprato il rospo».

Dall'altro lato di Harry, Percy Weasley e Hermione stavano parlando delle lezioni («Spero proprio che comincino subito, c'è tanto da imparare, a me interessa in modo particolare la Trasfigurazione, sai, mutare un oggetto in qualcos'altro, naturalmente è ritenuta una pratica molto difficile...»; «Comincerete dalle cose più semplici, che so, trasformare fiammiferi in aghi e cose del genere...»)

Harry, che cominciava a sentirsi accaldato e insonnolito, alzò di nuovo lo sguardo verso il tavolo degli insegnanti. Hagrid era tutto intento a bere dal suo calice. La professoressa McGonagall conversava con il professor Silente. Il professor Quirrell, con il suo assurdo turbante, parlava con un altro insegnante dai capelli neri e untuosi, il naso adunco e la carnagione giallastra.

Accadde all'improvviso. L'insegnante dal naso adunco guardò oltre il turbante di Quirrell, dritto negli occhi di Harry, e un dolore acuto attraversò la cicatrice sulla fronte del ragazzo.

« Ah! » esclamò Harry passandosi una mano sulla fronte.

« Che cosa c'è? » chiese Percy.

« N-niente ».

Il dolore era svanito così come era venuto. Più difficile da scuotersi di dosso fu la sensazione che Harry aveva provato per via dello sguardo dell'insegnante... la sensazione di non piacergli affatto.

« Chi è l'insegnante che sta parlando col professor Quirrell? » chiese a Percy.

« Oh, ma allora conosci già Quirrell! Non c'è da stupirsi che sia così nervoso; quello è il professor Piton. Insegna Pozioni, ma non gli piace; tutti sanno che fa la corte alla materia di Quirrell. Piton sa un sacco di cose sulle Arti Oscure ».

Harry osservò Piton ancora per un po', ma Piton non gli rivolse più uno sguardo.

Finalmente scomparvero anche i dolci e il professor Silente si alzò di nuovo in piedi. Nella sala cadde il silenzio.

« Ehm... solo poche parole ancora, adesso che siamo tutti sazi di cibo e di bevande. Ho da darvi alcuni annunci di inizio anno.

« Gli studenti del primo anno devono ricordare che l'accesso alla foresta qui intorno è proibito a tutti gli alunni. E alcuni degli studenti più anziani farebbero bene a ricordarlo anche loro ».

E gli occhi scintillanti di Silente scoccarono un'occhiata in direzione dei gemelli Weasley.

« Inoltre, il signor Filch, il custode, mi ha chiesto di ricordare a voi tutti che è vietato usare la magia nei corridoi tra una lezione e l'altra.

« Le selezioni di Quidditch si terranno durante la seconda settimana dell'anno scolastico. Chiunque sia interessato a giocare per la squadra della sua Casa è pregato di contattare Madame Hooch.

« E infine, devo avvertirvi che da quest'anno è vietato l'accesso al corridoio del terzo piano a destra, a meno che non desideriate fare una fine molto dolorosa ».

Harry rise, ma fu uno dei pochi a farlo.

« Dice sul serio? » chiese piano a Percy.

« Certamente » disse Percy aggrottando la fronte in direzione di Silente. « È strano, perché in genere lui dice sempre la ragione per cui non abbiamo il permesso di andare da qualche parte... la foresta è piena di bestie pericolose, questo lo sanno tutti. No, penso che almeno a noi prefetti avrebbe dovuto dirlo ».

« E ora, prima di andare a letto, intoniamo l'inno della scuola! » gridò Silente. Harry notò che agli altri insegnanti s'era come gelato il sorriso sulle labbra.

Silente diede un colpetto alla sua bacchetta, come se stesse cercando di scacciarne una mosca dalla punta: ne fluì un lungo nastro d'oro che si sollevò alto in aria, sopra i tavoli, e cominciò a contorcersi a mo' di serpente, formando delle parole.

« Ognuno scelga il motivetto che preferisce » disse Silente. « Via! »

Tutta la scuola intonò:

« *Hogwarts Hogwarts, Hoggy Warty Hogwarts,*
per favore insegnaci qualcosa,
a noi, anziani, calvi e tutti storti,
a noi, ragazzi dai calzoni corti,
le nostre teste devono riempirsi
di cose interessanti da non dirsi,
per ora sono vuote e piene d'aria,
di mosche morte e roba secondaria,
insegna a noi che cosa va imparato,
ripeti ciò che abbiam dimenticato,
fa' del tuo meglio e noi faremo il resto,
finché il cervello non ci andrà in dissesto ».

Ognuno terminò la canzone in tempi diversi. Alla fine, erano rimasti solo i gemelli Weasley a cantare a un ritmo lento da marcia funebre. Silente diresse le ultime battute con la bacchetta magica e, alla fine, fu uno di quelli che applaudirono più fragorosamente.

« Ah, la musica » disse asciugandosi gli occhi. « Una magia che supera tutte quelle che noi facciamo qui! E adesso, è ora di andare a letto. Via di corsa ».

Aprendosi un varco tra la ressa che si attardava ancora in chiacchiere, i Grifondoro del primo anno seguirono Percy, uscirono dalla Sala Grande e salirono al piano di sopra passando per la scala di marmo.

Harry aveva di nuovo le gambe pesanti come il piombo, ma solo perché era stanco e con la pancia piena. Aveva troppo sonno per stupirsi del fatto che i ritratti lungo i corridoi bisbigliassero e si facessero segno, al loro passaggio, o che un paio di volte Percy li avesse condotti attraverso porte nascoste dietro pannelli scorrevoli e arazzi appesi alle pareti. Salirono altre scale, sbadigliando e strascicando i piedi; Harry si stava già chiedendo quanto avrebbero dovuto camminare ancora, quando si fermarono di colpo.

Un fascio di bastoni da passeggio fluttuava a mezz'aria davanti a loro e, quando Percy fece per avvicinarsi, quelli cominciarono a menargli colpi all'impazzata.

« Peeves » sussurrò Percy a quelli del primo anno. « Un poltergeist ». Poi, alzando la voce: « Peeves... fatti vedere! »

Rispose un suono potente e volgare, come quando si fa uscire di colpo l'aria da un palloncino.

« Vuoi che vada dal Barone Sanguinario? »

Ci fu uno schiocco e un omino dai neri occhi maligni e una gran bocca apparve galleggiando nell'aria a gambe incrociate, e afferrò i bastoni.

« Oooooooh! » esclamò con una risata malefica. « Pivellini del primo anno. Ma che bello! »

Si gettò a capofitto su di loro. Tutti si chinarono per schivarlo.

« Vattene, Peeves, o dirò tutto al Barone, puoi giurarci! » gli ringhiò Percy.

Peeves svanì con una linguaccia, lasciando cadere i bastoni sulla testa di Neville. Lo udirono allontanarsi di corsa, sbatacchiando le armature al suo passaggio.

« Dovete guardarvi da Peeves » disse Percy mentre riprendevano a camminare. « Il Barone Sanguinario è l'unico che riesca a controllarlo; Peeves non dà retta neanche a noi prefetti. Eccoci arrivati ».

All'estremità del corridoio era appeso il ritratto di una donna molto grassa, con indosso un abito di seta rosa.

« La parola d'ordine? » chiese.

« *Caput Draconis* » disse Percy, e il ritratto si staccò dal muro scoprendo un'apertura circolare. Passarono tutti, aiutandosi con le mani e coi piedi – Neville ebbe bisogno di una spinta – e sbucarono nella sala comune di Grifondoro, una stanza accogliente a pianta rotonda, piena di soffici poltrone.

Percy indicò alle ragazze una porta che conduceva al loro dormitorio, e un'altra ai ragazzi. In cima a una scala a chiocciola – era chiaro che si trovavano in una delle torri – finalmente videro i loro letti: cinque letti a baldacchino circondati da tende di velluto rosso scuro. I loro bauli erano già stati portati su. Troppo stanchi per parlare, indossarono il pigiama e si infilarono sotto le coperte.

« Che bella mangiata, eh? » bofonchiò Ron a Harry da dietro i tendaggi. « Vattene, Crosta! Mi sta rosicchiando le lenzuola ».

Harry voleva chiedere a Ron se aveva assaggiato la crostata alla melassa, ma si addormentò quasi immediatamente.

Forse Harry aveva mangiato un po' troppo, perché fece un sogno molto strano. Indossava il turbante del professor Quirrell, e il turbante gli parlava senza posa, dicendogli che doveva trasferirsi a Serpeverde immediatamente, perché a quello era destinato. Harry gli rispondeva che no, non voleva andarci; allora il turbante diventava sempre più pesante e Harry cercava di sfilarselo dalla testa, ma quello lo stringeva sempre più facendogli molto male; e c'era anche Malfoy che si faceva beffe di lui, mentre era alle prese col turbante, e poi Malfoy si tramutava nell'insegnante dal naso adunco, Piton, che rideva in modo stridulo e glaciale. Poi ci fu un bagliore di luce verde e Harry si destò, madido di sudore e scosso dai brividi.

Si girò dall'altra parte e si riaddormentò. Quando si svegliò, il mattino seguente, non conservava il minimo ricordo del sogno.

CAPITOLO 8

IL MAESTRO
DELLE POZIONI

« **G** uarda lì! »
    « Dove? »

« Vicino a quello alto coi capelli rossi ».

« Quello con gli occhiali? »

« Ma hai visto che faccia? »

« E la cicatrice, l'hai vista? »

Il giorno dopo, da quando ebbe lasciato il dormitorio, Harry fu inseguito da una miriade di bisbigli. I ragazzi, in fila fuori dalle classi, si alzavano in punta di piedi per dargli un'occhiata anche solo per un attimo, oppure lo superavano lungo i corridoi per poi tornare indietro a osservarlo meglio. Harry avrebbe preferito che non lo facessero, perché stava cercando di concentrarsi sul percorso da seguire per arrivare in classe.

A Hogwarts c'erano centoquarantadue scalinate: alcune ampie e spaziose; altre strette e pericolanti; alcune che il venerdì portavano in luoghi diversi rispetto al resto della settimana; altre con a metà un gradino che scompariva e che bisognava ricordarsi di saltare. Poi c'erano porte che non si aprivano, a meno di non chiederglielo cortesemente o di non far loro il solletico nel punto giusto, e porte che non erano affatto porte ma solidi muri che facevano finta di esserlo. Era anche molto difficile ricordare dove fossero le cose, perché tutto sembrava soggetto a incessanti spostamenti: i personaggi dei ritratti si allontanavano continuamente per farsi visita l'un l'altro e Harry avrebbe giurato che le armature se ne andassero a zonzo.

Neanche i fantasmi contribuivano a rendere più semplice la situazione. Era sempre un terribile choc quando uno di loro, all'improvviso, scivolava attraverso una porta mentre stavi cercando di aprirla. Nick-Quasi-Senza-Testa era sempre lieto di indicare ai Grifondoro la giusta direzione, ma se incontravi Peeves il Poltergeist quando eri in ritardo per una lezione, era come imbattersi contemporaneamente in due porte sprangate e una scala a trabocchetto. Ti rovesciava in testa il cestino della carta straccia, ti sfilava il tappeto da sotto i piedi, ti lanciava addosso pezzi di gessetto oppure, avvicinatosi di soppiatto, ti afferrava il naso e strillava: « PRESO! »

Ancor peggio di Peeves, se possibile, era il custode Argus Filch. Harry e Ron riuscirono a prenderlo per il verso sbagliato fin dalla prima mattina. Filch li sorprese mentre cercavano di aprire una porta, che sfortunatamente risultò essere l'entrata del corridoio del terzo piano, cui era vietato l'accesso agli studenti. Non volle credere che si fossero smarriti, convinto com'era che stessero cercando di forzare la porta di proposito. Li stava giusto minacciando di rinchiuderli nei sotterranei quando il professor Quirrell, che passava di là, li aveva salvati.

Filch aveva una gatta di nome Mrs Norris, una creatura grigio cenere, tutta pelle e ossa, con due occhi sporgenti come fari, tale e quale il suo padrone. La gatta pattugliava i corridoi da sola. Bastava infrangere una regola di fronte a lei, mettere appena un piede fuori riga, ed eccola correre in cerca di Filch, che puntualmente appariva due secondi dopo, tutto ansimante. Filch conosceva i passaggi segreti della scuola meglio di chiunque altro (tranne forse i gemelli Weasley) ed era capace di sbucare fuori all'improvviso proprio come i fantasmi. Tutti gli studenti lo detestavano e alcuni non sognavano altro che assestare un bel calcio a Mrs Norris.

Una volta che riuscivi a trovare la classe, c'erano le lezioni. Come Harry scoprì ben presto, la magia era tutt'altra cosa dall'agitare semplicemente la bacchetta pronunciando parole incomprensibili.

Ogni mercoledì a mezzanotte bisognava studiare la volta celeste con i telescopi e imparare i nomi delle stelle e i movimenti dei pianeti. Tre volte alla settimana, ci si doveva recare nelle serre dietro al castello per studiare Erbologia con una strega piccola e grassottella, la professoressa Sprout, che insegnava ai ragazzi a coltivare le piante e i funghi più strani spiegando a cosa servivano.

Indubbiamente, la lezione più noiosa era Storia della Magia, l'unico corso tenuto da un fantasma. Il professor Binns era già molto, molto vecchio quando si era addormentato davanti al camino della sala professori e, la mattina dopo, alzatosi per andare a fare lezione, aveva lasciato dietro di sé il suo corpo. Binns parlava senza posa con voce monotona, mentre i ragazzi scribacchiavano nomi e date confondendo Emeric il Maligno e Uric Testamatta.

Invece il professor Flitwick, l'insegnante di Incantesimi, era un mago piccolino che doveva salire sopra una pila di libri per vedere al di là della cattedra. All'inizio della prima lezione prese il registro e, quando arrivò al nome di Harry, emise un gridolino eccitato e ruzzolò giù, scomparendo alla vista.

La professoressa McGonagall era ancora diversa. A ragione Harry aveva pensato che fosse un'insegnante da non contrariare. Severa e intelligente, fece un bel discorsetto ai ragazzi nel momento stesso in cui si sedettero per ascoltare la sua prima lezione.

« La Trasfigurazione è una delle materie più complesse e pericolose che apprenderete a Hogwarts » disse. « Chiunque faccia confusione nella mia aula sarà spedito fuori e non sarà più riammesso. Siete avvisati ».

Poi trasformò la sua cattedra in un maiale e viceversa. Tutti rimasero molto impressionati e non vedevano l'ora di cominciare, ma ben presto si resero conto che ci sarebbe voluto un bel po' di tempo prima che riuscissero a trasformare un mobile in un animale. Presero un mucchio di appunti complicati, dopodiché ricevettero un fiammifero ciascuno e iniziarono a provare a trasformarlo in un ago. Alla fine della lezione, solo Hermione Granger era riuscita a cambiare qualcosa del suo fiammifero; la professoressa McGonagall mostrò alla classe che era diventato d'argento e acuminato, e gratificò Hermione con uno dei suoi rari sorrisi.

Il corso che tutti non vedevano l'ora di frequentare era Difesa contro le Arti Oscure, ma le lezioni di Quirrell si dimostrarono un po' una barzelletta. L'aula odorava fortemente di aglio: tutti dicevano servisse a tenere lontano un vampiro che aveva incontrato in Romania, e che temeva sarebbe tornato un giorno o l'altro a prenderlo per portarlo via. Il turbante, così disse ai suoi allievi, lo aveva ricevuto in dono da un principe africano, come pegno di gratitudine per averlo liberato da un fastidioso zombie; ma loro non erano così sicuri che quella storia fosse vera. Tanto per cominciare, quando Seamus Finnigan aveva chiesto a Quirrell di raccontare come aveva fatto a scacciare lo zombie, lui era arrossito e aveva cominciato a parlare del tempo. E poi avevano notato che intorno al turbante aleggiava uno strano odore... I gemelli Weasley insistevano che anche quello era imbottito d'aglio, perché Quirrell fosse protetto ovunque andasse.

Harry fu molto sollevato nel constatare che non era poi così indietro rispetto agli altri. Molti venivano da famiglie di Babbani e, come lui, non sapevano di essere streghe o maghi. C'era così tanto da imparare che anche persone come Ron non erano poi molto avvantaggiate.

Il venerdì fu un giorno importante per Harry e Ron. Finalmente riuscirono ad arrivare alla Sala Grande per colazione senza perdersi neanche una volta.

« Cosa abbiamo oggi? » chiese Harry a Ron mentre zuccherava il suo porridge.

« Doppia ora di Pozioni con i Serpeverde » disse Ron. « Piton è il direttore dei Serpeverde e si dice che lui favorisca sempre gli studenti della sua Casa... scopriremo se è vero ».

« Quanto vorrei che la McGonagall favorisse noi » disse Harry. La professoressa McGonagall era la direttrice della Casa di

Grifondoro, ma questo non le aveva impedito, il giorno prima, di assegnare loro una montagna di compiti.

In quel momento arrivò la posta. Ormai Harry ci aveva fatto l'abitudine, ma il primo giorno era rimasto alquanto impressionato quando un centinaio di gufi avevano fatto irruzione all'improvviso nella Sala Grande, durante la colazione, volando in cerchio sopra i tavoli finché, individuato il proprio padrone, non gli lasciavano cadere in grembo lettere e pacchi.

A Harry, Edvige non aveva ancora portato niente. Ogni tanto, veniva per mordicchiargli l'orecchio e farsi dare un pezzetto di pane tostato prima di tornare a dormire nella guferia insieme agli altri pennuti della scuola. Ma quella mattina si posò fra la zuccheriera e la coppetta della marmellata d'arancia, lasciando cadere un biglietto sul piatto di Harry. Il ragazzo strappò immediatamente la busta.

Caro Harry, (c'era scritto con una calligrafia tutta scarabocchi)
  so che il venerdì hai il pomeriggio libero: ti va una tazza di tè con me intorno alle tre? Voglio che mi racconti tutto della tua prima settimana. Mandami la risposta con Edvige.

                                                                    Hagrid

Harry si fece prestare la penna d'oca da Ron e buttò giù la risposta sul retro del biglietto: *Sì, grazie, ci vediamo più tardi.* E la consegnò a Edvige perché la recapitasse.

Fortunatamente Harry aveva la piacevole aspettativa del tè con Hagrid, perché la lezione di Pozioni fu la peggior cosa che gli fosse capitata fino a quel momento.

Durante il banchetto inaugurale, Harry aveva avuto l'impressione di non piacere al professor Piton. Alla fine della prima lezione di Pozioni seppe che si era sbagliato. Non è che a Piton Harry non piacesse... Piton lo *odiava*.

Le lezioni di Pozioni si svolgevano in una delle celle sotterranee. Qui faceva più freddo che ai piani alti, il che sarebbe bastato a far venire loro la pelle d'oca anche senza tutti quegli animali che galleggiavano nei barattoli di vetro lungo le pareti.

Come Flitwick, anche Piton iniziò la lezione prendendo il registro e, come Flitwick, giunto al nome di Harry si fermò.

« Ah, ecco » disse con voce melliflua, « Harry Potter. La nostra nuova... *celebrità* ».

Draco Malfoy e i suoi amici Crabbe e Goyle soffocarono una risata. Piton finì di fare l'appello e alzò lo sguardo sulla classe. Aveva gli occhi neri come quelli di Hagrid, ma del tutto privi del suo calore. Erano gelidi e vuoti, e facevano pensare a due gallerie buie.

« Siete qui per imparare la delicata scienza e l'arte esatta delle Pozioni » cominciò. Le sue parole erano poco più di un sussurro, ma ai ragazzi non ne sfuggiva una: come la professoressa McGonagall, Piton aveva il dono di mantenere senza sforzo il silenzio in classe. « Poiché qui non si agita insulsamente la bacchetta, molti di voi stenteranno a credere che si tratti di magia. Non mi aspetto che comprendiate a fondo la bellezza del calderone che sobbolle a fuoco lento, con i suoi vapori scintillanti, il delicato potere dei liquidi che si insinuano nelle vene umane, stregando la mente, irretendo i sensi... Io posso insegnarvi a imbottigliare la fama, distillare la gloria, addirittura mettere un freno alla morte... sempre che non siate una manica di teste di legno, come in genere sono tutti gli allievi con cui ho a che fare ».

Un profondo silenzio accolse il discorso di Piton. Harry e Ron si scambiarono uno sguardo alzando le sopracciglia. Hermione Granger era seduta sul bordo della sedia e sembrava non vedesse l'ora di dimostrare di non essere una 'testa di legno'.

« Potter » disse Piton d'un tratto. « Che cosa ottengo se verso della radice di asfodelo in polvere dentro un infuso di artemisia? »

Radice in polvere di che cosa, in un infuso di che cosa? Harry lanciò un'occhiata a Ron, che appariva altrettanto sconcertato; la mano di Hermione, invece, era scattata in aria.

«Non lo so, signore» disse Harry.

Le labbra di Piton si incresparono in un ghigno.

«Bene, bene... è chiaro che la fama non è tutto».

Ignorò la mano alzata di Hermione.

«Proviamo ancora. Potter, dove guarderesti se ti dicessi di trovarmi un bezoar?»

Hermione alzò di nuovo la mano più in alto che poteva senza alzarsi dalla sedia, ma Harry non aveva la più pallida idea di che cosa fosse un bezoar. Cercò di ignorare Malfoy, Crabbe e Goyle che si sbellicavano dalle risate.

«Non lo so, signore».

«Immagino che tu non abbia neanche aperto un libro prima di venire qui, vero, Potter?»

Harry si costrinse a non distogliere lo sguardo da quegli occhi glaciali. In realtà *aveva* dato una scorsa ai libri, quando era ancora dai Dursley, ma Piton si aspettava forse che si ricordasse tutto quel che era scritto in *Mille erbe e funghi magici*?

Piton continuava a ignorare la mano fremente di Hermione.

«E... Potter, qual è la differenza tra napello e luparia?»

A questo punto, Hermione si alzò in piedi con la mano protesa come a voler toccare il soffitto del sotterraneo.

«Non lo so» disse Harry tranquillamente. «Ma penso che Hermione lo sappia. Perché non prova a chiederlo a lei?»

Alcuni risero; Harry colse lo sguardo di Seamus che ammiccò in risposta. Ma Piton non lo trovò affatto divertente.

«Sta' seduta!» ordinò secco a Hermione. «Per tua informazione, Potter, asfodelo e artemisia insieme fanno una pozione soporifera talmente potente da andare sotto il nome di *Distillato della Morte Vivente*. Un bezoar è una pietra che si trova nella pancia delle capre e che salva da molti veleni. Per quanto riguarda napello e luparia sono la stessa pianta, nota anche con il semplice nome di *aconito*. Be'? Perché non prendete appunti?»

Ci fu un improvviso rovistare in cerca di penne d'oca e pergamene. Sovrastando il rumore, Piton disse: «E alla Casa di Grifondoro verrà tolto un punto per la tua faccia tosta, Potter».

Col procedere della lezione di Pozioni, la situazione dei Grifondoro non migliorò. Piton li divise in coppie e li mise a preparare una semplice pozione per curare i brufoli. Intanto, avvolto nel suo lungo mantello nero, si aggirava per la classe osservandoli pesare ortiche secche e schiacciare zanne di serpente, muovendo critiche praticamente a tutti tranne che a Malfoy, che sembrava piacergli. Aveva appena cominciato ad attirare l'attenzione di tutti sul modo perfetto in cui Malfoy aveva stufato le sue lumache cornute, quando il sotterraneo fu invaso da una nube di fumo verde acido e da un sibilo potente. Non si sa come, Neville era riuscito a fondere il calderone di Seamus trasformandolo in un ammasso di metallo contorto, e la loro pozione, colando sul pavimento di pietra, corrodeva le scarpe degli astanti facendoci dei buchi. In pochi secondi, tutti i ragazzi erano saltati sugli sgabelli, salvo Neville, che si era bagnato con la pozione quando il calderone si era bucato e adesso piangeva di dolore, mentre sulle braccia e sulle gambe gli spuntavano brucianti pustole rosse.

«Ragazzino idiota!» sbottò Piton mentre con un sol tocco della bacchetta ripuliva il pavimento dalla pozione versata. «Suppongo che tu abbia aggiunto gli aculei di porcospino prima di togliere il calderone dal fuoco. Non è così?»

Neville frignava perché i brufoli avevano cominciato a spuntargli anche sul naso.

«Portalo in infermeria!» intimò Piton a Seamus in tono sprezzante. Poi si girò verso Harry e Ron, che avevano lavorato accanto a Neville.

«E tu, Potter... perché non gli hai detto di non aggiungere gli aculei? Pensavi che se lui avesse sbagliato tu ti saresti messo in luce, vero? E questo è un altro punto in meno per i Grifondoro».

La cosa era così ingiusta che Harry aprì bocca per ribattere, ma Ron gli diede un calcio dietro il calderone. «Non esagerare » mormorò. « Ho sentito dire che Piton può diventare molto cattivo ».

Un'ora dopo, lasciato il sotterraneo, mentre risalivano le scale, la mente di Harry galoppava e il suo umore era nero. Era la sua prima settimana a Hogwarts e aveva già fatto perdere due punti a Grifondoro... Ma *perché* Piton lo odiava tanto?

« Su col morale » disse Ron. « Piton non fa altro che togliere punti a Fred e a George. Posso venire con te a trovare Hagrid? »

Alle tre meno cinque avevano lasciato il castello e avanzavano attraverso il parco. Hagrid viveva in una casetta di legno al limitare della Foresta Proibita. Fuori dalla porta erano poggiati una balestra e un paio di stivali di gomma.

Quando Harry bussò, dall'interno si udì un raspare frenetico e una serie di latrati sempre più forti. Poi risuonò la voce di Hagrid che diceva: « Qua, Zanna... qua! »

La sua grossa faccia irsuta apparve da dietro la porta socchiusa, prima che la spalancasse.

« 'Spettate un attimo! » disse. « Sta' giù, Zanna! »

Li fece entrare, cercando di trattenere per il collare un enorme danese nero.

La casa era formata da un'unica stanza. Dal soffitto pendevano prosciutti e fagiani; sopra una piccola catasta di legna già accesa c'era un bollitore di rame e, in un angolo, un letto imponente coperto con una trapunta patchwork.

« Fate come se foste a casa vostra » disse Hagrid lasciando andare Zanna che si avventò dritto dritto su Ron, cominciando a leccargli le orecchie. Al pari di Hagrid, Zanna non era poi così feroce come sembrava.

« Ti presento Ron » disse Harry mentre Hagrid versava dell'acqua bollente in una grande teiera e disponeva alcuni biscotti su un piatto.

« Un altro Weasley, eh? » chiese Hagrid guardando le lentiggini di Ron. « Ho passato metà della vita a tener lontani i tuoi fratelli dalla Foresta ».

Per poco i biscotti non gli spezzarono i denti, ma Harry e

Ron finsero di gradirli moltissimo, mentre facevano a Hagrid il resoconto delle prime lezioni. Zanna aveva poggiato la testa sulle ginocchia di Harry e gli stava sbavando su tutti i vestiti.

Harry e Ron si bearono a sentire Hagrid chiamare Filch « quel vecchio scimunito ».

« E quanto alla gatta, quella Mrs Norris, una volta o l'altra ci faccio conoscere Zanna. Sapete che ogni volta che vado su alla scuola mi segue dappertutto? Non riesco a levarmela dai piedi... Filch la aizza ».

Harry raccontò a Hagrid della lezione di Piton. E Hagrid, come Ron, gli disse di non prendersela, perché a Piton praticamente non andava a genio nessuno degli studenti.

« Con me è diverso. Sembra proprio *odiarmi* ».

« Sciocchezze! » esclamò Hagrid. « E perché mai? »

Eppure Harry non poté fare a meno di notare che Hagrid, nel pronunciare quelle parole, evitava il suo sguardo.

« E tuo fratello Charlie, come sta? » chiese Hagrid a Ron. « Mi stava molto simpatico... con gli animali era fantastico ».

Harry si chiese se Hagrid avesse fatto apposta a cambiare argomento. Mentre Ron raccontava a Hagrid che lavoro faceva Charlie con i draghi, Harry prese un pezzetto di carta che era sul tavolo, sotto il copriteiera. Era il ritaglio di un trafiletto dalla *Gazzetta del Profeta*:

ULTIMISSIME SULLA RAPINA ALLA GRINGOTT

Proseguono le indagini sulla rapina avvenuta alla Gringott il 31 luglio scorso a opera di ignoti maghi o streghe oscuri.

Oggi i goblin della Gringott hanno ripetutamente affermato che nulla è stato trafugato. Anzi, la camera di sicurezza presa di mira dai rapinatori era stata svuotata il giorno stesso.

« Ma tanto non vi diremo che cosa conteneva; quindi, se non volete guai, non ficcate il naso in questa faccenda »: così ha dichiarato oggi pomeriggio il goblin portavoce della Gringott.

Harry ricordò che, sul treno, Ron gli aveva detto che qualcuno aveva cercato di rapinare la Gringott, ma senza dire in che data.

« Hagrid! » esclamò. « La rapina alla Gringott è avvenuta il giorno del mio compleanno! Forse è successo mentre noi eravamo lì ».

Non c'erano dubbi: questa volta Hagrid evitò lo sguardo di Harry. Bofonchiò qualcosa e gli offrì un altro biscotto. Harry rilesse il trafiletto: *'Anzi, la camera di sicurezza presa di mira dai rapinatori era stata svuotata il giorno stesso'*. Hagrid aveva svuotato la camera numero settecentotredici... questo, beninteso, se prelevare il lurido pacchettino che c'era dentro si poteva definire svuotarla. Era quello che i ladri stavano cercando?

Quando Harry e Ron fecero ritorno al castello per cena, con le tasche stracolme di biscotti che erano stati troppo beneducati per rifiutare, Harry si disse che nessuna delle lezioni frequentate fino a quel momento gli aveva dato tanto da pensare quanto quell'ora trascorsa a prendere il tè con Hagrid. Hagrid aveva recuperato il pacchetto appena in tempo? Dove si trovava ora? E poi, Hagrid sapeva qualcosa su Piton che non voleva dire a Harry?

CAPITOLO 9

IL DUELLO DI MEZZANOTTE

Harry non avrebbe mai creduto possibile incontrare un ragazzo più odioso di Dudley; questo, prima di conoscere Draco Malfoy. Tuttavia, i Grifondoro del primo anno frequentavano con i Serpeverde soltanto il corso di Pozioni e quindi non doveva sopportarlo troppo a lungo. O per lo meno fu così fino a quando, nella bacheca della sala comune di Grifondoro, non comparve un avviso che sollevò un lamento di protesta generale. Il giovedì successivo sarebbero iniziate le lezioni di volo, cui Grifondoro e Serpeverde avrebbero partecipato insieme.

« Ti pareva! » commentò cupo Harry. « Proprio quello che ho sempre desiderato: rendermi ridicolo a cavallo di una scopa sotto gli occhi di Malfoy ».

Aveva aspettato con ansia le lezioni di volo, più di qualsiasi altra cosa.

« Non sai ancora se ti renderai veramente ridicolo » disse Ron con grande buonsenso. « Comunque, ho sempre sentito Malfoy vantarsi di quanto è bravo a giocare a Quidditch, ma scommetto che sono tutte balle ».

Indubbiamente Malfoy parlava molto del volo. Strepitava lamentandosi del fatto che gli allievi del primo anno non entravano mai a far parte della squadra della propria Casa, e millantava avventure mirabolanti che finivano sempre con lui che sfuggiva per un pelo ai Babbani a bordo di elicotteri. Ma non era il solo: a sentire Seamus Finnigan, pareva che anche lui da bambino non avesse fatto altro che scorrazzare per la campagna a cavallo della sua scopa. E anche Ron raccontava a chiunque fosse disposto ad ascoltarlo di quella volta che, sulla vecchia scopa di Charlie, era quasi andato a sbattere contro un deltaplano. Chiunque provenisse da una famiglia di maghi non faceva che parlare del Quidditch. Ron aveva già avuto una grossa discussione con Dean Thomas, che condivideva il loro dormitorio, a proposito delle partite di calcio. Non riusciva a capire che cosa ci fosse di tanto eccitante in un gioco che prevedeva una sola palla e dove non era consentito volare. Harry lo aveva sorpreso a stuzzicare il poster di Dean con la squadra del West Ham, nella speranza di far muovere i calciatori.

Neville non era mai salito in vita sua su una scopa, perché sua nonna non gli aveva mai neanche permesso di toccarne una. Personalmente, Harry pensava che la signora avesse le sue buone ragioni, visto che Neville riusciva a procurarsi una quantità incredibile di incidenti anche quando stava con entrambi i piedi per terra.

Hermione Granger era nervosa quanto Neville al pensiero di volare. Il volo non era certo una cosa che si potesse imparare a memoria sui libri. Intendiamoci bene, non che lei non ci avesse provato. Giovedì, durante la colazione, li aveva rintontiti a suon di suggerimenti e notizie che aveva reperito in un libro della biblioteca intitolato *Il Quidditch attraverso i secoli*. Neville pendeva letteralmente dalle sue labbra, nel disperato tentativo di carpire qualcosa che più tardi avrebbe potuto aiutarlo a reggersi sulla scopa, ma gli altri furono più che contenti quando l'arrivo della posta interruppe la conferenza di Hermione.

Dopo il biglietto di Hagrid, Harry non aveva più ricevuto lettere, cosa che naturalmente Malfoy non aveva mancato di notare. A lui, il suo gufo reale portava sempre pacchi di dolci da casa, che il ragazzo apriva con gioia maligna al tavolo di Serpeverde.

Quel giorno, un barbagianni portò a Neville un pacchetto da parte della nonna. Lui lo aprì tutto eccitato e mostrò agli altri una palla di vetro, grande quanto una grossa biglia, che sembrava piena di fumo bianco.

« È una Ricordella! » spiegò il ragazzo. « Nonna sa che dimentico sempre le cose... Questa ti dice se c'è qualcosa che hai dimenticato di fare. Guardate: uno la tiene stretta così, e se diventa rossa... Oh! » E tutta la sua eccitazione svanì perché la Ricordella era diventata d'un tratto scarlatta: «...vuol dire che hai dimenticato qualcosa... »

Neville si stava sforzando di ricordare che cosa mai avesse dimenticato, quando Draco Malfoy, passando accanto al tavolo di Grifondoro, gli strappò di mano la palla.

Harry e Ron balzarono in piedi. Entrambi speravano in una buona occasione per fare a pugni con Malfoy, ma la professoressa McGonagall, che fiutava i guai prima di ogni altro insegnante, piombò come un fulmine.

« Che cosa succede qui? »

« Professoressa, Malfoy mi ha preso la Ricordella ».

Tutto corrucciato, Malfoy rimise prontamente la palla sul tavolo.

« Stavo solo guardando » disse e se la svignò con Crabbe e Goyle al seguito.

Quel pomeriggio, alle tre e mezzo, Harry, Ron e gli altri Grifondoro correvano giù per la scalinata d'ingresso alla volta del parco, per la loro prima lezione di volo. Era una giornata chiara e ventosa e l'erba si increspava sotto i loro passi mentre scendevano giù per una collina verso un prato in direzione opposta alla Foresta Proibita, le cui chiome ondeggiavano, nere, in lontananza.

I Serpeverde erano già arrivati e per terra c'erano anche venti scope ordinatamente disposte in tante file. Harry aveva sentito Fred e George Weasley lamentarsi delle scope della scuola, dicendo che, se uno volava troppo alto, alcune cominciavano a vibrare, oppure sbandavano leggermente a sinistra.

Giunse l'insegnante, Madame Hooch. Era una donna bassa, coi capelli grigi e gli occhi gialli come un falco.

« Be', che cosa state aspettando? » sbraitò. « Ciascuno prenda posto accanto a una scopa. Di corsa, muoversi! »

Harry abbassò lo sguardo sulla sua scopa. Era vecchia e alcuni rametti sporgevano formando strani angoli.

« Stendete la mano destra sopra la vostra scopa » disse Madame Hooch di fronte a loro, « e dite: 'Su!' »

« SU! » gridarono in coro.

A Harry, la scopa saltò immediatamente in mano, ma fu una delle poche. Quella di Hermione Granger si era limitata a rotolare per terra e quella di Neville non si era neanche mossa. Forse le scope, come i cavalli, sentivano quando avevi paura, pensò Harry; c'era stato un tremito, nella voce di Neville, che aveva tradito chiaramente il suo desiderio di rimanere con i piedi piantati in terra.

A quel punto, Madame Hooch mostrò a tutti come montare il manico di scopa senza scivolare verso il fondo, e poi passò in rassegna le file per correggere la presa. Harry e Ron se la godettero un mondo quando disse che erano anni che Malfoy usava la presa sbagliata.

« E ora, quando suonerò il fischietto, datevi una spinta premendo forte i piedi per terra » disse Madame Hooch. « Tenete ben salde le scope e sollevatevi di un metro circa; poi tornate giù inclinandovi leggermente in avanti. Al mio fischio... tre... due... »

Ma Neville, nervoso e sovreccitato com'era, nel timore di rimanere a terra, si diede la spinta prima ancora che il fischietto avesse sfiorato le labbra di Madame Hooch.

« Torna indietro, ragazzo! » gridò lei, ma Neville si stava sollevando in aria come un turacciolo esploso da una bottiglia... tre metri... sei metri... Harry vide che era terreo in volto mentre guardava il suolo che si allontanava sempre più, vide che gli mancava il fiato, poi lo vide scivolare dal manico, e...

SBAM! Un tonfo, uno schianto sinistro e Neville era lì sull'erba, faccia a terra, come un fagotto informe.

La sua scopa salì sempre più in alto e poi si allontanò come andasse alla deriva verso la Foresta Proibita, scomparendo alla vista.

Madame Hooch era china sul ragazzo, con il viso altrettanto pallido.

«Polso rotto» la udì bofonchiare Harry. «Coraggio, ragazzo... non è niente, alzati».

Poi si rivolse al resto della classe.

«Nessuno si muova mentre io lo accompagno in infermeria. Lasciate le scope dove si trovano o sarete espulsi da Hogwarts prima di avere il tempo di dire 'Quidditch'. Andiamo, caro».

Neville, con il volto rigato dalle lacrime e reggendosi il polso, si avviò zoppicando insieme a Madame Hooch, che lo cingeva con il braccio.

Non erano ancora fuori dalla portata di voce che Malfoy scoppiò in una sonora risata.

«Hai visto che faccia, quel gran salame che non è altro?»

Gli altri Serpeverde si unirono a lui nel prenderlo in giro.

«Chiudi il becco, Malfoy!» sbottò Parvati Patil.

«Oh, non prenderai mica le difese di Longbottom!» disse Pansy Parkinson, una ragazza Serpeverde dai lineamenti duri. «Non avrei mai creduto che proprio a te, Parvati, stessero simpatici i frignoni, e per di più ciccioni».

«Guardate!» disse Malfoy facendo un balzo in avanti e raccogliendo qualcosa fra l'erba. «È quello stupido aggeggio che gli ha mandato la nonna».

La Ricordella brillò al sole, mentre lui la teneva sollevata.

«Da' qui, Malfoy» disse tranquillamente Harry. Tutti tacquero all'istante per godersi la scena.

Malfoy sorrise maligno.

«Penso che la metterò in un posticino dove Longbottom dovrà andarsela a riprendere... cosa ne dite, per esempio... della cima di un albero?»

«Dammela!» gridò Harry, ma Malfoy era già balzato sulla sua scopa ed era decollato. Non aveva mentito: volava proprio bene; tenendosi in quota all'altezza dei rami più alti di una quercia, gridava: «Vieni a prendertela, Potter!»

Harry afferrò la sua scopa.

«No!» gridò Hermione Granger. «Madame Hooch ci ha detto di non muoverci... Ci caccerai tutti nei guai!»

Harry la ignorò. Sentiva il sangue pulsargli nelle orecchie. Inforcò la scopa, calciò forte il suolo e via, si levò in alto, con il vento che gli scompigliava i capelli e gli abiti che sferzavano l'aria... e in un impeto di gioia selvaggia si rese conto di aver scoperto una cosa che sapeva fare senza bisogno di studiare... era facile, era *meraviglioso*. Sollevò leggermente la punta del manico per salire ancora più in alto, udì gli strilli e il respiro ansimante delle ragazze rimaste a terra e il grido di ammirazione di Ron.

Virò con decisione in modo da trovarsi di fronte a Malfoy, a mezz'aria. Malfoy sembrava esterrefatto.

«Dammela» gli gridò Harry, «o ti butto giù da quella scopa!»

«Ah, sì?» rispose l'altro con un ghigno che però non dissimulava la sua preoccupazione.

Ma Harry, chissà come, sapeva che cosa fare. Si piegò in avanti, afferrò saldamente la scopa con entrambe le mani e partì come una freccia in direzione di Malfoy. Malfoy fece appena in tempo a scansarsi; Harry invertì la rotta bruscamente tenendosi ben saldo. Qualcuno, a terra, batté le mani.

«Niente Crabbe e Goyle a salvarti l'osso del collo quassù, eh, Malfoy?» lo apostrofò Harry.

Sembrò che anche a Malfoy fosse venuto in mente lo stesso pensiero.

«Prendila, se ci riesci!» gli gridò, gettando la palla di vetro in aria e poi lanciandosi come un lampo verso terra.

Harry vide, come al rallentatore, la palla sollevarsi in aria e poi cominciare a ricadere giù. Si chinò in avanti e puntò il manico della scopa verso il basso: un istante dopo, stava acquistando velocità in una picchiata precipitosa, alla rincorsa della palla, con il vento che gli fischiava nelle orecchie, confondendosi con le grida degli astanti. Allungò la mano e a pochi metri dal suolo la afferrò, appena in tempo per raddrizzare la scopa; poi ruzzolò dolcemente sull'erba stringendo in mano la Ricordella sana e salva.

« HARRY POTTER! »

Harry ebbe un tuffo al cuore più brusco di quanto fosse stato il suo atterraggio: la professoressa McGonagall avanzava a passo di corsa verso di loro. Si mise in piedi, tremante.

« *Mai*... da quando sono a Hogwarts... »

La McGonagall era quasi senza parole per lo choc e gli lanciava occhiate furiose da dietro gli occhiali. « Come *osi*... avresti potuto romperti l'osso del collo... »

« Non è stata colpa sua, professoressa... »

« Taci, signorina Patil... »

« Ma Malfoy... »

« Basta così, Weasley. Potter, seguimi immediatamente ».

A Harry non sfuggirono le facce trionfanti di Malfoy, Crabbe e Goyle, mentre si allontanava mogio mogio dietro alla professoressa McGonagall, in direzione del castello. Sarebbe stato espulso, lo sapeva benissimo. Voleva dire qualcosa per difendersi, ma la voce sembrava non volergli uscire. La professoressa McGonagall procedeva a passo veloce senza neanche degnarlo di uno sguardo. Per tenerle dietro, doveva correre. Ecco, era tutto finito. Non aveva resistito neanche due settimane. Entro dieci minuti avrebbe fatto le valigie. Che cosa avrebbero detto i Dursley nel vederselo ricomparire alla porta?

Risalirono la scalinata d'ingresso e poi quella interna, intanto la professoressa McGonagall non gli aveva ancora detto una parola. Spalancava le porte con violenza e correva per i corridoi, con lui che le trotterellava dietro disperato. Forse lo stava accompagnando da Silente. Pensò a Hagrid, che era stato espulso, ma aveva avuto il permesso di rimanere come guardacaccia. Forse avrebbe potuto fargli da assistente. Sentì lo stomaco che gli si torceva a quella prospettiva: vedere Ron e gli altri diventare maghi, e lui lì, in giro per il parco, a far da galoppino a Hagrid.

La professoressa McGonagall si fermò davanti a un'aula. Aprì la porta e mise dentro la testa.

« Mi scusi, professor Flitwick, mi presta il suo Wood per un attimo? »

'Il suo Wood?' pensò Harry confuso; sperò che la situazione non stesse prendendo una brutta piega.

Wood, come scoprì ben presto, era un ragazzo corpulento del quinto anno, che uscì esitante dall'aula.

« Voi due, venite con me » disse la professoressa McGonagall; i due la seguirono lungo il corridoio. Wood guardava Harry incuriosito.

« Qui dentro ».

La professoressa indicò loro una classe che sarebbe stata vuota se non fosse stato per Peeves, tutto intento a scrivere parolacce sulla lavagna.

« Fuori, Peeves! » gli gridò. Peeves lanciò il gessetto in un cestino, facendolo risuonare rumorosamente, e sparì imprecando. La McGonagall gli sbatté la porta alle spalle e si voltò a guardare i due ragazzi.

« Potter, questo è Oliver Wood. Wood... ti ho trovato un Cercatore ».

Da perplesso che era, Wood divenne il ritratto della felicità.

« Dice sul serio, professoressa? »

« Ci puoi giurare » rispose lei risolutamente. « Il ragazzo ha un talento naturale. Non ho mai visto niente di simile. Era la prima volta che salivi su una scopa, Potter? »

Harry annuì in silenzio. Non aveva la più pallida idea di che cosa stesse accadendo, ma non sembrava che lo avrebbero espulso e pian piano cominciò a risentirsi saldo sulle gambe.

« Ha afferrato quella palla con una mano sola, dopo una picchiata di quindici metri » disse la professoressa McGonagall a Wood. « E non si è fatto neanche un graffio. Neanche Charlie Weasley ci sarebbe riuscito ».

Ora Wood aveva l'aria di uno che vede d'un tratto realizzarsi tutti i suoi sogni.

« Hai mai visto una partita di Quidditch, Potter? » gli chiese euforico.

« Wood è il Capitano della squadra dei Grifondoro » spiegò la McGonagall.

« E ha anche la corporatura di un Cercatore » commentò Wood girando intorno a Harry e osservandolo attentamente. « Leggero, veloce... Dovremo procurargli una scopa decente, professoressa... una Nimbus Duemila o una Tornado Sette, direi ».

« Parlerò con il professor Silente e vedremo di fare un'eccezione alla regola per gli studenti del primo anno. Sa il cielo se abbiamo bisogno di una squadra migliore di quella dell'anno scorso. I Serpeverde ci hanno *stracciato* nell'ultima partita... Per settimane non ho avuto il coraggio di guardare in faccia Severus Piton... »

La professoressa McGonagall scrutò Harry da sopra gli occhiali con sguardo severo.

« Voglio che tu ce la metta tutta negli allenamenti, Potter, altrimenti potrei cambiare idea sul fatto di non punirti ».

Poi, d'un tratto, sorrise.

« Tuo padre sarebbe stato orgoglioso » disse. « Anche lui era un ottimo giocatore di Quidditch ».

« Stai *scherzando*? »

Era l'ora di cena. Harry aveva appena finito di raccontare a Ron quel che era accaduto quando aveva lasciato il parco con la professoressa McGonagall. Ron era rimasto con un boccone di pasticcio di carne a mezz'aria, dimenticando di metterselo in bocca.

« *Cercatore?* » disse. « *Mai* quelli del primo anno... Tu devi essere il più giovane giocatore della scuola da... »

« Da un secolo » disse Harry cacciandosi in bocca un grosso pezzo di pasticcio. Era particolarmente affamato, dopo le emozioni di quel pomeriggio. « Me l'ha detto Wood ».

Ron era talmente stupefatto, talmente impressionato che non riusciva a staccare gli occhi da Harry e continuava a guardarlo a bocca aperta.

« Comincio l'allenamento la settimana prossima » disse Harry. « Solo, non dirlo a nessuno. Wood vuole mantenere segreta la cosa ».

Fred e George Weasley entrarono in quel momento nella sala, scorsero Harry e si avvicinarono in fretta.

« Complimenti » disse George a bassa voce. « Ce l'ha detto Wood. Anche noi siamo nella squadra... Battitori ».

« Ve lo dico io, quest'anno la Coppa di Quidditch la vinciamo noi » disse Fred. « È da quando Charlie se n'è andato che non vinciamo più, ma quest'anno la squadra promette bene. Devi essere proprio bravo, Harry; Wood stava praticamente saltando di gioia quando ce l'ha detto ».

« Bene, ora dobbiamo andare. Lee Jordan è convinto di aver trovato un nuovo passaggio segreto per uscire dalla scuola ».

« Scommetto che è quello dietro alla statua di Gregory il Viscido che abbiamo scoperto la prima settimana. Ciao! »

Fred e George erano appena scomparsi quando si presentò qualcuno molto meno gradito: era Malfoy, regolarmente seguito da Crabbe e Goyle.

« L'ultimo pasto, Potter? Stai per prendere il treno e tornare dai Babbani? »

« Vedo che sei molto più coraggioso, ora che sei tornato coi piedi per terra e al fianco dei tuoi teneri amici » rispose Harry con freddezza. Naturalmente Crabbe e Goyle non avevano niente di tenero, ma dato che in sala erano presenti molti insegnanti, quei due non avrebbero potuto far altro che scrocchiarsi le dita e rosicare.

« Con te sono pronto a battermi in qualsiasi momento, da solo » disse Malfoy. « Se vuoi, anche stanotte. Un duello tra maghi. Soltanto bacchette... niente contatto fisico. Be', che cosa c'è? Non hai mai sentito parlare di duelli tra maghi? »

« Certo che ne ha sentito parlare » disse Ron voltandosi bruscamente. « Io sono il suo secondo, e il tuo chi è? »

Malfoy squadrò Crabbe e Goyle valutandone la stazza.

« Crabbe » disse. « Ti va bene a mezzanotte? Ci troviamo nella Sala dei Trofei, che non è mai chiusa a chiave ».

Quando Malfoy se ne fu andato, Ron e Harry si guardarono.

« Che cos'è un duello tra maghi? » chiese Harry. « E che vuol dire che sei il mio secondo? »

« Be', il secondo è quello che prende il tuo posto se muori » disse Ron disinvolto, cominciando finalmente a mangiare il suo pasticcio di carne ormai freddo. Poi, cogliendo l'espressione sul viso di Harry, si affrettò ad aggiungere: « Ma si muore soltanto nei duelli veri, sai, i duelli tra maghi veri. Il massimo che potrete fare, tu e Malfoy, sarà tirarvi addosso un po' di scintille. Nessuno di voi due conosce abbastanza magia per farvi male sul serio. Comunque, scommetto che si aspettava che tu rifiutassi ».

« E se agito la bacchetta e non succede niente? »

« Butta via la bacchetta e dagli un bel pugno sul naso » suggerì Ron.

« Chiedo scusa ».

I ragazzi alzarono lo sguardo. Era Hermione Granger.

« Ma è possibile che in questo posto non si riesca a mangiare in pace? » disse Ron.

Hermione lo ignorò e si rivolse a Harry.

« Non ho potuto fare a meno di sentire quel che vi stavate dicendo con Malfoy... »

« E ti pareva? » bofonchiò Ron.

« ...e non dovete assolutamente andare in giro di notte per la scuola. Pensate ai punti che farete perdere ai Grifondoro se vi beccano... e vi beccano di sicuro. È veramente egoista da parte vostra ».

« E veramente non sono fatti tuoi » la rimbeccò Harry.

« Ciao, eh! » la salutò Ron.

In tutti i casi, non era quel che si dice il modo ideale di concludere la giornata, pensò Harry molto più tardi, mentre giaceva sveglio ascoltando Dean e Seamus che sprofondavano nel sonno (Neville non era ancora tornato dall'infermeria). Ron aveva passato tutta la serata a dargli consigli del tipo: « Se cerca di lanciarti una maledizione, sarà meglio che la schivi, perché non mi ricordo come si fa a bloccarla ». Le probabilità che Filch o Mrs Norris li trovassero erano forti, e Harry aveva l'impressione di sfidare la sorte a infrangere una seconda volta le regole della scuola nell'arco della stessa giornata. D'altro canto, nel buio, continuava a vedere il ghigno di Malfoy: quella era la sua grande occasione per vedersela con lui faccia a faccia. Non poteva perderla.

« Sono le undici e mezzo » bisbigliò finalmente Ron. « Dobbiamo andare ».

Si infilarono la vestaglia, presero ciascuno la propria bacchetta e attraversarono furtivamente la stanza della torre, scesero per la scala a chiocciola e raggiunsero la sala comune di Grifondoro. Dal camino arrivava ancora il bagliore di alcuni tizzoni, che trasformava le poltrone in ombre nere e ricurve. Avevano quasi raggiunto il buco coperto dal ritratto, quando, dalla poltrona più vicina, si sentì una voce: « Non posso credere che lo farai, Harry! »

Una luce baluginò nel buio. Era Hermione Granger, con indosso una vestaglia rosa e l'espressione accigliata.

« *Tu!* » disse Ron furibondo. « Tornatene a letto! »

« Stavo per dire tutto a tuo fratello » sbottò Hermione. « Percy... lui che è un prefetto saprebbe come metter fine a questa faccenda ».

Harry non riusciva a capacitarsi che potessero esistere persone tanto invadenti.

«Andiamo» disse a Ron. Spostò il ritratto della Signora Grassa e si arrampicò attraverso il passaggio nel muro.

Hermione non aveva alcuna intenzione di darsi per vinta così facilmente. Seguì Ron attraverso il passaggio, sibilando come un'oca inferocita.

«A voi non importa niente di Grifondoro. A voi importa solo di voi stessi. Io non voglio che i Serpeverde vincano la Coppa delle Case, e voi ci farete perdere tutti i punti che ho ottenuto dalla professoressa McGonagall quando mi ha interrogato sugli Incantesimi di Trasfigurazione».

«Vattene».

«E va bene, però vi ho avvertito; ricordatevelo domani, quando sarete sul treno che vi riporta a casa; siete proprio dei...»

I due ragazzi non seppero mai quel che erano. Hermione si era voltata verso il ritratto della Signora Grassa per tornare dentro, ma si era trovata di fronte un quadro vuoto. La Signora Grassa era andata a fare una passeggiata notturna e Hermione si trovò chiusa fuori dalla Torre di Grifondoro.

«E ora che cosa faccio?» strillò.

«Questo è un problema tuo» disse Ron. «Noi dobbiamo andare, altrimenti faremo tardi».

Non avevano fatto in tempo ad arrivare all'altra estremità del corridoio che Hermione li raggiunse.

«Vengo con voi» disse.

«*No* che non vieni!»

«Pensate che io me ne stia qui fuori ad aspettare che Filch mi scopra? Se ci trova tutti e tre, gli dirò la verità: gli dirò che stavo cercando di fermarvi, e voi mi appoggerete».

«Bella faccia tosta, non c'è che dire...» disse Ron ad alta voce.

«Chiudete il becco tutti e due!» li rimbeccò Harry, aspro. «Ho sentito qualcosa».

Era una specie di ronfo.

« Mrs Norris? » chiese in un sussurro Ron scrutando le tenebre.

Non era Mrs Norris. Era Neville. Stava lì raggomitolato sul pavimento, profondamente addormentato; ma non appena gli si furono avvicinati, si svegliò di soprassalto.

« Meno male! Mi avete trovato! Sono ore e ore che sono qui. Non riuscivo a ricordarmi la nuova parola d'ordine per andare a letto ».

« Parla piano, Neville. La parola d'ordine è 'grugno di porco', ma ora non ti servirà a niente: la Signora Grassa è andata a zonzo ».

« Come va il polso? » chiese Harry.

« Bene » rispose Neville mostrandoglielo. « Madame Pomfrey me lo ha aggiustato in meno di un minuto ».

« Bene. E ora, Neville... dobbiamo andare in un certo posto. Ci vediamo più tardi... »

« Non mi lasciate! » li scongiurò il ragazzo balzando in piedi. « Non voglio rimanere qui da solo, il Barone Sanguinario è già passato due volte ».

Ron guardò l'orologio e poi lanciò un'occhiata furibonda a Hermione e a Neville.

« Se uno di voi due si fa beccare, non avrò pace finché non avrò imparato quella Maledizione delle Caccole di cui ci ha parlato Quirrell, e giuro che la userò contro di voi ».

Hermione fece per aprir bocca, forse proprio per dire a Ron come usare la Maledizione delle Caccole, ma Harry le sibilò di tacere e fece cenno a tutti di procedere.

Scivolarono lungo corridoi illuminati a strisce dal chiarore lunare proveniente dalle alte finestre. Ogni volta che giravano un angolo, Harry si aspettava di imbattersi in Filch o in Mrs Norris, ma ebbero fortuna. Salirono a tutta velocità su per una scala fino al terzo piano e in punta di piedi si avviarono verso la Sala dei Trofei.

Malfoy e Crabbe non erano ancora arrivati. Le teche di cristallo dei trofei luccicavano nei punti illuminati dai raggi della luna. Coppe, gagliardetti, targhe e statuette, era tutto uno scintillio d'oro e d'argento. Strisciavano lungo i muri, tenendo d'occhio le porte situate a entrambe le estremità della stanza. Harry estrasse la sua bacchetta nel caso Malfoy fosse arrivato e avesse attaccato subito... I minuti scorrevano lentamente.

« È in ritardo. Forse se l'è fatta sotto » fece Ron in un sussurro.

Poi, un rumore nella stanza accanto li fece sobbalzare. Harry aveva appena sollevato la bacchetta quando udì qualcuno parlare... ma non era Malfoy.

« Annusa qua dentro, ciccina, potrebbero essere nascosti in un angolo ».

Era Filch che parlava con la gatta, Mrs Norris. Inorridito, Harry agitò all'impazzata la bacchetta, facendo segno agli altri tre di seguirlo più in fretta possibile. Svelti svelti, senza far rumore si diressero verso la porta opposta al punto da cui proveniva la voce di Filch. L'ultimo lembo degli abiti di Neville era appena sparito dietro l'angolo, quando udirono Filch entrare nella Sala dei Trofei.

« Sono qui, da qualche parte » lo udirono borbottare, « probabilmente nascosti ».

« Da questa parte! » Harry bisbigliò agli altri e, in preda al terrore, cominciarono a sgattaiolare lungo una galleria piena di armature. Sentivano avvicinarsi Filch. D'un tratto, Neville lanciò un gridolino di terrore e partì di corsa... incespicò, afferrò Ron per la vita e franarono entrambi sopra un'armatura.

Il baccano e il clangore erano abbastanza forti da svegliare l'intero castello.

« CORRETE! » gridò Harry e tutti e quattro si misero a correre per la galleria, senza guardarsi indietro per vedere se Filch li stesse seguendo. Girarono dietro lo stipite di una porta, percorsero un corridoio, e poi un altro, Harry in testa, senza la minima idea di dove si trovassero o di dove stessero andando. Passarono attraverso un arazzo, lacerandolo, e si ritrovarono in un passaggio nascosto, lo percorsero a precipizio e sbucarono vicino all'aula di Incantesimi, che sapevano essere lontana mille miglia dalla Sala dei Trofei.

«Credo che lo abbiamo seminato» ansimò Harry appoggiandosi contro la parete fredda e asciugandosi la fronte. Neville era piegato in due e ansimava senza riuscire a riprender fiato.

«*Io* ve l'avevo detto» mormorò Hermione premendosi una mano sul petto, «ve l'avevo detto!»

«Dobbiamo tornare alla Torre di Grifondoro il più in fretta possibile» disse Ron.

«Malfoy vi ha ingannato» disse Hermione a Harry. «Te ne rendi conto, vero? Non ha mai avuto la minima intenzione di presentarsi al duello... Filch sapeva che qualcuno si sarebbe trovato nella Sala dei Trofei; Malfoy deve avergli fatto una soffiata».

Harry pensò che la ragazza avesse ragione, ma non era disposto a dirglielo.

«Andiamo».

La cosa non si sarebbe rivelata tanto semplice. Non avevano fatto neanche una decina di passi che il pomello di una porta cigolò e qualcosa schizzò come una pallottola fuori da un'aula di fronte a loro.

Era Peeves. Li vide ed emise uno squittio di contentezza.

«Zitto, Peeves... per piacere... o ci farai espellere».

Peeves ridacchiò.

«In giro per il castello a mezzanotte, pivellini? Ah, ah, ah! Sciocchi e insulsi, sarete espulsi!»

«No, se non fai la spia, Peeves. Ti prego!»

«Dovrei proprio dirlo a Filch» disse Peeves con voce serafica, ma gli occhi gli brillavano di cattiveria. «È per il vostro bene, sapete?»

«Ma levati di mezzo!» sbottò Ron cercando di colpirlo... Fu un grosso errore.

«ALLIEVI FUORI DALLE CAMERATE!» cominciò a gridare Peeves. «ALLIEVI FUORI DALLE CAMERATE, NEL CORRIDOIO DI INCANTESIMI!»

Si tuffarono sotto di lui e spiccarono una corsa con tutta la forza che avevano nelle gambe, dritti verso l'estremità del corridoio, dove andarono a sbattere contro una porta... chiusa a chiave.

«Siamo arrivati al capolinea» disse Ron sconfortato mentre spingevano inutilmente cercando di aprirla. «Siamo perduti! È la fine!»

Udirono dei passi: era Filch, che correva più in fretta che poteva verso il punto da cui provenivano le grida di Peeves.

«Vi decidete a fare qualcosa?» sbottò Hermione. Afferrò la bacchetta di Harry, colpì la serratura e sussurrò: «*Alohomora!*»

La serratura scattò e la porta si spalancò davanti a loro, la oltrepassarono spintonandosi, la richiusero velocemente e vi pigiarono contro l'orecchio, rimanendo in ascolto.

«Da che parte sono andati, Peeves?» stava chiedendo Filch. «Svelto, parla!»

«Di' 'per favore'».

«Non farmi perdere tempo, Peeves. Dimmi, *dove sono andati?*»

«Non ti dirò niente finché non me lo chiedi per favore» disse Peeves con la sua fastidiosa cantilena.

«E va bene... *per favore!*»

«NIENTE! Ah-ha! Te l'avevo detto che non avrei detto 'niente' se non chiedevi per favore! Ha ha! Haaaa!» E i ragazzi udirono Peeves allontanarsi con un sibilo mentre Filch, furente, lanciava maledizioni.

«Crede che questa porta sia chiusa a chiave» bisbigliò Harry. «Penso che siamo salvi... E mollami, Neville!» Neville stava tirando la manica della vestaglia di Harry. «*Che cosa* c'è?»

Harry si voltò... e vide chiaramente che cosa c'era. Per un attimo, fu certo di essere precipitato in un incubo: era troppo, dopo tutto quel che aveva passato quel giorno.

Non si trovavano in una stanza, come aveva creduto. Erano in un corridoio. Il corridoio proibito del terzo piano. E ora, sapevano perché era proibito.

Stavano fissando dritto negli occhi un cane mostruoso, un bestione che riempiva tutto lo spazio tra il soffitto e il pavimento. Aveva tre teste. Tre paia di occhi roteanti, dallo sguardo folle; tre nasi che si contraevano e vibravano nella loro direzione; tre bocche sbavanti, con la saliva che pendeva come tante funi viscide dalle zanne giallastre.

Era lì, perfettamente immobile, tutti e sei gli occhi fissi su di loro, e Harry capì che l'unica ragione per cui non erano ancora morti era che la loro improvvisa comparsa lo aveva colto di sorpresa. Sorpresa che però stava superando rapidamente: il suo ringhiare cavernoso non dava adito a equivoci.

Harry brancicò in cerca del pomello della porta: tra Filch e la morte certa preferiva Filch.

Caddero all'indietro... Harry richiuse la porta sbattendola e ripresero a correre, anzi quasi a volare, lungo il corridoio. Filch doveva essere andato a cercarli da qualche altra parte perché non lo videro, ma ormai lui non li preoccupava più. L'unica cosa che volevano fare era mettere quanta più distanza possibile tra loro e quel mostro. Non smisero di correre fino a che non ebbero raggiunto il ritratto della Signora Grassa, al settimo piano.

« Ma dove diavolo eravate, tutti quanti? » chiese lei guardando le vestaglie che pendevano dalle loro spalle e i volti congestionati e madidi di sudore.

« Non è importante... grugno di porco, grugno di porco » ansimò Harry e il ritratto scivolò. Si inerpicarono su per il passaggio e raggiunsero la sala comune; qui si lasciarono cadere, tremanti, sulle poltrone.

Passò del tempo prima che qualcuno parlasse. Anzi, Neville aveva tutta l'aria di uno che non avrebbe mai più proferito verbo.

« Che cosa lo tengono a fare, un mostro come quello, rinchiuso in una scuola? » disse infine Ron. « Se c'è un cane che ha bisogno di fare del moto, è proprio lui ».

Hermione aveva ritrovato il fiato e anche il suo solito caratteraccio.

« Ma dite un po', voi non li usate gli occhi? » sbottò. « Non avete visto dove poggiava le zampe? »

« Sul pavimento? » suggerì Harry. « A dire la verità non gli ho guardato i piedi. Ero troppo preso dalle sue teste ».

« No, non sul pavimento. Stava sopra una botola. È evidente che fa la guardia a qualcosa ».

Si alzò lanciandogli uno sguardo truce.

« Spero che siate soddisfatti di voi stessi. Abbiamo corso il rischio di essere uccisi... o peggio ancora, espulsi. E ora, se non vi dispiace, io vado a letto ».

Ron la guardò allontanarsi, a bocca aperta.

« No, non ci dispiace affatto » disse. « A sentire lei, sembra che le abbiamo chiesto noi di seguirci! »

Ma Hermione aveva dato a Harry qualcos'altro cui pensare, mentre si infilava a letto. Il cane faceva la guardia a qualcosa... Che cosa aveva detto Hagrid? La Gringott era il posto più sicuro al mondo, se si voleva nascondere qualcosa... eccetto forse Hogwarts.

Sembrava proprio che Harry avesse scoperto dove si trovava il lurido pacchettino prelevato dalla camera di sicurezza numero settecentotredici.

CAPITOLO 10

HALLOWEEN

Il giorno dopo, quando Malfoy vide Harry e Ron ancora a Hogwarts, stanchi, ma allegri come non mai, non riusciva a credere ai suoi occhi. A dire il vero, dopo averci dormito su, Harry e Ron erano arrivati alla conclusione che l'incontro con il cane a tre teste era stata una splendida avventura e non vedevano l'ora di viverne un'altra. Nel frattempo, Harry aveva informato Ron sul pacchetto che sembrava essere stato trasferito dalla Gringott a Hogwarts, e quindi i due ragazzi passarono un bel po' di tempo a fare congetture su cosa poteva aver bisogno di una sorveglianza così stretta.

« È una cosa o molto preziosa o molto pericolosa » commentò Ron.

« O tutt'e due » concluse Harry.

Ma dal momento che l'unica informazione certa che avevano sull'oggetto misterioso erano le sue dimensioni, circa cinque centimetri di lunghezza, senza ulteriori indizi, non avevano molte possibilità di indovinare che cosa fosse.

Né Neville né Hermione mostravano il minimo interesse per l'oggetto misterioso custodito dentro la botola, sotto le zampe del cane. Tutto quel che importava a Neville era di non trovarglisi più a tiro.

Hermione si rifiutava di parlare con Harry e Ron, ma era una signorina so-tutto-io così prepotente che i ragazzi consideravano il suo silenzio un'insperata fortuna.

Il loro desiderio più grande era trovare un modo per farla pagare a Malfoy e, con loro grande soddisfazione, quell'occasione si presentò circa una settimana più tardi, con l'arrivo della posta.

Quando, come di consueto, i gufi invasero la Sala Grande, l'attenzione generale fu attratta immediatamente da un pacco lungo e sottile, trasportato da sei grossi barbagianni. Come tutti, anche Harry era curioso di sapere che cosa contenesse e si stupì quando gli uccelli scesero in picchiata e lo lasciarono cadere proprio davanti a lui, rovesciando a terra la sua pancetta affumicata. I barbagianni si erano appena allontanati ed ecco arrivare un altro gufo con una lettera, che lasciò scivolare sopra il pacco.

Per fortuna, Harry aprì prima la lettera, perché dentro c'era scritto:

NON APRIRE IL PACCO A TAVOLA
Contiene la tua nuova Nimbus Duemila, ma non voglio che gli altri sappiano che hai ricevuto in dono una scopa, altrimenti tutti ne vorranno una.

Oliver Wood ti aspetta questa sera alle sette al campo di Quidditch per il tuo primo allenamento.

                                                                    M. McGonagall

Harry ebbe difficoltà a nascondere la gioia mentre porgeva il biglietto a Ron perché lo leggesse.

« Una Nimbus Duemila! » sospirò invidioso Ron. « Non ne ho nemmeno mai *toccata* una! »

Lasciarono la sala velocemente, impazienti di scartare il pacco in separata sede prima dell'inizio delle lezioni, ma nella Sala d'Ingresso trovarono Crabbe e Goyle che sbarravano la via per le scale. Malfoy afferrò il pacco dalle mani di Harry e cominciò a tastarlo.

« Ma questa è una scopa » disse restituendola sgarbatamente a Harry, con un misto di gelosia e di rancore dipinti sul volto. « Questa volta sei rovinato, Potter: a quelli del primo anno non è permesso possederne di personali ».

Ron non riuscì a trattenersi.

« Non è una vecchia scopa qualunque » disse, « è una Nimbus Duemila. Cosa dicevi tu, Malfoy, che a casa hai una Comet Duecentosessanta? » Ron sorrise a Harry. « Le Comet fanno un sacco di scena, ma non sono al livello delle Nimbus ».

« Ma che cosa ne vuoi sapere tu, Weasley, che non ti puoi permettere neanche mezzo manico! » lo rimbeccò Malfoy. « Immagino che tu e i tuoi fratelli dobbiate mettere da parte un rametto alla volta ».

Prima che Ron potesse rispondere, il professor Flitwick apparve accanto a Malfoy.

« Ragazzi, niente liti, spero? » squittì.

« Professore, a Potter hanno spedito una scopa » disse Malfoy tutto d'un fiato.

« Già, proprio così » disse il professor Flitwick sorridendo raggiante a Harry. « La professoressa McGonagall mi ha raccontato tutto sulle circostanze speciali, Potter. Che modello è? »

« Una Nimbus Duemila, signore » disse Harry lottando per non ridere alla faccia inorridita di Malfoy. « E, veramente, è grazie a Malfoy che l'ho ottenuta » aggiunse indicando il ragazzo.

Harry e Ron corsero su per le scale soffocando le risate per la rabbia e la confusione che Malfoy non era riuscito a dissimulare.

« Be', è proprio vero » disse Harry gongolando quando furono in cima alla scala di marmo, « se non avesse rubato la Ricordella di Neville, ora non sarei nella squadra... »

« E magari pensi che questa sia la ricompensa per avere infranto le regole! » scandì una voce irata alle loro spalle. Hermione stava risalendo le scale con passo pesante e lanciò uno sguardo di disapprovazione al pacco che Harry teneva in mano.

« Mica starai parlando con noi? » fece Harry.

« Dai, non smettere proprio adesso » disse Ron, « ci fa talmente piacere! »

Hermione si allontanò sdegnosa, col naso all'aria.

Quel giorno Harry ebbe molte difficoltà a rimanere concentrato sulle lezioni. La sua mente continuava ad andare al dormitorio dove la sua scopa nuova fiammante giaceva riposta sotto il letto, o a vagare per il campo di Quidditch dove quella sera avrebbe imparato a giocare. Trangugiò la cena senza neanche far caso a quel che stava mangiando e poi si precipitò su per le scale, seguito da Ron, per andare a scartare finalmente la sua Nimbus Duemila.

« Wow! » sospirò Ron quando la scopa rotolò sul copriletto di Harry.

Anche Harry, che pure non sapeva niente sulle scope, pensò che fosse meravigliosa. Sottile e scintillante, con un manico di mogano, aveva una lunga chioma di rametti perfettamente dritti e in cima, in lettere d'oro, la scritta *Nimbus Duemila*.

Mancava poco alle sette e faceva già scuro quando Harry lasciò il castello per avviarsi al campo di Quidditch. Non era mai stato dentro lo stadio. Centinaia di sedili divisi in tribune s'innalzavano tutt'intorno per dar modo agli spettatori di vedere dall'alto lo svolgimento della partita. A ciascuna delle estremità del campo c'erano tre pali d'oro con degli anelli in cima. A Harry ricordavano i bastoncini di plastica attraverso i quali i bambini babbani soffiavano le bolle di sapone; ma questi erano alti circa quindici metri.

Troppo smanioso di volare di nuovo per aspettare l'arrivo di Wood, Harry montò sulla sua scopa e si diede la spinta coi piedi per decollare. Che sensazione... Si mise a zigzagare dentro e fuori gli anelli delle porte e su e giù per il campo. La Nimbus Duemila prendeva qualsiasi direzione lui desiderasse, al minimo tocco.

« Ehi, Potter, scendi giù! »

Oliver Wood era arrivato portando sotto braccio una grossa cassetta di legno. Harry atterrò vicino a lui.

« Molto bene! » commentò Wood con gli occhi che gli scintillavano. « Ora capisco che cosa intendeva la professoressa McGonagall... tu possiedi veramente un talento naturale. Questa sera ti insegnerò soltanto le regole; poi, parteciperai agli allenamenti della squadra tre volte alla settimana ».

Aprì la cassetta che conteneva quattro palle di dimensioni diverse.

« Bene » disse Wood. « Ora, il Quidditch è abbastanza facile da capire, anche se giocare non lo è altrettanto. Ci sono sette giocatori per parte. Tre di loro si chiamano Cacciatori ».

« Tre Cacciatori » ripeté Harry, mentre Wood tirava fuori una palla di colore rosso brillante, all'incirca delle dimensioni di un pallone da calcio.

« Questa palla si chiama Pluffa. I Cacciatori si lanciano la Pluffa e cercano di farla entrare in uno degli anelli per fare goal. Dieci punti ogni volta che la Pluffa passa per uno degli anelli. Mi segui? »

« I Cacciatori si lanciano la Pluffa e segnano quando la fanno passare attraverso gli anelli » recitò Harry. « Insomma... sarebbe un po' come il basket su scope con sei anelli, ho capito bene? »

« Che cos'è il basket? » chiese Wood curioso.

« Lascia perdere » si affrettò a dire Harry.

« Ogni squadra ha un giocatore che si chiama Portiere... Io sono il Portiere di Grifondoro. Il mio compito è volare intorno agli anelli e impedire agli avversari di segnare ».

« Tre Cacciatori e un Portiere » ripeté Harry, ben deciso a ricordare tutto. « E giocano con la Pluffa. Va bene, questo l'ho capito. E le altre a che cosa servono? » chiese indicando le tre palle rimaste nella scatola.

« Ora te lo faccio vedere » disse Wood. « Prendi questa ».

Porse a Harry una piccola mazza, che assomigliava proprio a una mazza da baseball.

« Ora ti faccio vedere che cosa fanno i Bolidi » ripeté Wood. « I Bolidi sono questi due ».

E mostrò a Harry due palle identiche, nere lucenti e leggermente più piccole della Pluffa rossa. Harry notò che sembravano volersi liberare dalle cinghie che le tenevano ferme nella cassa.

168

« Stai indietro » Wood avvertì Harry. Si chinò e ne liberò una. La palla nera schizzò in aria all'istante, altissima, e poi si diresse dritta dritta verso la faccia di Harry. Lui la colpì con la mazza per cercare di impedire che gli rompesse il naso e la rispedì a zigzagare in aria; la palla vorticò sopra le loro teste e poi si diresse su Wood, che ci si tuffò sopra e riuscì a inchiodarla al suolo.

« Vedi? » disse Wood ansimante mentre riponeva a fatica il Bolide dentro la cassetta e lo legava saldamente. « I Bolidi schizzano da una parte all'altra cercando di disarcionare i giocatori dalla scopa. Ecco perché ci sono due Battitori per squadra – i nostri sono i Weasley – per proteggere i loro compagni dai Bolidi e dirottarli contro l'altra squadra. Allora... pensi di aver capito tutto? »

« Tre Cacciatori cercano di segnare con la Pluffa; il Portiere difende le sue tre porte; i Battitori tengono i Bolidi lontani dalla squadra » snocciolò Harry a memoria.

« Molto bene » disse Wood.

« E... senti: i Bolidi hanno mai ammazzato qualcuno? » chiese Harry sperando di mantenere un tono disinvolto.

« A Hogwarts, mai. Abbiamo avuto un paio di mascelle rotte, ma niente di più. Ora, l'ultimo componente della squadra è il Cercatore, e quello sei tu. E tu non devi pensare né alla Pluffa né ai Bolidi... »

« Sempre che non mi spacchino la testa... »

« Non devi preoccuparti, i Weasley sono più che all'altezza dei Bolidi... voglio dire... sono due Bolidi in forma umana ».

Wood pescò dentro la cassa e tirò fuori la quarta e ultima palla. A confronto con la Pluffa e i Bolidi era piccola, delle dimensioni di una grossa noce. Era d'oro lucente e aveva due tremule alucce d'argento.

« *Questo* » disse Wood, « è il Boccino d'Oro, ed è la palla più importante di tutte. È molto difficile prenderla perché è velocissima e non si distingue bene. Compito del Cercatore è acchiapparla. Tu devi muoverti a zigzag tra Cacciatori, Battitori,

Bolidi e Pluffa per prendere il Boccino prima del Cercatore dell'altra squadra, perché chi lo prende per primo fa guadagnare alla sua squadra altri centocinquanta punti, e quindi la squadra vince quasi sempre. Ecco perché i Cercatori subiscono tanti falli. Una partita di Quidditch termina soltanto quando viene acchiappato il Boccino e quindi può andare avanti per intere settimane... Mi pare che il record sia stato di tre mesi; hanno dovuto fare continue sostituzioni perché i giocatori potessero riposarsi un po'. Questo è tutto. Domande? »

Harry scosse la testa. Aveva capito molto bene quel che doveva fare: il problema stava proprio nel farlo.

« Per stasera, non ci alleneremo con il Boccino » disse Wood riponendolo con cura nella cassa; « è troppo buio e potremmo perderlo. Proviamo con qualcuna di queste ».

Tirò fuori da una tasca un sacchetto di comuni palle da golf e, pochi minuti dopo, lui e Harry volteggiavano in aria, con Wood che tirava le palle da golf il più forte possibile in ogni direzione perché Harry le prendesse.

Harry non ne mancò neanche una e Wood era... al settimo cielo. Mezz'ora dopo, s'era fatto buio pesto e dovettero smettere di giocare.

« La Coppa di Quidditch porterà il nostro nome, quest'anno » disse Wood felice mentre arrancavano verso il castello. « Non mi sorprenderebbe che tu diventassi più bravo di Charlie Weasley, e lui avrebbe potuto giocare per la nazionale, se non se ne fosse andato a caccia di draghi ».

Forse per tutte le cose che aveva da fare, con gli allenamenti di Quidditch tre sere a settimana oltre alla gran quantità di compiti, Harry stentava a credere di trovarsi a Hogwarts già da due mesi. Al castello si sentiva a casa, molto più di quanto non gli fosse mai accaduto a Privet Drive. Anche le lezioni stavano cominciando a diventare sempre più interessanti, ora che avevano imparato a padroneggiare le nozioni fondamentali.

La mattina di Halloween si svegliarono al profumo delizioso

di zucca al forno che aleggiava per i corridoi. Per giunta, durante la lezione di Incantesimi, il professor Flitwick aveva annunciato che li riteneva pronti a far volare gli oggetti, una cosa che morivano dalla voglia di provare fin da quando lo avevano visto far sfrecciare in aria su e giù per la classe il rospo di Neville.

Per l'esercitazione, il professor Flitwick divise la scolaresca in coppie. Harry capitò con Seamus Finnigan (il che fu un sollievo, dato che Neville aveva già cercato di cavargli un occhio). A Ron invece toccò Hermione Granger. Era difficile dire chi dei due fosse più scontento della cosa. Lei non aveva più rivolto la parola a nessuno dei due ragazzi dal giorno in cui era arrivata la scopa di Harry.

« Non dimenticate quel grazioso movimento del polso che ci siamo esercitati a ripetere! » squittì il professor Flitwick, arrampicato, come al solito, sopra la sua pila di libri. « Agitare e puntare, ricordate, agitare e puntare. Un'altra cosa molto importante è pronunciare correttamente le parole magiche... Non dimenticate mai il Mago Baruffio che disse 's' invece di 'f' e si ritrovò steso a terra con un bisonte sul petto ».

Era molto difficile. Harry e Seamus agitarono e puntarono, ma la piuma che avrebbero dovuto far levitare era sempre lì sopra il banco. L'impazienza di Seamus lo spinse a stuzzicare la piuma con la bacchetta fintanto che non le appiccò fuoco... e Harry dovette spegnerlo con il cappello.

A Ron, nel banco accanto, le cose non stavano andando meglio.

« *Wingardium Leviosa!* » gridò agitando le lunghe braccia come un mulino a vento.

« Lo stai dicendo male » Harry udì Hermione sbottare. « Win-*gar*-dium Levi-*o*-sa: devi pronunciare il 'gar' bello lungo ».

« E fallo tu, visto che sei tanto brava! » ribatté Ron.

Hermione si rimboccò le maniche dell'uniforme, agitò la bacchetta e disse: « *Wingardium Leviosa!* »

La piuma si sollevò dal banco e rimase sospesa in aria circa un metro e mezzo sopra le loro teste.

« Molto bene! » gridò il professor Flitwick battendo le mani. « Avete visto tutti? La signorina Granger c'è riuscita! »

Alla fine della lezione Ron era di pessimo umore.

« Non c'è da stupirsi che nessuno la sopporti » disse a Harry mentre si facevano largo nel corridoio sovraffollato. « Quella ragazza è un incubo, parola mia! »

Harry si sentì urtare da qualcuno che lo superò frettolosamente. Era Hermione. Le intravide il volto... e si rese conto con stupore che era in lacrime.

« Credo che ti abbia sentito ».

« E allora? » disse Ron, ma aveva l'aria un po' imbarazzata. « Deve essersi pur resa conto che non ha amici ».

Hermione non si presentò alla lezione successiva e non si fece vedere per tutto il pomeriggio. Mentre si avviavano verso la Sala Grande per la festa di Halloween, Harry e Ron sentirono Parvati Patil dire alla sua amica Lavanda che Hermione stava piangendo nel bagno delle femmine e voleva essere lasciata in pace. A questa notizia, Ron si sentì ancora più imbarazzato, ma un attimo dopo erano nella Sala Grande, che con le sue decorazioni di Halloween spazzò via ogni pensiero su Hermione.

Un migliaio di pipistrelli si staccò in volo dalle pareti e dal soffitto, mentre un altro migliaio sorvolò i tavoli in bassi stormi neri, facendo tremolare le fiammelle dentro le zucche. Le pietanze apparvero nei piatti d'oro tutto a un tratto, come era avvenuto per il banchetto di inizio anno.

Harry si stava servendo una patata farcita, quando il professor Quirrell entrò nella sala di corsa, con il turbante di traverso e il terrore dipinto in volto. Tutti gli sguardi erano puntati su di lui mentre si avvicinava alla sedia del professor Silente, si accasciava sul tavolo e con un filo di voce diceva: « Un troll... nei sotterranei... pensavo di doverglielo dire ».

E crollò a terra svenuto.

Si scatenò il finimondo. Il professor Silente dovette far esplodere diversi petardi viola dalla sua bacchetta prima di riuscire a ripristinare il silenzio.

« Prefetti » tuonò, « riportate i ragazzi negli alloggi delle rispettive Case, immediatamente! »

Percy era nel suo elemento.

« Seguitemi! Voi del primo anno, rimanete uniti. Non avete ragione di temere il troll se seguite i miei ordini. State vicino a me. Fate largo, passano quelli del primo anno. Scusate, scusate, sono un prefetto ».

« Ma come ha fatto a entrare un troll? » chiese Harry mentre salivano le scale.

« Non chiederlo a me. Si dice che siano esseri veramente stupidi » disse Ron. « Forse è stato Peeves, per fare uno scherzo di Halloween ».

Incontrarono vari gruppi di ragazzi che si affrettavano in direzioni diverse.

Erano appena riusciti a farsi largo a spintoni tra una folla di Tassofrasso agitatissimi, che improvvisamente Harry afferrò il braccio di Ron.

« Ci ho pensato solo ora... Hermione! »

« Hermione cosa? »

« Non sa del troll ».

Ron si morse il labbro.

« E va bene! » esclamò. « Ma è meglio che Percy non ci veda ».

Abbassandosi di soppiatto, si confusero col gruppo dei Tassofrasso che andavano nella direzione opposta, sgattaiolarono verso un corridoio laterale deserto e corsero verso il bagno delle femmine. Avevano appena svoltato l'angolo, quando udirono dei passi rapidi dietro di loro.

« Percy » sibilò Ron spingendo Harry dietro a un grosso grifone di pietra.

Tuttavia, guardando meglio, non videro Percy, bensì Piton, che attraversò il corridoio e sparì alla vista.

« Che cosa sta facendo? » sussurrò Harry. « Perché non è giù nei sotterranei con gli altri insegnanti? »

« E che ne so io ».

Percorsero furtivi il corridoio successivo il più silenziosamente possibile seguendo l'eco dei passi di Piton che si andava affievolendo.

« Si sta dirigendo al terzo piano » disse Harry, ma Ron gli afferrò la mano.

« Non senti uno strano odore? »

Harry annusò l'aria e un orrendo fetore gli giunse alle narici, un misto di calzini sporchi e di bagni pubblici non puliti da tempo.

E poi lo udirono: un cupo grugnito e i passi strascicati di piedi giganteschi; in fondo a un passaggio sulla sinistra, qualcosa di enorme avanzava verso di loro. Si ritirarono nell'ombra e lo osservarono mentre emergeva da una pozza di luce lunare.

Fu una visione orripilante. Alto più di tre metri, aveva la pelle di un colorito spento, grigia come il granito, il corpo bitorzoluto come un masso, con in cima una testa glabra e piccola, come una noce di cocco. Le gambe erano corte e tozze come tronchi d'albero e i piedi piatti e callosi. L'odore che emanava da quella creatura era incredibile. Aveva in mano un'immensa clava di legno che trascinava a terra per via delle braccia troppo lunghe.

Il troll si fermò vicino a una porta e guardò dentro. Scrollò le lunghe orecchie cercando, con la sua mente limitata, di prendere una decisione; poi, con andatura goffa e lenta, entrò.

« La chiave è nella toppa » bisbigliò Harry. « Potremmo chiuderlo dentro ».

« Buona idea » disse Ron nervoso.

Strisciando lungo il muro, raggiunsero la porta, che era aperta; avevano la bocca secca e pregavano in cuor loro che il troll non avesse deciso di uscire. Con un grande balzo, Harry riuscì ad afferrare la chiave, chiuse la porta e la sprangò.

« *Sì!* »

Tutti ringalluzziti dalla vittoria, risalirono di corsa il passaggio ma, una volta giunti all'angolo, udirono qualcosa che gli raggelò il sangue nelle vene: un acuto grido di terrore proveniente dalla stanza che avevano appena chiuso a chiave.

« Oh, no! » esclamò Ron pallido come il fantasma del Barone Sanguinario.

« È il bagno delle femmine! » ansimò Harry.

« *Hermione!* » esclamarono a una sola voce.

Era l'ultima cosa che avrebbero voluto fare, ma quale altra scelta avevano? Fecero dietrofront, ripercorsero all'impazzata il corridoio fino alla porta e girarono la chiave, annaspando per il panico. Harry la spalancò ed entrambi si precipitarono dentro.

Hermione Granger stava rannicchiata contro la parete opposta e aveva tutta l'aria di essere sul punto di svenire. Il troll avanzava verso di lei e, camminando, faceva saltare via dal muro i lavandini.

« Distrailo! » esclamò Harry disperato rivolto a Ron, e afferrato un rubinetto, lo scagliò con tutta la forza che aveva contro la parete.

Il troll si fermò a pochi metri da Hermione. Si girò goffamente, battendo le palpebre con espressione ottusa per vedere che cosa avesse provocato quel rumore. I suoi occhietti malvagi videro Harry. Esitò, poi decise di dirigersi verso di lui brandendo la clava.

« Ehi, tu, cervello di gallina! » gridò Ron dal lato opposto della stanza, scagliandogli contro un tubo di metallo. Sembrò che il troll non si fosse neanche accorto del corpo contundente che lo aveva colpito alla spalla, ma aveva udito il grido; si fermò di nuovo, volgendo ora il suo grugno orrendo verso Ron, e dando così il tempo a Harry di aggirarlo.

« Dai, corri, *corri*! » gridò Harry a Hermione, cercando di tirarla verso la porta. Ma la ragazza era paralizzata, incollata al muro, con la bocca spalancata per il terrore.

Le grida e il frastuono sembravano rendere furioso il troll che ruggì e si lanciò in direzione di Ron. Lui era il più vicino e non aveva vie di scampo.

A quel punto, Harry fece una cosa al tempo stesso molto coraggiosa e molto stupida: presa la rincorsa, spiccò un salto e cercò di aggrapparsi al collo del troll, cingendolo con le braccia da dietro. Il troll neanche si accorse che Harry gli si era arrampicato addosso; ma non poté ignorare il lungo pezzo di legno che gli venne infilato su per il naso. Quando Harry aveva spiccato il salto aveva in mano la bacchetta che era finita dritta dritta in una delle narici del bestione.

Ululando di dolore, il troll cominciò a roteare la sua clava e a menar colpi, con Harry sempre aggrappato alla schiena che cercava di salvarsi la pelle; da un momento all'altro, il bestione avrebbe potuto scrollarselo di dosso o assestargli una tremenda mazzata con la clava.

Hermione, terrorizzata, si era accasciata al suolo; Ron tirò fuori la bacchetta e, senza neanche sapere che cosa avrebbe fatto, udì la propria voce gridare il primo incantesimo che gli veniva in mente: «*Wingardium Leviosa!*»

La clava sfuggì improvvisamente dalle mani del troll, si sollevò in aria, in alto, sempre più in alto, poi lentamente invertì direzione... e piombò sulla testa del suo proprietario, con un pesante schianto. Il troll vacillò e poi cadde a muso avanti con un tonfo che fece tremare tutta la stanza.

Harry si rimise in piedi. Tremava e gli mancava il fiato. Ron era lì, immobile, con la bacchetta ancora alzata, a contemplare il proprio operato.

La prima a parlare fu Hermione.

«È... morto?»

«Non credo» disse Harry. «Credo che lo abbiamo semplicemente messo k.o.».

Si chinò sul troll e gli estrasse la bacchetta dal naso. Era coperta di una sostanza che sembrava una grigia colla grumosa.

«Puah! Caccole di troll!»

E ripulì la bacchetta sui calzoni del bestione.

Un improvviso sbatter di porte e un gran rumore di passi obbligarono tutti e tre ad alzare lo sguardo. Non si erano resi conto di quanto baccano avessero fatto, ma naturalmente, di sotto, qualcuno doveva aver sentito gli schianti e le urla del troll. Un attimo dopo, la professoressa McGonagall faceva irruzione nel locale, seguita da Piton e da Quirrell che chiudeva il terzetto. Quirrell lanciò un'occhiata al troll, emise un flebile gemito e si sedette rapidamente su una tazza del gabinetto tenendosi una mano premuta sul petto.

Piton si chinò sul troll. La McGonagall guardava i ragazzi. Harry non l'aveva mai vista tanto arrabbiata. Aveva le labbra livide. La speranza di guadagnare cinquanta punti per i Grifondoro svanì all'istante.

«Che accidenti vi è passato per la testa?» chiese la McGonagall con una furia glaciale nella voce. Harry guardò Ron, che stava ancora con la bacchetta alzata. «Siete fortunati che non vi abbia ucciso. Perché non eravate nei vostri alloggi?»

Piton lanciò a Harry uno sguardo rapido e penetrante. Harry abbassò il suo. Avrebbe voluto che Ron mettesse giù la bacchetta.

Poi, dall'ombra, emerse una vocina flebile.

«La prego, professoressa McGonagall... erano venuti a cercare me».

«Signorina Granger!»

Finalmente, Hermione era riuscita a mettersi in piedi.

«Ero andata in cerca del troll perché... perché pensavo di essere in grado di affrontarlo da sola... perché... sa... ho letto tutto sui troll».

A Ron cadde la bacchetta di mano. Hermione Granger che mentiva sfacciatamente a un insegnante!

«Se non mi avessero trovato, sarei morta. Harry gli ha infilato la bacchetta nel naso e Ron l'ha steso con un colpo della sua stessa clava. Non hanno avuto il tempo di andare a chiamare nessuno. Quando sono arrivati, il troll stava per uccidermi».

Harry e Ron cercarono di sembrare disinvolti come se la storia di Hermione non gli giungesse nuova.

«Be'... in questo caso...» disse la McGonagall guardandoli tutti e tre. «Signorina Granger, piccola incosciente, come hai potuto pensare di affrontare da sola un troll di montagna?»

Hermione chinò la testa. Harry era senza parole: Hermione

era l'ultima persona al mondo capace di infrangere una regola, ed eccola là, a fingere di averlo fatto, per scagionare loro. Era come se Piton avesse cominciato a distribuire caramelle.

« Signorina Granger, per questo a Grifondoro verranno tolti cinque punti » disse la professoressa McGonagall. « Mi hai molto delusa. Se non sei ferita, torna immediatamente alla Torre di Grifondoro. Gli studenti stanno finendo di festeggiare Halloween nelle rispettive Case ».

Hermione uscì.

La professoressa McGonagall si rivolse a Harry e Ron.

« Bene, torno a dire che siete stati fortunati, ma non molti allievi del primo anno avrebbero saputo tenere testa a un troll di montagna così grosso. Vincete cinque punti ciascuno per Grifondoro. Il professor Silente ne sarà informato. Potete andare ».

Corsero via e non spiccicarono parola fino a che non furono arrivati due piani più su. A parte tutto, fu un sollievo lasciarsi alle spalle il tanfo di quel troll.

« Meritavamo più di dieci punti » bofonchiò Ron.

« Vorrai dire cinque, una volta sottratti quelli di Hermione ».

« È stata gentile a toglierci dai guai in quel modo » ammise Ron. « Ma non dimentichiamo che siamo stati *noi* a salvare lei! »

« Però, non avrebbe avuto bisogno di nessun salvataggio se non avessimo chiuso dentro quel coso insieme a lei » gli ricordò Harry.

Erano arrivati al ritratto della Signora Grassa.

« Grugno di porco » dissero, ed entrarono.

La sala comune era gremita di gente e chiassosa. Tutti stavano mangiando le pietanze mandate su dalla Sala Grande. Hermione era sola soletta, vicino alla porta, e li aspettava. Ci fu un silenzio pieno d'imbarazzo. Poi, senza guardarsi negli occhi, tutti e tre dissero « Grazie » e corsero via a procurarsi dei piatti.

Da quel momento, però, Hermione Granger divenne loro amica. È impossibile condividere certe avventure senza finire col fare amicizia, e mettere k.o. un troll di montagna alto più di tre metri è fra quelle.

IL QUIDDITCH

All'inizio di novembre cominciò a fare molto freddo. Le montagne intorno alla scuola si tinsero di un grigio glaciale e il lago divenne una lastra di gelido metallo. Tutte le mattine il terreno era coperto di brina. Dalle finestre dei piani superiori si poteva scorgere Hagrid intento a scongelare le scope nel campo di Quidditch, infagottato in un lungo pastrano di fustagno, guanti di pelo di coniglio ed enormi stivali foderati di castoro.

La stagione del Quidditch era iniziata. Quel sabato Harry avrebbe giocato la sua prima partita dopo settimane di allenamento: Grifondoro contro Serpeverde. Se avessero vinto, i Grifondoro sarebbero passati al secondo posto in classifica nel Campionato delle Case.

Quasi nessuno aveva visto Harry giocare, perché Wood aveva deciso che, essendo l'arma segreta della squadra, non si doveva sapere della sua presenza in campo. Ma non si sa come, la notizia che avrebbe giocato come Cercatore era trapelata e lui non sapeva che cosa fosse peggio: sentirsi dire che sarebbe stato certamente formidabile o che qualcuno, a terra, avrebbe dovuto correre su e giù tenendogli sotto un materasso.

Era veramente una fortuna, per Harry, aver fatto amicizia con Hermione. Senza di lei, non avrebbe saputo come fare con i compiti, visto che Wood imponeva alla squadra allenamenti frequenti e con breve preavviso. Hermione gli aveva anche prestato il libro *Il Quidditch attraverso i secoli*, che si era rivelato una lettura molto interessante.

Harry imparò così che esistevano settecento modi di commettere un fallo a Quidditch e che durante una partita di Coppa del Mondo, nel 1473, si erano verificati tutti; che in genere i Cercatori erano i giocatori più piccoli e più veloci e che gli incidenti più gravi sembravano capitare proprio a loro; che, sebbene i giocatori morissero di rado durante una partita di Quidditch, si aveva notizia di arbitri svaniti nel nulla e ricomparsi nel deserto del Sahara a distanza di mesi.

Da quando Harry e Ron l'avevano salvata dal troll, Hermione era diventata un po' meno rigida per quanto riguardava l'osservanza delle regole, il che la rendeva molto più simpatica. La vigilia della prima partita di Harry, si trovavano tutti e tre fuori nel cortile gelido, durante l'intervallo, e lei aveva fatto apparire per incanto un fuoco di un azzurro splendente, che si poteva trasportare tenendolo in un vasetto della marmellata. Ci si stavano scaldando tutti e tre la schiena, quando Piton attraversò il cortile. Harry notò immediatamente che zoppicava. I tre ragazzi si strinsero intorno al fuoco per impedirgli di vederlo; erano sicuri che fosse proibito. Purtroppo, l'espressione colpevole dei loro volti attirò l'attenzione di Piton. Il professore venne avanti. Non aveva notato il fuoco, ma sembrava che stesse cercando un pretesto per rimproverarli.

«Che cosa nascondi là dietro, Potter?»

Era il volume *Il Quidditch attraverso i secoli*. Harry glielo mostrò.

«È proibito portare all'esterno degli edifici scolastici i libri della biblioteca» disse Piton. «Dammelo. Cinque punti in meno per Grifondoro».

«Questa regola se l'è appena inventata» borbottò Harry risentito mentre Piton si allontanava zoppicando. «Chissà che cosa si è fatto alla gamba».

« Non lo so, ma spero che gli faccia molto male » commentò Ron aspramente.

Quella sera, la sala comune di Grifondoro era tutta un brusio di voci. Harry, Ron e Hermione sedevano insieme vicino a una finestra. Hermione stava correggendo i compiti di Incantesimi di Harry e Ron. Lei non avrebbe mai permesso che copiassero (« Altrimenti, come fate a imparare? »), ma chiedendole di correggerli, i due ragazzi riuscivano a ottenere comunque le soluzioni esatte.

Harry si sentiva irrequieto. Avrebbe voluto riavere *Il Quidditch attraverso i secoli* per distrarsi dal pensiero della partita dell'indomani, che lo rendeva nervoso. Ma perché mai avrebbe dovuto temere Piton? Alzandosi, comunicò a Ron e a Hermione che intendeva andare a chiedergli di restituirglielo.

« Se sei proprio convinto » risposero in coro Ron e Hermione, ma Harry pensava che Piton non avrebbe rifiutato, se alla richiesta fossero stati presenti altri insegnanti.

Si recò davanti alla sala professori e bussò. Non ottenne risposta. Bussò ancora. Niente.

Forse Piton aveva lasciato il libro là dentro? Valeva la pena tentare. Socchiuse la porta e sbirciò. Una scena orribile gli si parò davanti agli occhi.

Piton e Filch erano nella stanza, soli. Piton si teneva le vesti sollevate al di sopra delle ginocchia. Aveva una gamba tutta maciullata e sanguinante. Filch gli stava porgendo delle bende.

« Dannato coso » stava imprecando Piton. « Come si fa a tenere a bada tutte e tre le teste contemporaneamente? »

Harry cercò di chiudere la porta senza far rumore, ma...

« POTTER! »

Con il volto sfigurato dall'ira, Piton si abbassò rapidamente l'abito per nascondere la gamba. Harry deglutì.

« Mi chiedevo soltanto se potevo riavere indietro il mio libro ».

« ESCI FUORI! *FUORI!* »

Harry se ne andò prima che Piton avesse il tempo di togliere altri punti a Grifondoro. Risalì di corsa le scale.

« Ci sei riuscito? » chiese Ron quando Harry li ebbe raggiunti. « Che cosa è successo? »

Bisbigliando a voce bassissima, Harry raccontò quel che aveva visto.

« Sapete che cosa significa questo? » chiese alla fine senza più fiato. « Il giorno di Halloween, Piton ha cercato di eludere la sorveglianza del cane a tre teste! Ecco dove stava andando quando lo abbiamo visto... sta cercando di impadronirsi della cosa a cui il cane fa la guardia! E sono pronto a scommettere la mia scopa che è stato lui a far entrare il troll, per creare un diversivo! »

Hermione lo ascoltava con gli occhi sbarrati.

« No... non lo farebbe mai » disse. « Lo so, non è molto simpatico, ma non cercherebbe mai di rubare qualcosa che Silente tiene sotto stretta sorveglianza ».

« Ma senti un po', Hermione, credi davvero che tutti gli insegnanti siano dei santi, o roba del genere? » la rimbeccò Ron. « Io sono d'accordo con Harry. Penso che Piton sia capace di tutto. Ma che cosa sta cercando? E a che cosa fa la guardia quel cane? »

Harry andò a dormire con quella domanda che gli ronzava per la testa. Neville russava forte, ma lui non riusciva a addormentarsi. Cercò di liberare la mente – aveva bisogno di dormire, doveva farlo, dopo poche ore avrebbe giocato la sua prima partita a Quidditch – ma non era facile dimenticare l'espressione di Piton quando lui gli aveva visto la gamba.

All'alba dell'indomani, la giornata si presentava luminosa e fredda. La Sala Grande era piena del profumo delizioso delle salsicce fritte e dell'allegro chiacchericcio dei ragazzi che non vedevano l'ora di assistere a una bella partita di Quidditch.

« Devi mangiare qualcosa ».

« Non voglio niente ».

«Soltanto un pezzetto di pane tostato» lo incoraggiò Hermione.

«Non ho fame».

Harry si sentiva malissimo. Di lì a un'ora avrebbe fatto il suo ingresso in campo.

«Harry, hai bisogno di tutte le tue forze» gli disse Seamus Finnigan. «I Cercatori sono sempre quelli che più vengono braccati dall'altra squadra».

«Grazie del conforto morale, Seamus» disse Harry guardandolo versarsi una generosa quantità di ketchup sulle salsicce.

Per le undici, tutta la scolaresca era sugli spalti, intorno al campo di Quidditch. Molti erano armati di binocoli. Anche se i sedili potevano sollevarsi in aria, a volte era comunque difficile seguire quel che succedeva in campo.

Ron e Hermione si unirono a Neville, Seamus e Dean, il tifoso di calcio, che erano sulla gradinata più alta. Per fare una sorpresa a Harry, avevano dipinto un grosso striscione, ricavato da uno dei lenzuoli che Crosta aveva rosicchiato. Sopra ci avevano scritto *Potter sei tutti noi*, e sotto Dean, che era molto bravo a disegnare, aveva schizzato un grosso leone, simbolo di Grifondoro. Poi Hermione aveva fatto un piccolo, ingegnoso incantesimo per cui i colori apparivano cangianti.

Nel frattempo, negli spogliatoi, Harry e il resto della squadra si stavano cambiando e indossavano la loro divisa scarlatta (i Serpeverde avrebbero giocato in verde).

Wood si schiarì la voce per intimare il silenzio.

«Allora, ragazzi...» disse.

«...e ragazze» completò la Cacciatrice Angelina Johnson.

«E ragazze» convenne Wood. «Ci siamo».

«Il gran giorno è arrivato» disse Fred Weasley.

«Il gran giorno che tutti aspettavamo da tanto» gli fece eco George.

«Il discorso di Oliver lo sappiamo a memoria» spiegò Fred a Harry. «Eravamo nella squadra anche l'anno scorso».

«Chiudete il becco, voi due!» disse Wood. «Quella di oggi

è la squadra migliore che Grifondoro abbia avuto da anni. Vinceremo. Lo so».

Li guardò come a dire: 'Altrimenti dovrete fare i conti con me'.

«Bene. È ora di entrare in campo. In bocca al lupo a tutti».

Harry seguì Fred e George fuori dagli spogliatoi sperando che le ginocchia non gli si piegassero per l'emozione ed entrò in campo salutato da grandi ovazioni.

Ad arbitrare la partita sarebbe stata Madame Hooch che, ritta in mezzo al campo, aspettava le due squadre brandendo in mano la sua scopa.

«Mi raccomando a tutti, voglio una partita senza scorrettezze» disse una volta che le due squadre furono riunite intorno a lei. Harry notò che sembrava rivolgersi in modo speciale al Capitano di Serpeverde, Marcus Flint, un alunno del quinto anno. Harry pensò che Flint, dall'aspetto, potesse avere del sangue di troll nelle vene. Con la coda dell'occhio vide lo striscione che sventolava sopra la folla con il motto fosforescente *Potter sei tutti noi*. Il cuore gli balzò in petto. Si sentì tornare un po' di coraggio.

«In sella alle scope, prego!»

Harry salì in arcione alla sua Nimbus Duemila.

Madame Hooch soffiò forte nel suo fischietto d'argento.

Quindici scope si levarono in volo, in alto, sempre più in alto. La partita era iniziata.

«...e la Pluffa è stata intercettata immediatamente da Angelina Johnson di Grifondoro... che brava Cacciatrice è questa ragazza, e anche piuttosto carina...»

«JORDAN!»

«Chiedo scusa, professoressa».

A commentare la partita era Lee Jordan, l'amico dei gemelli Weasley, sorvegliato a vista dalla professoressa McGonagall.

«...lassù la ragazza sfreccia come un fulmine. Effettua un passaggio puntuale ad Alicia Spinnet, un'ottima scoperta di Oliver Wood, che l'anno scorso ha giocato soltanto come riserva...

indietro alla Johnson e... no, la Pluffa è stata intercettata dal Capitano di Serpeverde Marcus Flint, che se la porta via: eccolo che vola alto come un'aquila... sta per se... no, bloccato da un'ottima azione del Portiere di Grifondoro Wood, e Grifondoro è di nuovo in possesso della Pluffa. Ed ecco la Cacciatrice di Grifondoro Katie Bell... bella picchiata intorno a Flint, poi di nuovo su... AHI!... deve averle fatto male quel colpo di Bolide dietro la testa! La Pluffa ritorna a Serpeverde. Ecco Adrian Pucey che parte a tutta birra verso le porte, ma è bloccato da un secondo Bolide lanciatogli contro da Fred o George Weasley, non riesco a distinguere chi dei due... bella mossa comunque, ora Johnson è in possesso della Pluffa, davanti a lei il campo è sgombro, e si allontana, vola via letteralmente... schiva un micidiale Bolide... è davanti alle porte – vai, Angelina! – il Portiere Bletchley si tuffa... manca il bersaglio... GRIFONDORO HA SEGNATO! »

L'aria gelida fu saturata dall'applauso dei Grifondoro e dalle urla e dai fischi dei Serpeverde.

« Spostatevi un po', voi, scorrete più giù ».

« Hagrid! »

Ron e Hermione si strinsero per far posto a Hagrid vicino a loro.

« Stavo guardando dalla mia capanna » disse Hagrid mostrando con orgoglio un grosso binocolo che gli pendeva sul petto, « ma non è mica lo stesso che stare in mezzo alla gente allo stadio! Il Boccino finora non s'è visto, eh? »

« No » disse Ron. « Finora Harry non ha avuto un granché da fare ».

« Be', almeno s'è tenuto fuori dai guai; è già qualcosa » disse Hagrid portandosi il binocolo agli occhi e puntandolo verso il cielo, alla ricerca di Harry che appariva come un puntino lontano.

In alto, sopra le loro teste, il ragazzo planava di qua e di là, strabuzzando gli occhi per avvistare il Boccino. Questo faceva parte del piano di gioco che aveva messo a punto insieme a Wood.

« Tieniti fuori tiro finché non vedi il Boccino » gli aveva detto Wood. « È inutile esporsi ad attacchi prima del necessario ».

Quando Angelina aveva segnato, Harry aveva fatto un paio di giri della morte per dare sfogo all'euforia. Ora era tornato a scrutare il campo in cerca del Boccino. A un certo punto, aveva intravisto uno sprazzo dorato, ma era soltanto un riflesso dell'orologio da polso di uno dei gemelli Weasley, e un'altra volta un Bolide aveva deciso di schizzare verso di lui come una palla di cannone, ma lui l'aveva schivato e Fred Weasley si era messo a inseguirlo.

« Tutto bene da quelle parti, Harry? » aveva avuto il tempo di gridargli, mentre colpiva furiosamente il Bolide indirizzandolo contro Marcus Flint.

« Palla a Serpeverde » stava dicendo Lee Jordan, « il Cacciatore Pucey schiva due Bolidi, due Weasley e la Cacciatrice Bell, e avanza veloce verso... aspettate un attimo... ma quello non era il Boccino? »

Un mormorio percorse gli spalti, mentre Adrian Pucey lasciava cadere la Pluffa, troppo preso a seguire con lo sguardo il lampo dorato che gli aveva sfiorato l'orecchio sinistro ed era passato oltre.

Harry lo vide. In un impeto di eccitazione, si tuffò in picchiata dietro quella scia d'oro. Anche il Cercatore di Serpeverde, Terence Higgs, lo aveva avvistato. Testa a testa, si lanciarono entrambi alla rincorsa del Boccino; nel frattempo sembrava che i Cacciatori avessero dimenticato il loro ruolo, sospesi a mezz'aria, intenti a guardare.

Harry era più veloce di Higgs: vedeva la pallina che ad ali spiegate risaliva davanti a lui. Diede un'accelerata potente...

WHAM! Un boato di rabbia venne dai Grifondoro, sotto di loro. Marcus Flint aveva bloccato Harry di proposito e la scopa di Harry sbandò, mentre il ragazzo cercava disperatamente di reggersi in sella.

« Fallo! » gridarono i Grifondoro.

Madame Hooch si rivolse a Flint con parole irate e poi ordinò

186

un rigore a favore di Grifondoro. Ma, come era da aspettarsi, in tutta quella confusione il Boccino era scomparso di nuovo.

Giù, sugli spalti, Dean Thomas stava gridando: « Arbitro, espulsione! Cartellino rosso! »

« Guarda che non siamo mica a una partita di calcio » gli ricordò Ron. « A Quidditch non si possono espellere i giocatori... E poi, che cos'è un cartellino rosso? »

Ma Hagrid era dello stesso parere di Dean.

« Bisognerebbe cambiare le regole. Flint poteva buttare Harry di sotto ».

Intanto, Lee Jordan trovava difficile mantenersi distaccato.

« Quindi... dopo questa lampante e ignobile scorrettezza... »

« Jordan! » ringhiò la professoressa McGonagall.

« Voglio dire, dopo questo fallo palese e disgustoso... »

« *Jordan, ti avverto...* »

« E va bene. Flint per poco non ammazza il Cercatore di Grifondoro, il che naturalmente può succedere a chiunque, quindi un rigore per Grifondoro, battuto da Spinnet che segna senza difficoltà e il gioco prosegue, con Grifondoro ancora in possesso di palla ».

Tutto accadde quando Harry evitò un altro Bolide che gli passò pericolosamente vicino alla testa. La sua scopa, d'un tratto, ebbe uno scarto pauroso. Per una frazione di secondo, il ragazzo credette di essere sul punto di cadere. Si afferrò stretto stretto al manico della scopa aiutandosi anche con le ginocchia. Non aveva mai provato niente di simile.

Poi accadde di nuovo. Era come se la scopa stesse cercando di disarcionarlo. Ma una Nimbus Duemila non decideva da sola, tutto d'un tratto, di disarcionare il suo cavaliere. Harry cercò di tornare indietro verso le porte di Grifondoro; aveva una mezza idea di chiedere a Wood di domandare un minuto di sospensione. Ma poi si rese conto che la scopa non rispondeva assolutamente più ai comandi. Non riusciva a sterzare. Non riusciva a dirigerla dove voleva. Zigzagava nell'aria dando violenti scossoni che rischiavano di farlo cadere.

Lee stava ancora facendo la cronaca della partita.

« Serpeverde in possesso di palla... Flint ha la Pluffa... oltrepassa Spinnet... supera Bell... viene colpito in faccia da un Bolide, spero che gli abbia rotto il naso... ma no, professoressa, sto solo scherzando... Serpeverde segna... oh, no... »

I Serpeverde esultavano. Nessuno sembrava essersi accorto che la scopa di Harry si stava comportando in modo strano. Lentamente, a sbalzi e strattoni, lo stava trasportando sempre più in alto, lontano dal gioco.

« Che diamine starà facendo Harry » bofonchiò Hagrid. Stava guardando attraverso il binocolo. « Sembra che ha perso il controllo della sua scopa, sembra... ma non può mica aver... »

D'un tratto, gli occhi di tutti gli spettatori furono puntati su Harry. La sua scopa aveva cominciato a fare le capriole, mentre lui riusciva a stento a reggersi in sella. Poi tutti gli spettatori trattennero il fiato. La scopa aveva dato uno strattone fortissimo e Harry era stato disarcionato. Ora il ragazzo penzolava giù, reggendosi al manico con una sola mano.

« È successo qualcosa alla scopa quando Flint lo ha bloccato? » sussurrò Seamus.

« Impossibile » disse Hagrid con voce tremante. « Niente può fare ammattire una scopa tranne una potente Magia Oscura... e nessun ragazzino sarebbe capace di fare una cosa simile a una Nimbus Duemila ».

A queste parole, Hermione afferrò il binocolo di Hagrid, ma anziché guardare in alto verso Harry, cominciò febbrilmente a scrutare le file del pubblico.

« Ma che diavolo stai facendo? » chiese Ron con la faccia livida.

« Lo sapevo! » ansimò Hermione. « Piton... guarda! »

Ron afferrò il binocolo. Piton stava sulla gradinata dirimpetto alla loro. Teneva gli occhi fissi su Harry e mormorava qualcosa sottovoce.

« Ne sta combinando una delle sue... sta stregando la scopa » disse Hermione.

« E ora che facciamo? »

« Lascia fare a me ».

Prima che Ron potesse proferire un'altra sola parola, Hermione era scomparsa. Ron puntò di nuovo il binocolo su Harry. La scopa stava vibrando così forte che era praticamente impossibile che riuscisse a tenercisi aggrappato ancora a lungo. Gli spettatori erano tutti in piedi e guardavano terrorizzati, mentre i gemelli Weasley volavano in soccorso dell'amico, cercando di trarlo in salvo su una delle loro scope, ma invano: ogni volta che gli si accostavano, la scopa di Harry faceva un balzo più in alto. Allora scesero di quota e si disposero in cerchio sotto di lui, sperando di riuscire ad afferrarlo al volo quando fosse caduto. Marcus Flint, impossessatosi della Pluffa, segnò cinque volte senza che nessuno se ne accorgesse.

« Dai, Hermione, sbrigati! » mormorava Ron disperato.

Hermione si era fatta largo tra gli spettatori per raggiungere il palco dove si trovava Piton e ora stava correndo lungo la fila di sedili alle sue spalle; non si fermò neanche per chiedere scusa al professor Quirrell, quando lo urtò facendolo cadere a faccia avanti. Una volta raggiunto Piton, si accucciò, tirò fuori la bacchetta e bisbigliò alcune parole scelte con cura. Dalla bacchetta sprizzarono delle fiamme azzurre che andarono a colpire l'orlo dell'abito di Piton.

Ci vollero forse trenta secondi perché Piton si rendesse conto di aver preso fuoco. Un improvviso gemito di dolore fece capire alla ragazza che aveva ottenuto il suo scopo. Richiamò il fuoco e lo rinchiuse in un vasetto, se lo mise in tasca e rifece il percorso inverso. Piton non avrebbe mai saputo quel che era successo.

Ma era bastato. Su in aria, Harry riuscì d'un tratto a rimettersi a cavallo della sua scopa.

« Neville, ora puoi guardare! » disse Ron. Per tutti gli ultimi cinque minuti Neville aveva singhiozzato col viso nascosto nella giacca di Hagrid.

Harry stava sfrecciando giù verso terra quando gli spettatori lo videro mettersi una mano a coppa sulla bocca come se stesse per vomitare: cadde carponi sul terreno di gioco, tossì e... qualcosa di dorato gli cadde in mano.

« Ho preso il Boccino! » gridò agitandolo sopra la testa, e la partita terminò nel caos generale.

« Non l'ha *preso*, l'ha quasi *inghiottito* » strillava ancora Flint venti minuti dopo, ma tanto non faceva differenza. Harry non aveva violato nessuna regola e Lee Jordan stava ancora annunciando a squarciagola il risultato: Grifondoro aveva vinto per centosettanta a sessanta. Ma tutto questo Harry non lo udì. Era nella capanna di Hagrid insieme a Ron e a Hermione e si stava facendo preparare una tazza di tè.

« È stato Piton » spiegava Ron. « Hermione e io lo abbiamo visto; stava lanciando una maledizione sulla tua scopa, borbottava e non ti levava gli occhi di dosso ».

« Stupidate! » disse Hagrid che non aveva sentito una sola parola di quel che era accaduto a un passo da lui, sugli spalti. « E perché mai Piton doveva fare una cosa del genere? »

Harry, Ron e Hermione si guardarono l'un l'altro, chiedendosi che cosa dovessero dirgli. Harry decise per la verità.

« Ho scoperto qualcosa sul suo conto » disse a Hagrid. « Il giorno di Halloween, ha cercato di superare la guardia del cane a tre teste e quello lo ha morso. Crediamo che volesse rubare quello che il cane sorveglia, qualunque cosa sia ».

Hagrid si lasciò cadere di mano la teiera.

« E voi come fate a sapere di Fuffi? »

« *Fuffi?* »

« Sì... è mio... l'ho comprato da un tizio, un greco che ho incontrato al pub l'anno scorso... L'ho prestato a Silente per fare la guardia a... »

« Sì? » disse Harry, desideroso di saperne di più.

« No, non chiedetemi di più » disse Hagrid scontroso. « È una cosa segretissima! »

« Ma Piton sta cercando di *rubarla*! »

« Stupidate! » tornò a ripetere Hagrid. « Piton è un insegnante di Hogwarts, vuoi che faccia una cosa del genere? »

« E allora perché poco fa ha cercato di ammazzare Harry? » gridò Hermione.

A quanto pareva, gli avvenimenti di quel pomeriggio le avevano fatto cambiare idea sul conto di Piton.

« Senti un po' Hagrid, io riconosco una fattura quando ne vedo una; ho letto tutto sull'argomento! Bisogna mantenere il contatto visivo, e Piton non batteva neanche le palpebre. L'ho visto benissimo! »

« E io vi dico che prendete un granchio » disse Hagrid accalorandosi. « Non so perché la scopa di Harry si è comportata in quella maniera, ma Piton non cercherebbe mai di ammazzare uno studente! E ora statemi bene a sentire tutti e tre: vi state immischiando in cose che non vi riguardano. È pericoloso. Scordatevi del cane, dimenticate a cosa fa la guardia. È una faccenda fra Silente e Nicolas Flamel... »

« Ah-ah! » disse Harry. « Allora c'è di mezzo qualcuno che si chiama Nicolas Flamel! »

Hagrid sembrò furioso con se stesso.

CAPITOLO 12

LO SPECCHIO
DELLE EMARB

Natale si stava avvicinando. Un mattino di metà dicembre, il castello di Hogwarts si svegliò sotto una pesante coltre di neve. Il lago era diventato una spessa lastra di ghiaccio e i gemelli Weasley erano stati puniti per aver fatto un incantesimo alle palle di neve, che si erano messe a inseguire Quirrell dovunque andasse, rimbalzando sul retro del suo turbante. I pochi gufi che riuscivano a fendere il cielo temporalesco per consegnare la posta dovevano poi essere accuditi da Hagrid prima di poter riprendere il volo.

Tutti quanti non vedevano l'ora che cominciassero le vacanze. Mentre nella sala comune di Grifondoro e nella Sala Grande ardevano fuochi scoppiettanti, i corridoi pieni di spifferi erano gelidi e un vento sferzante faceva sbattere le imposte nelle aule. Il peggio erano le lezioni del professor Piton, che si tenevano nei sotterranei, dove il respiro si condensava in nuvolette e tutti cercavano di starsene il più vicino possibile ai calderoni bollenti.

« Mi dispiace proprio tanto » disse un giorno Draco Malfoy, durante la lezione di Pozioni, « per tutti quelli che a Natale dovranno restare a Hogwarts perché a casa nessuno li vuole ».

Parlando guardava dalla parte di Harry. Crabbe e Goyle ridacchiarono. Harry, che stava dosando della polvere di spine di pesce scorpione, li ignorò. Dalla partita di Quidditch, Malfoy era diventato, se possibile, ancora più antipatico. Deluso per la sconfitta di Serpeverde, aveva cercato di suscitare l'ilarità di tutti con una battuta, e cioè che la volta successiva Harry sarebbe stato sostituito come Cercatore da una rana dalla bocca larga. Ma poi si era reso conto che non faceva ridere nessuno, perché tutti erano rimasti ammirati dal modo in cui Harry era riuscito a rimanere in sella alla sua scopa nonostante quella cercasse di disarcionarlo. Per cui, Malfoy, invidioso e gonfio di rabbia, era tornato a prenderlo in giro per il fatto che non aveva una vera e propria famiglia.

Era vero, comunque, che Harry non sarebbe tornato a Privet Drive per Natale. La settimana prima, la professoressa McGonagall aveva fatto il giro delle Case per preparare l'elenco degli studenti che sarebbero rimasti per le vacanze e Harry aveva dato subito il suo nome. La cosa non gli dispiaceva affatto; molto probabilmente, quello sarebbe stato il più bel Natale della sua vita. Anche Ron e i suoi fratelli sarebbero rimasti, perché i signori Weasley andavano in Romania a trovare Charlie.

Quando lasciarono i sotterranei alla fine della lezione di Pozioni, i ragazzi trovarono un grosso abete che bloccava il corridoio. I due enormi piedi che sbucavano da sotto l'albero e i respiri ansimanti fecero capire loro che si trattava di Hagrid.

« Ehi, Hagrid, serve una mano? » chiese Ron ficcando la testa tra i rami.

« Nooo, ce la faccio da solo, Ron, grazie tante ».

« Ti spiacerebbe toglierti di mezzo? » fece dietro di loro la voce strascicata e glaciale di Malfoy. « Che cosa c'è, stai cercando di guadagnare qualche spicciolo, Weasley? Forse speri di diventare anche tu guardacaccia quando finirai la scuola... la capanna di Hagrid deve sembrarti una reggia, in confronto a dove abita la tua famiglia ».

Ron si buttò a testa bassa contro Malfoy proprio mentre Piton saliva le scale.

« WEASLEY! »

Ron, che aveva afferrato Malfoy per il davanti della veste, lasciò la presa.

« Ci è stato tirato, professor Piton » disse Hagrid sporgendo il faccione irsuto da dietro l'albero. « Malfoy insultava la sua famiglia ».

« Quale che sia la ragione, Hagrid, fare a pugni è contro le regole di Hogwarts » disse Piton con voce flautata. « Cinque punti in meno a Grifondoro, Weasley, e ringrazia il cielo che non te ne tolga di più. Ora levatevi di torno, tutti quanti! »

Malfoy, Crabbe e Goyle passarono accanto all'abete e lo urtarono malamente, spargendone gli aghi dappertutto con un sorriso compiaciuto.

« Gliela faccio vedere io » disse Ron digrignando i denti contro Malfoy che ormai gli dava le spalle. « Uno di questi giorni, gliela faccio vedere io... »

« Li odio tutti e due, Malfoy e Piton » disse Harry.

« Su, basta musi lunghi, è quasi Natale! » disse Hagrid. « Adesso sapete che cosa facciamo? Vi porto a vedere la Sala Grande. È una meraviglia! »

Così, Harry, Ron e Hermione seguirono Hagrid e il suo albero fino alla Sala Grande, dove la professoressa McGonagall e il professor Flitwick erano tutti indaffarati a sistemare le decorazioni natalizie.

« Ah, ecco Hagrid con l'ultimo albero... Mettilo in quell'angolo laggiù, ti spiace? »

La sala era davvero uno spettacolo. Dalle pareti pendevano ghirlande d'agrifoglio e vischio, e tutto intorno erano disposti non meno di dodici giganteschi alberi di Natale, alcuni decorati di ghiaccioli scintillanti, altri illuminati da centinaia di candeline.

« Quanti giorni mancano alle vacanze? » chiese Hagrid.

« Soltanto uno » rispose Hermione. « E questo mi fa venire in mente... Harry, Ron, manca ancora mezz'ora al pranzo, dovremmo andare in biblioteca ».

« Ah, già, è vero » disse Ron distogliendo lo sguardo dal professor Flitwick, dalla cui bacchetta uscivano bolle dorate che andavano a depositarsi sui rami del nuovo albero.

« In biblioteca? » chiese Hagrid seguendoli fuori dal salone. « Prima delle vacanze? Dite un po', ma non è che esagerate con lo studio? »

« Non è per studiare » gli spiegò Harry allegro. « È da quando ci hai parlato di Nicolas Flamel che stiamo cercando di scoprire chi sia ».

« *Che cosa?* » Hagrid sembrava sconvolto. « Statemi bene a sentire... Ve l'ho già detto... lasciate perdere. Che cosa custodisce il cane non sono affari vostri ».

« Vogliamo soltanto sapere chi è Nicolas Flamel, tutto qui » disse Hermione.

« A meno che non voglia dircelo tu, così ci risparmi la fatica » soggiunse Harry. « Abbiamo già sfogliato centinaia di libri e non l'abbiamo trovato da nessuna parte... Dacci almeno un indizio! So di aver letto il suo nome da qualche parte ».

« Ho le labbra cucite » disse Hagrid categorico.

« Allora, non ci rimane che scoprirlo da soli » disse Ron. Lasciarono Hagrid con la sua aria contrariata e si avviarono di corsa verso la biblioteca.

Era vero che, da quando Hagrid se l'era fatto sfuggire di bocca, avevano sfogliato libri su libri in cerca di quel nome, perché in quale altro modo avrebbero potuto scoprire che cosa stava cercando di rubare Piton? Il guaio era che, ignorando il motivo per cui Flamel avrebbe potuto essere citato in un libro, non sapevano da dove cominciare. Non compariva in *Grandi maghi del Ventesimo secolo*, e neanche in *Esponenti di rilievo della Magia del nostro tempo*; non era citato in *Scoperte importanti della Magia moderna*, né in *Rassegna dei recenti sviluppi della Magia*. E poi, naturalmente, c'era il problema delle dimensioni della biblioteca: decine di migliaia di volumi, migliaia di scaffali, centinaia di stretti corridoi.

Hermione tirò fuori un elenco di argomenti e di titoli che aveva deciso di cercare mentre Ron si avviava lungo un corridoio e cominciava a estrarre libri a caso dagli scaffali. Harry si aggirava invece nel Reparto Proibito. Da un pezzo si chiedeva se Flamel non si trovasse in qualche libro di quel reparto. Purtroppo, per prendere uno qualsiasi dei libri proibiti occorreva un'apposita autorizzazione firmata da un professore e lui sapeva benissimo che non sarebbe mai riuscito a procurarsela. Quelli erano i libri che contenevano i potenti segreti della Magia Oscura che non veniva mai insegnata a Hogwarts, ed erano letti soltanto dagli allievi più anziani che si perfezionavano in Difesa contro le Arti Oscure.

« Che cosa stai cercando, ragazzo? »

« Niente » rispose Harry.

Madame Pince, la bibliotecaria, brandiva contro di lui un piumino per la polvere.

« Allora farai meglio ad andartene. Fila... fuori! »

Rimpiangendo di non essere stato più veloce a inventare qualche scusa, Harry lasciò la biblioteca. Lui, Ron e Hermione avevano convenuto che era meglio non chiedere a Madame Pince dove poter trovare notizie su Flamel. Lei sarebbe stata certamente in grado di indirizzarli, ma non potevano rischiare che le loro intenzioni giungessero all'orecchio di Piton.

Harry aspettò fuori nel corridoio per vedere se i due amici avessero trovato qualcosa, ma non nutriva molte speranze. Erano circa due settimane che portavano avanti la loro ricerca, ma dato che potevano farlo solo nei ritagli di tempo tra una lezione e l'altra, c'era poco da stupirsi che non avessero trovato ancora niente. Quello di cui avrebbero avuto veramente bisogno era poter cercare a lungo e con comodo, senza sentirsi il fiato di Madame Pince sul collo.

Cinque minuti dopo, Ron e Hermione lo raggiunsero scuotendo la testa delusi. Andarono a pranzo.

« Continuerete a cercare mentre sono via, non è vero? » chiese Hermione. « E se trovate qualcosa mi mandate un gufo ».

« E tu potresti chiedere ai tuoi genitori se sanno chi è Flamel » disse Ron. « Chiedendo a loro non si corrono rischi ».

« Questo è poco ma sicuro, visto che fanno i dentisti tutti e due! » rispose Hermione.

Iniziate le vacanze, Ron e Harry si divertivano troppo per pensare a Flamel. Avevano il dormitorio tutto per loro e la sala comune era molto meno affollata del solito, per cui potevano accaparrarsi le poltrone migliori, quelle vicino al camino. Stavano lì seduti per ore e ore di fila, mangiando qualsiasi cosa si potesse infilzare su un forchettone e arrostire alla fiamma – pane, focaccine, marshmallow – e architettando stratagemmi per far espellere Malfoy: tutte cose di cui era molto divertente parlare, anche se difficilmente avrebbero funzionato.

Ron cominciò anche a insegnare a Harry a giocare a scacchi magici. Le regole erano esattamente come quelle degli scacchi babbani, tranne che i pezzi erano vivi, per cui diventava un po' come comandare delle truppe in battaglia. La scacchiera di Ron era molto vecchia e malconcia. Come tutto quello che possedeva, anch'essa un tempo era stata di qualche membro della sua famiglia, in quel caso suo nonno. E tuttavia, giocare con dei pezzi vecchi non era affatto un problema: Ron li conosceva talmente bene che non aveva difficoltà a convincerli a fare quel che voleva lui.

Invece Harry giocava con gli scacchi che gli aveva prestato Seamus Finnigan e i pezzi non avevano la minima fiducia in lui. Ancora non era un bravo giocatore e loro non facevano che gridare consigli contraddittori che finivano per confonderlo: « Non mi mandare da quella parte, non vedi che lì c'è il cavallo di quell'altro? Manda *lui; lui* possiamo permetterci di perderlo! »

La vigilia di Natale, Harry andò a letto pregustando le leccornie e i divertimenti dell'indomani, senza aspettarsi nessun regalo. Ma al suo risveglio, il mattino seguente di buon'ora, la prima cosa che vide ai piedi del suo letto fu un mucchio di pacchetti.

« Buon Natale! » gli fece Ron ancora assonnato, mentre Harry si alzava e si infilava la vestaglia.

197

« Anche a te » gli rispose. « Ma... hai visto che roba? Ho ricevuto dei regali! »

« E che cosa ti aspettavi, un mazzo di rape? » disse Ron voltandosi a guardare i suoi regali, che erano molto più numerosi di quelli di Harry.

Harry prese il primo pacchetto dalla cima del mucchio. Era avvolto in una spessa carta da pacchi, con su scarabocchiato: *A Harry da Hagrid*. Dentro c'era un flauto di legno rozzamente intagliato. Evidentemente, Hagrid lo aveva fatto con le sue mani. Harry ci soffiò dentro... faceva un suono simile al verso di una civetta.

Il secondo pacchetto era piccolissimo e dentro c'era un biglietto: *Abbiamo ricevuto il tuo messaggio e accludiamo il regalo di Natale per te. Zio Vernon e zia Petunia*. Attaccata al biglietto col nastro adesivo c'era una moneta da mezza sterlina.

« Molto carino da parte loro » disse Harry.

Ron era affascinato dalla moneta.

« Questa poi! » disse. « Che forma strana! Ma davvero sono *soldi*? »

« Puoi tenerla se vuoi » lo incoraggiò Harry ridendo della contentezza di Ron. « Allora, ho aperto quello di Hagrid e quello dei miei zii... e questi altri, chi me li manda? »

« Credo di sapere da chi viene quello » disse Ron arrossendo leggermente e indicando un grosso pacco informe. « Da mia mamma. Le ho detto che non ti aspettavi nessun regalo, e allora... Oh, no! » gemette poi. « Ti ha fatto un maglione alla Weasley! »

Harry aveva aperto il pacchetto e ci aveva trovato un pesante maglione di lana lavorato ai ferri, color verde smeraldo, e una grossa scatola di caramelle *mou* fatte in casa.

« Ci fa un maglione per uno tutti gli anni » disse Ron scartando il suo, « e i miei sono *sempre* bordeaux ».

« Ma che gentile! » disse Harry assaggiando una caramella, che era molto gustosa.

Anche il pacco successivo conteneva dolci: una grossa scatola di Cioccorane da parte di Hermione.

Rimaneva un ultimo pacchetto. Harry lo prese in mano e tastò. Era molto leggero. Lo scartò.

Ne scivolò fuori qualcosa di fluente e color grigio argento che cadde a terra in un mucchietto di pieghe lucenti. Ron rimase senza fiato.

« Ne ho sentito parlare, di quelli » disse in un sussurro, lasciando cadere la scatola di Tuttigusti+1 che aveva ricevuto da Hermione. « Se è quel che penso... sono molto rari e *veramente preziosi* ».

« Che cos'è? » Harry raccolse da terra lo scintillante drappo argenteo. Era stranissimo al tatto, come fosse tessuto con l'acqua.

« È un Mantello dell'Invisibilità » disse Ron con un timore reverenziale dipinto sul volto. « Ne sono sicuro... provalo! »

Harry se lo gettò sulle spalle e Ron gridò.

« È come dico io! Guarda giù! »

Harry si guardò i piedi, ma quelli erano spariti. Corse allo specchio. Non c'erano dubbi: l'immagine riflessa era fatta soltanto di una testa sospesa a mezz'aria sopra un corpo completamente invisibile. Si tirò il Mantello sulla testa e scomparve del tutto.

« C'è un biglietto! » disse Ron d'un tratto. « È caduto un biglietto ».

Harry si tolse il Mantello e lo prese. Scritte con una grafia stretta e sinuosa che non aveva mai visto prima, si leggevano le seguenti parole:

Tuo padre me l'aveva dato prima di morire. È giunto il momento che torni a te. Fanne buon uso.

Buon Natale

Nessuna firma. Harry rimase a fissare la lettera, mentre Ron guardava estasiato il Mantello.

« Darei *qualsiasi cosa* per averne uno » disse. « Ma proprio *qualsiasi cosa*. Be', che ti succede? »

« Niente » lo rassicurò Harry. Era molto perplesso. Chi gli aveva mandato il Mantello? Era veramente appartenuto a suo padre?

Prima di poter dire o pensare alcunché, la porta del dormitorio si spalancò e Fred e George Weasley schizzarono dentro. Harry nascose velocemente il Mantello. Non se la sentiva ancora di parlarne con altri.

« Buon Natale! »

« Ehi, guarda... anche Harry ha un maglione alla Weasley! »

Fred e George indossavano due maglioni blu, uno con una grossa F in giallo, e l'altro con una G.

« Quello di Harry è più bello del nostro, però » disse Fred tenendolo aperto perché lo vedessero. « Naturalmente, mamma ci mette più impegno se non sei della famiglia ».

« E tu, Ron, perché non ti sei messo il tuo? » chiese George. « Su, dai, mettilo anche tu, sono belli caldi ».

« Io odio il bordeaux » piagnucolò Ron sconfortato, mentre se lo infilava dalla testa.

« Sul tuo non c'è nessuna lettera » osservò George. « Segno che mamma crede che tu non ti dimentichi come ti chiami. Ma neanche noi siamo stupidi... sappiamo benissimo che ci chiamiamo Gred e Forge! »

« Che cos'è tutto questo chiasso? »

Percy Weasley infilò la testa dentro la stanza con aria di disapprovazione. Si vedeva che anche lui aveva cominciato a scartare i suoi regali, perché aveva appoggiato sul braccio un maglione bitorzoluto, che Fred afferrò subito.

« P come Prefetto! Infilatelo anche tu, dai, ce li siamo messi tutti! Anche Harry ne ha ricevuto uno ».

« Ma io... non... voglio... » bofonchiò, mentre i gemelli gli infilavano a forza il maglione dalla testa, mandandogli gli occhiali di traverso.

« Oggi scordati di sederti al tavolo dei prefetti! » disse George. « Il Natale si passa in famiglia ».

E lo trascinarono via di peso approfittando del fatto che aveva le braccia imprigionate nel maglione.

Un pranzo di Natale come quello, Harry non l'aveva mai visto in vita sua. Un centinaio di grassi tacchini arrosto, montagne di patate al forno e bollite, vassoi di succulente salsicce alla cipolla, zuppiere di piselli al burro, coppe d'argento con salse dense e saporite alla carne e al mirtillo, e montagne di scoppiarelli magici disposte a intervalli lungo la tavola. Quei fantastici petardi non avevano niente a che fare con gli insignificanti scoppiarelli babbani che compravano i Dursley, e che tutt'al più contenevano piccoli giocattoli di plastica e insulsi cappellini di carta. Quando Harry, con l'aiuto di Fred, fece esplodere uno scoppiarello magico, quello non si limitò a fare *bum!*, ma sparò come un cannone avvolgendoli in una nuvola di fumo blu, mentre da dentro schizzavano fuori un tricorno da Contrammiraglio e una miriade di topolini bianchi vivi. Intanto, al tavolo degli insegnanti, Silente aveva barattato il suo cappello a punta da mago con una cuffia a fiori e stava ridendo a crepapelle per una storiella, trovata in uno scoppiarello, che il professor Flitwick gli aveva appena letto.

Ai tacchini seguirono i pudding di Natale flambé. Poco mancò che Percy non si rompesse un dente su una moneta d'argento da una falce nascosta nella fetta che gli era toccata. Harry non perdeva d'occhio Hagrid, che a forza di versarsi bicchieri di vino stava diventando sempre più paonazzo, finché baciò addirittura sulla guancia la professoressa McGonagall, la quale, con grande sorpresa del ragazzo, rise e arrossì, incurante del cappello che le era finito di traverso.

Quando finalmente Harry si alzò da tavola, era carico di tutti gli strani oggetti venuti fuori dagli scoppiarelli, fra cui un pacchetto di palloncini luminosi a prova di spillo, un kit 'fai-da-te' per far spuntare le verruche e una scacchiera magica tutta nuova, completa di pezzi. I topolini bianchi erano scomparsi e Harry fu assalito dall'atroce dubbio che potessero diventare il pranzo natalizio di Mrs Norris.

Harry e i fratelli Weasley trascorsero un pomeriggio felice ingaggiando una feroce battaglia a palle di neve nel parco. Poi, infreddoliti, bagnati e senza fiato, tornarono a scaldarsi davanti al fuoco della sala comune di Grifondoro, dove Harry inaugurò la sua nuova scacchiera facendosi infliggere una spettacolare batosta da Ron. Tuttavia pensò che probabilmente la sua sconfitta non sarebbe stata così irrimediabile se Percy non avesse cercato di aiutarlo con tanto impegno.

All'ora del tè, dopo una merenda a base di panini al tacchino, focaccine, zuppa inglese e torta di Natale, erano tutti troppo sazi e assonnati per aver voglia di fare qualsiasi cosa prima di andare a letto, se non assistere allo spettacolo di Percy che rincorreva Fred e George per tutta la Torre di Grifondoro, perché gli avevano preso il suo distintivo da prefetto.

Per Harry, era stato il miglior Natale della sua vita. Eppure, per tutta la giornata aveva cercato di soffocare un pensiero che lo tormentava. Solo dopo che si fu infilato sotto le coperte si sentì libero di rifletterci su: riguardava il Mantello dell'Invisibilità e colui o colei che glielo aveva mandato.

Ron, la pancia piena di tacchino e di torta, e senza pensieri che lo tormentassero, si addormentò quasi subito, dopo aver chiuso le cortine del suo letto a baldacchino. Harry si sporse di lato e tirò fuori il Mantello da sotto il letto.

Suo padre... quel Mantello era appartenuto a suo padre. Si lasciò scorrere il tessuto tra le mani, più soffice della seta, leggero come l'aria. *Fanne buon uso*, diceva il biglietto.

Doveva provarlo, e subito. Scivolò giù dal letto e vi si avvolse dentro. Guardando in basso, verso le gambe, vide soltanto chiaro di luna e ombre. Era una sensazione molto strana.

Fanne buon uso.

Tutto d'un tratto, Harry si sentì completamente sveglio. Con indosso il Mantello, tutta Hogwarts gli si spalancava davanti. Si sentì invadere dall'eccitazione, mentre se ne stava lì, nel buio e nel silenzio. Con quella protezione poteva andare dovunque senza che Filch lo venisse a sapere.

Ron farfugliò nel sonno. Doveva svegliarlo? Qualcosa lo trattenne. Il Mantello di suo padre... Harry sentì che per quella volta... la prima volta... voleva provarlo da solo.

Uscì furtivamente dal dormitorio, scese per le scale, attraversò la sala comune e si arrampicò su per il buco coperto dal ritratto.

«Chi va là?» strillò la Signora Grassa. Harry non rispose. Percorse in fretta il corridoio.

Da che parte andare? Si fermò col cuore che gli batteva forte e rimase a pensare. Poi gli venne un'idea. Il Reparto Proibito, in biblioteca. Avrebbe potuto leggere tutto quello che voleva e per tutto il tempo necessario a scoprire chi fosse Flamel. Si avviò, stringendosi nel Mantello dell'Invisibilità.

Nella biblioteca era buio pesto e c'era un'atmosfera da brivido. Harry accese una lampada per vedere le file di libri. La lampada sembrava galleggiare a mezz'aria, e anche se Harry sapeva che era lui a reggerla col braccio, quella vista gli faceva venire la pelle d'oca.

Il Reparto Proibito era proprio in fondo alla biblioteca. Facendo molta attenzione e scavalcando il cordone che separava quella sezione dalle altre, Harry tenne alta la lampada per leggere i titoli.

Ma non gli dicevano granché. Le lettere erano talmente consunte che l'oro veniva via a pezzi e formavano parole in lingue che Harry non capiva. Alcuni, poi, non avevano titolo. Uno mostrava sulla copertina una macchia scura dall'aspetto sinistro, che aveva tutta l'aria di essere sangue. A Harry si rizzarono i peli sul collo. Forse era tutta una sua fantasia, forse no, ma credette di sentire un debole sussurro provenire dai libri, come se avvertissero la presenza di un intruso.

Doveva pur cominciare da qualche parte. Sistemò con circospezione la lampada a terra e guardò lungo lo scaffale più basso in cerca di un libro interessante. Un grosso libro nero e argento colpì la sua attenzione. Lo tirò fuori con difficoltà, perché era molto pesante, e, appoggiandoselo sulle ginocchia, lo aprì.

Il silenzio fu rotto da un grido lacerante, da far gelare il sangue nelle vene. Il libro *urlava*! Harry si affrettò a richiuderlo, ma il grido non si fermò: un'unica nota acuta, ininterrotta, assordante. Arretrando, il ragazzo inciampò e urtò la lampada che si spense all'istante. Terrorizzato, udì dei passi lungo il corridoio fuori dalla biblioteca. Ripose nello scaffale il libro urlante e se la diede a gambe. Incrociò Filch quasi sulla porta. Lo sguardo di quegli occhi scoloriti e furenti lo attraversò da parte a parte senza vederlo: Harry sgattaiolò sotto il braccio alzato del custode e spiccò una corsa furibonda per il corridoio, con le grida del libro che gli risuonavano ancora nelle orecchie.

Improvvisamente, si fermò davanti a un'alta armatura. Tutto preso dalla fretta di allontanarsi dalla biblioteca, non aveva prestato attenzione a dove stesse andando. Forse perché era buio, non aveva la minima idea di dove fosse. C'era un'armatura vicino alle cucine, questo lo sapeva, ma lui doveva essere cinque piani più su.

« Mi ha chiesto di venire direttamente da lei, professore, a riferirle se qualcuno andasse in giro di notte, e qualcuno è stato nella biblioteca... nel Reparto Proibito ».

Harry si sentì sbiancare. Dovunque si trovasse, Filch doveva conoscere una scorciatoia, perché la sua voce melliflua e untuosa si stava avvicinando e, con suo orrore, a rispondergli fu Piton.

« Il Reparto Proibito? Be', non possono essere lontani, li prenderemo ».

Harry rimase inchiodato lì dove si trovava, mentre Filch e Piton giravano l'angolo venendo dalla sua parte. Naturalmente non potevano vederlo, ma il corridoio era stretto e se si fossero avvicinati di più lo avrebbero urtato: il Mantello lo rendeva invisibile, ma non incorporeo.

Indietreggiò silenziosamente. Alla sua sinistra c'era una porta socchiusa. Era la sua unica speranza. Ci si infilò, trattenendo il fiato, cercando di non farla cigolare, e con suo grande sollievo riuscì a insinuarsi dentro la stanza senza che i due lo notassero. Quando l'ebbero oltrepassato Harry si appoggiò alla parete, tirò un profondo sospiro di sollievo e ascoltò i loro passi allontanarsi. C'era mancato poco, molto poco. Trascorse qualche secondo prima che Harry si rendesse conto di quel che conteneva la stanza dove si era nascosto.

Aveva l'aspetto di un'aula in disuso. I banchi e le sedie accostati lungo le pareti proiettavano ombre oscure e c'era anche un cestino per la carta straccia capovolto. Appoggiato al muro, di fronte a lui, c'era un oggetto che appariva fuori luogo in quell'aula, come se qualcuno ce l'avesse messo per toglierlo dalla circolazione.

Era uno specchio meraviglioso, alto fino al soffitto, con una cornice d'oro riccamente decorata che si reggeva su due zampe di leone. Sulla sommità c'era un'iscrizione: *Emarb eutel amosi vout linon ortsom.*

Ora che non c'era più traccia di Filch e di Piton il panico era svanito e Harry si avvicinò allo specchio per guardarsi e ancora una volta non vedere la sua immagine riflessa. Ci si piazzò di fronte.

Si dovette tappare la bocca con le mani per non urlare. Si voltò di scatto. Il cuore gli batteva ancor più forte di quando il libro aveva iniziato a gridare, perché nello specchio aveva visto non solo se stesso, ma molte altre persone, proprio dietro di lui.

Eppure la stanza era vuota. Col respiro mozzo, si voltò di nuovo, lentamente, verso lo specchio.

Si vedeva lì, riflesso sulla sua superficie, pallido e atterrito, e dietro di lui vedeva almeno altre dieci persone. Harry tornò a guardare dietro di sé, ma ancora una volta, la stanza appariva vuota. Che anche gli altri fossero invisibili? Forse si trovava in una stanza piena di gente invisibile, e il trucco dello specchio era di rifletterli tutti, invisibili o meno che fossero?

Guardò di nuovo nello specchio. Una donna, ritta in piedi proprio dietro alla sua immagine, gli sorrideva e lo salutava con un gesto della mano. Allungò un braccio dietro di sé, ma non sentì altro che aria. Se ci fosse stata veramente, avrebbe potuto toccarla, tanto le loro immagini erano vicine, e invece tastò soltanto aria: quella donna, e tutte quelle altre persone, esistevano soltanto nello specchio.

Era molto carina. Aveva capelli rosso scuro e gli occhi... 'Sì, i suoi occhi sono proprio come i miei' pensò Harry accostandosi un po' di più allo specchio. Occhi di un verde intenso... esattamente della stessa forma. Poi però vide che stava piangendo: sorrideva e piangeva al tempo stesso. L'uomo alto, magro e coi capelli scuri che le era accanto la cinse con un braccio. Portava gli occhiali e aveva una chioma ribelle, di quelle che non stanno mai a posto. Proprio come quella di Harry.

Ora Harry era così vicino allo specchio che con la punta del naso sfiorava la sua stessa immagine.

« Mamma? » mormorò. « Papà? »

I due si limitarono a fissarlo sorridendo. Pian piano, Harry passò in rassegna i volti di tutte le persone riflesse nello specchio e vide altre paia di occhi verdi come i suoi, altri nasi come il suo, e anche un vecchietto che sembrava avere le sue stesse ginocchia ossute... Per la prima volta in vita sua, Harry vedeva la sua famiglia.

I Potter gli sorridevano e lo salutavano, e lui li guardava, anelante, con le mani premute contro lo specchio come se sperasse di caderci dentro e di raggiungerli. La loro vista provocava in Harry un dolore acuto, fatto per metà di gioia e per metà di una terribile tristezza.

È difficile dire quanto tempo rimase davanti allo specchio. Le immagini riflesse non accennavano a svanire e lui continuò a guardarle a lungo, finché un rumore in lontananza non lo riportò alla realtà. Non poteva restare lì, doveva trovare la strada per tornare a letto. Distolse a forza lo sguardo dal volto di sua madre, le sussurrò «Tornerò ancora» e si allontanò in fretta dalla stanza.

«Avresti anche potuto svegliarmi» disse Ron seccato.

«Puoi venire stanotte. Ho intenzione di tornarci, voglio mostrarti lo specchio».

«Mi piacerebbe molto conoscere il tuo papà e la tua mamma» disse Ron incuriosito.

«E io voglio conoscere tutta la famiglia Weasley al completo. Potrai presentarmi gli altri tuoi fratelli e tutti quanti».

«Loro puoi vederli quando ti pare» disse Ron. «Basta che tu venga a trovarmi a casa quest'estate. Può anche darsi che lo specchio mostri soltanto le persone morte. Che peccato, però, non aver trovato Flamel... Dai, prendi un po' di pancetta o qualcos'altro. Perché stamattina non mangi niente?»

Harry aveva lo stomaco chiuso. Aveva conosciuto i suoi genitori e quella notte li avrebbe rivisti. Di Flamel si era quasi dimenticato. Non era più così interessante. Che cosa gliene importava di quel che custodiva il cane? Che cosa gliene importava, in fondo, se Piton lo rubava?

«Ti senti bene?» chiese Ron. «Hai un'aria strana».

Quel che Harry temeva di più era di non riuscire a ritrovare la stanza dello specchio. La notte seguente, con Ron sotto il Mantello insieme a lui, dovette camminare molto più lentamente. Vagarono per circa un'ora nei corridoi immersi nel buio, nel tentativo di ritrovare la strada che aveva percorso Harry partendo dalla biblioteca.

«Sto morendo di freddo» disse Ron a un certo punto. «Lasciamo perdere e torniamo indietro».

«*No!*» sibilò Harry. «So che è qui, da qualche parte».

Passarono accanto al fantasma di una strega piuttosto alta che fluttuava nella direzione opposta, ma non videro nessun altro. Proprio quando Ron ricominciava a lamentarsi dei piedi gelati, Harry scorse l'armatura.

« È qui... proprio qui... sì! »

Aprirono la porta. Harry si lasciò cadere il Mantello dalle spalle e corse verso lo specchio.

Erano tutti lì. Quando lo videro, suo padre e sua madre si illuminarono.

« Hai visto? » sussurrò Harry.

« Non vedo un bel niente ».

« Guarda! Guarda quanti sono... »

« Ma io vedo solo te ».

« Ma no, guarda bene! Dai, mettiti dove sono io ».

Harry si fece da parte, ma con Ron davanti allo specchio non riusciva più a vedere la sua famiglia; c'era solo Ron con il suo pigiama a pallini.

Ron contemplava la propria immagine come pietrificato.

« Ehi, quello sono io! » esclamò poi.

« E vedi tutta la tua famiglia intorno a te? »

« No... sono solo... Ma sono diverso... sembro più grande... sono Caposcuola! »

« *Che cosa?* »

« Sono... Porto il distintivo, uguale a quello di Bill... e ho in mano la Coppa delle Case, e la Coppa di Quidditch... Sono anche Capitano della squadra! »

Ron distolse a forza lo sguardo da quella visione prodigiosa e guardò Harry tutto emozionato.

« Pensi che questo specchio mostri il futuro? »

« E com'è possibile? I miei sono tutti morti... Fammi guardare un'altra volta ».

« Senti, tu l'hai avuto tutto per te la notte scorsa. Lasciami guardare ancora un po'! »

« Ma tu ti vedi semplicemente con in mano la Coppa di Quidditch! Che cosa c'è di tanto interessante? Io voglio vedere i miei genitori ».

« Ehi, non mi spingere! »

Un rumore improvviso, fuori nel corridoio, mise fine a quella discussione. Non si erano resi conto che avevano parlato a voce molto alta.

« Svelto! »

Harry riuscì a coprire sé e l'amico col Mantello, proprio nel momento in cui apparivano sulla porta gli occhi fosforescenti di Mrs Norris. I due ragazzi si immobilizzarono. Entrambi furono colpiti dallo stesso pensiero: il Mantello funzionava coi gatti? Dopo quella che parve un'eternità, Mrs Norris si voltò e se ne andò.

« Non siamo al sicuro... potrebbe essere andata a cercare Filch. Sono certo che ci ha sentiti. Dai, andiamocene! »

E Ron spinse Harry fuori della stanza.

La mattina dopo, la neve non si era ancora sciolta.

« Vuoi fare una partita a scacchi, Harry? » chiese Ron.

« No ».

« Perché non andiamo a trovare Hagrid? »

« No... vacci tu... »

« Lo so a che cosa stai pensando, Harry: a quello specchio. Ma questa notte non ci tornare ».

« E perché no? »

« Boh. So solo che ho una sensazione strana... e poi te la sei cavata per il rotto della cuffia già troppe volte. Filch, Piton e Mrs Norris fanno la ronda. Credi di essere al sicuro solo perché non ti vedono? E se ti vengono a sbattere addosso? E se fai cadere qualcosa? »

« Mi sembra di sentire Hermione! »

« Dico sul serio, Harry, non andare ».

Ma Harry aveva un chiodo fisso in testa: tornare davanti allo specchio. E non sarebbe stato certo Ron a fermarlo.

Quella terza notte, riuscì a trovare la strada molto più rapidamente delle precedenti. Camminava così in fretta da fare più rumore di quanto consigliasse la prudenza, ma non incontrò nessuno.

Ed ecco di nuovo sua madre e suo padre che gli sorridevano, e uno dei nonni che gli faceva cenno col capo, tutto allegro. Harry si lasciò scivolare a terra e finì seduto sul pavimento di fronte allo specchio. Niente gli avrebbe impedito di restarsene lì tutta la notte con la sua famiglia. Niente di niente.

Tranne...

« Allora... di nuovo qui, Harry? »

Harry sentì le budella congelarglisi dentro la pancia. Si guardò alle spalle. Seduto su uno dei banchi appoggiati al muro c'era Albus Silente in persona. Harry doveva essergli passato accanto senza neanche vederlo, tanto era disperato il suo desiderio di tornare davanti allo specchio.

« Io... io non l'ho vista, signore ».

« È strano quanto essere invisibile possa renderti miope! » osservò Silente, e Harry si sentì sollevato nel vedere che sorrideva.

« Allora » riprese Silente scendendo dal banco per sedersi a terra accanto a Harry. « Tu, come centinaia di altri prima di te, hai scoperto le dolcezze dello Specchio delle Emarb ».

« Non sapevo che si chiamasse così, signore ».

« Suppongo però che ormai tu abbia capito che cosa fa ».

« Sì... be'... ci vedo la mia famiglia... »

« E il tuo amico Ron ci si è visto Caposcuola ».

« E lei come lo sa...? »

« Io non ho bisogno di un mantello per diventare invisibile » disse Silente con dolcezza. « Capisci adesso che cos'è che noi tutti vediamo nello Specchio delle Emarb? »

Harry scosse la testa.

« Allora te lo spiego. L'uomo più felice della terra riuscirebbe a usare lo Specchio delle Emarb come un normale specchio, vale a dire che, guardandoci dentro, vedrebbe se stesso esattamente com'è. Cominci a capire? »

Harry ci pensò su. Poi disse lentamente: « Ci vediamo dentro quel che desideriamo... le cose che vogliamo... »

« Sì e no » disse Silente tranquillo. « Ci mostra né più né meno quello che bramiamo più profondamente e più disperatamente nel nostro cuore. Tu, che non hai mai conosciuto i tuoi genitori, ti vedi circondato da tutta la famiglia. Ronald Weasley, che è sempre vissuto all'ombra dei suoi fratelli, si vede solo, come il migliore di tutti. E tuttavia questo Specchio non ci dà né la conoscenza né la verità. Ci sono uomini che si sono smarriti a forza di guardarcisi, rapiti da quel che avevano visto; e uomini che hanno perso il senno perché non sapevano se quello che mostrava fosse reale o anche solo possibile.

« Domani, lo Specchio delle Emarb verrà portato in una nuova dimora, Harry, e io ti chiedo di non cercarlo mai più. Se mai ti ci imbatterai di nuovo, sarai preparato. Ricorda: non serve a niente rifugiarsi nei sogni e dimenticarsi di vivere. E ora, perché non ti rimetti addosso quel meraviglioso Mantello e non te ne torni a letto? »

Harry si alzò in piedi.

« Signore... professor Silente... Posso farle una domanda? »

« Certo! Me ne hai appena fatta una! » Silente sorrise. « Comunque, puoi farmene anche un'altra ».

« Lei che cosa vede, quando si guarda nello Specchio? »

« Io? Mi vedo con in mano un paio di grossi calzini di lana ».

Harry lo guardò incredulo.

« I calzini non bastano mai » disse Silente. « È passato un altro Natale e nessuno mi ha regalato un solo paio di calzini. Chissà perché a me regalano soltanto libri ».

Solo quando fu di nuovo a letto, a Harry venne in mente che forse Silente non aveva detto la verità. Ma in fin dei conti, rifletté mentre scacciava Crosta dal cuscino, forse la sua era stata una domanda troppo personale.

CAPITOLO 13

NICOLAS FLAMEL

Silente aveva convinto Harry a non andare di nuovo in cerca dello Specchio delle Emarb, e per il resto delle vacanze di Natale il Mantello dell'Invisibilità rimase piegato in fondo al suo baule. Harry sperava di poter dimenticare altrettanto facilmente quel che aveva visto nello Specchio, ma non ci riuscì. Cominciò ad avere incubi notturni. Non faceva che sognare i suoi genitori che scomparivano in un lampo di luce verde, mentre una voce stridula rideva in modo sinistro.

« Visto? Silente aveva ragione: quello Specchio poteva farti impazzire » disse Ron quando Harry gli raccontò i suoi sogni.

Hermione, che era tornata il giorno prima dell'inizio del nuovo trimestre, vedeva le cose in un altro modo. Era divisa fra lo sdegno al pensiero che Harry, invece di starsene a letto, se ne fosse andato in giro per la scuola per tre notti di fila (« Se Filch ti avesse beccato! ») e la delusione per il fatto che non avesse neanche scoperto chi fosse Nicolas Flamel.

Avevano quasi abbandonato ogni speranza di trovare Flamel nei libri della biblioteca, sebbene Harry continuasse a essere sicuro di aver letto quel nome chissà dove. All'inizio del trimestre, si rimisero a sfogliare libri ogni volta che avevano dieci minuti di ricreazione. Harry aveva ancor meno tempo a disposizione degli altri perché erano ricominciati gli allenamenti di Quidditch.

Wood non era mai stato così severo con gli allenamenti. Neanche la pioggia incessante che si era sostituita alla neve riusciva a smorzare la sua foga. I gemelli Weasley protestavano perché Wood stava diventando un fanatico, ma Harry stava dalla sua parte. Se avessero vinto la partita successiva, contro Tassofrasso, avrebbero superato Serpeverde nel Campionato delle Case per la prima volta in sette anni. E poi, a parte il desiderio di vincere, Harry aveva notato che, quando andava a letto esausto dopo l'allenamento, aveva meno incubi.

Poi un giorno, durante un allenamento particolarmente funestato dalla pioggia e dal fango, Wood diede una cattiva notizia alla squadra. Si era appena arrabbiato moltissimo con i gemelli Weasley, che continuavano a piombarsi addosso in picchiata a vicenda, facendo finta di cadere dalle scope.

« Ma volete piantarla di fare confusione! » strillò. « Questo è esattamente il genere di sciocchezza che ci farà perdere la partita! Stavolta l'arbitro è Piton, che certo non si farà sfuggire nessuna buona occasione per togliere punti a Grifondoro! »

A quelle parole, George Weasley cadde per davvero dalla scopa.

« L'arbitro è *Piton*? » esclamò con la bocca ancora impastata di fango. « E da quando in qua fa l'arbitro alle partite di Quidditch? Sarà tutt'altro che imparziale dato che c'è la possibilità che superiamo Serpeverde ».

Anche il resto della squadra atterrò accanto a George per protestare.

« Non è colpa mia » disse Wood, « dobbiamo semplicemente fare in modo di giocare senza scorrettezze, per non offrire a Piton nessun pretesto per prendersela con noi ».

Il che era un'ottima cosa, pensò Harry, ma lui aveva un motivo diverso per desiderare di non trovarsi accanto a Piton mentre giocava a Quidditch...

Il resto della squadra rimase indietro per chiacchierare come sempre accadeva al termine dell'allenamento; invece Harry si diresse dritto filato verso la sala comune di Grifondoro, dove trovò Ron e Hermione che giocavano a scacchi. Gli scacchi erano l'unico gioco in cui a Hermione fosse mai capitato di perdere, il che, secondo Harry e Ron, ogni tanto le faceva bene.

«Aspetta un attimo prima di parlare» disse Ron quando Harry si sedette accanto a lui, «ho bisogno di concen...» Poi vide l'espressione sul volto di Harry. «Ma che ti prende? Hai una faccia spaventosa!»

Parlando a bassa voce, in modo che nessun altro sentisse, Harry rivelò ai due amici dell'improvviso, infausto desiderio di Piton di fare l'arbitro di Quidditch.

«Non giocare» disse subito Hermione.

«Datti malato» aggiunse Ron.

«Fa' finta che ti sei rotto una gamba» suggerì Hermione.

«Rompitela davvero» rincarò Ron.

«Non posso» rispose Harry. «Non c'è un Cercatore di riserva. Se io mi ritiro, Grifondoro non può proprio giocare».

In quel preciso istante, Neville piombò nella sala comune. Non si capiva come avesse fatto a passare dal buco dietro il ritratto, perché aveva le gambe bloccate insieme da quella che riconobbero immediatamente come la Maledizione delle Pastoie: probabilmente aveva fatto tutta la strada fino alla Torre di Grifondoro a balzelloni, come un coniglio.

Tutti si rotolarono dalle risate salvo Hermione, che si alzò e gli fece subito una contromaledizione. Le gambe di Neville si sciolsero dai lacci invisibili e lui si rimise in piedi tutto tremante.

«Che cosa ti è successo?» chiese Hermione mentre lo accompagnava a sedersi vicino a Harry e Ron.

«Malfoy» rispose Neville con voce tremula. «L'ho incontrato fuori dalla biblioteca. Ha detto che stava cercando qualcuno su cui fare pratica».

«Va' dalla professoressa McGonagall!» lo esortò Hermione. «Raccontale tutto!»

Ma Neville scosse la testa.

«Non voglio altri guai» bofonchiò.

«Ma Neville, devi tenergli testa!» disse Ron. «Quello è abituato a calpestare il prossimo, ma questa non è una ragione per prostrarsi davanti a lui e rendergli più facile il compito».

«Non hai bisogno di dirmi che non sono abbastanza coraggioso per far parte della Casa di Grifondoro: ci ha già pensato Malfoy» fece Neville con voce strozzata.

Harry si cacciò una mano nella tasca del mantello e ne estrasse una Cioccorana, l'ultimissima della scatola che Hermione gli aveva regalato a Natale. La porse a Neville, che sembrava sull'orlo delle lacrime.

«Tu vali dodici Malfoy» disse. «È stato il Cappello Parlante ad assegnarti a Grifondoro, giusto? E Malfoy, dov'è finito? In quella fogna di Serpeverde».

Le labbra di Neville si stiracchiarono in un debole sorriso mentre scartava la Cioccorana.

«Grazie, Harry... Credo che me ne andrò a letto. Vuoi la figurina? Tu fai collezione, no?»

Mentre Neville si allontanava, Harry diede un'occhiata alla figurina dei *Maghi famosi*.

«Un'altra volta Silente» fece. «È stato il primo che ho...»

Ma le parole gli si strozzarono in gola. Fissò il retro della figurina. Poi alzò gli occhi su Ron e Hermione.

«*L'ho trovato!*» bisbigliò. «Ho trovato Flamel! Lo dicevo che quel nome l'avevo già letto da qualche parte! È stato sul treno, venendo qui a Hogwarts. State a sentire: 'Silente è noto soprattutto per avere sconfitto nel 1945 il Mago Oscuro Grindelwald, per avere scoperto i dodici usi del sangue di drago *e per i suoi esperimenti di alchimia, insieme al collega Nicolas Flamel*'!»

Hermione saltò su. Non aveva più avuto quell'aria euforica dalla prima volta che avevano ricevuto i voti per i loro esercizi.

«Restate lì!» disse, e corse difilato su per le scale diretta agli alloggi delle ragazze. Harry e Ron ebbero appena il tempo di scambiarsi un'occhiata perplessa che lei era già di ritorno a tutta velocità, portando fra le braccia un enorme e vecchio libro.

«Non ho mai pensato di guardare qui dentro!» sussurrò tutta

eccitata. « Questo l'ho preso dalla biblioteca qualche settimana fa, quando cercavo una lettura leggera... »

« Leggero, quello? » esclamò Ron, ma Hermione gli disse di star zitto finché non avesse trovato qualcosa, e cominciò a girare febbrilmente le pagine borbottando fra sé.

Alla fine trovò quel che cercava.

« Lo sapevo! Lo sapevo! »

« Adesso possiamo parlare? » fece Ron imbronciato. Hermione lo ignorò.

« Nicolas Flamel » mormorò in tono d'importanza, « che si sappia *è l'unico ad aver prodotto la Pietra Filosofale!* »

Ma non sortì precisamente l'effetto che si aspettava.

« La che? » chiesero Harry e Ron a una voce.

« Uffa, ma voi due non sapete leggere? Guardate: leggete che cosa dice qua ».

Spinse il librone verso di loro, e i due ragazzi lessero:

L'antica disciplina dell'alchimia si occupa della produzione della Pietra Filosofale, una sostanza leggendaria dai poteri sbalorditivi. La Pietra è in grado di trasformare qualsiasi metallo in oro puro e per giunta da essa si ottiene l'Elisir di Lunga Vita, che rende immortale chi lo beve.

Nel corso dei secoli si è parlato molto della Pietra Filosofale, ma l'unica che esista attualmente appartiene a Nicolas Flamel, noto alchimista e appassionato di opera lirica. Flamel, che l'anno scorso ha festeggiato il suo seicentosessantacinquesimo compleanno, conduce una vita tranquilla nel Devon insieme alla moglie, Perenelle, che ha seicentocinquantotto anni.

« Capito? » disse Hermione quando ebbero terminato. « Di certo, il cane fa la guardia alla Pietra Filosofale di Flamel! Scommetto che ha chiesto a Silente di custodirla, perché sono amici e lui sapeva che qualcuno la stava cercando. Ecco perché ha voluto far portare via la Pietra dalla Gringott! »

« Una pietra che fabbrica l'oro e rende immortali! » esclamò Harry. « Ci credo che Piton le dia la caccia! *Chiunque* vorrebbe possederla ».

« E ci credo che non trovassimo Flamel in quella *Rassegna dei recenti sviluppi della Magia* » aggiunse Ron. « Se ha seicentosessantacinque anni, non è poi tanto *recente*! Voi che ne dite? »

La mattina seguente, a lezione di Difesa contro le Arti Oscure, mentre ricopiavano dalla lavagna diversi metodi per curare il morso di lupo mannaro, Harry e Ron continuarono a parlare di quel che avrebbero fatto con una Pietra Filosofale se l'avessero avuta. Solo quando Ron disse che ci si sarebbe comprato un'intera squadra di Quidditch, a Harry tornarono in mente Piton e la partita imminente.

« Scenderò in campo » disse ai suoi due amici. « Altrimenti, tutti i Serpeverde penseranno che ho troppa paura per affrontare Piton. Gliela farò vedere... se vinciamo, gli spazzerò via il sorriso dalla faccia ».

« Sempre che loro non spazzino via te dal campo di gioco! » commentò Hermione.

Tuttavia, mano a mano che si avvicinava il giorno della partita, il nervosismo di Harry non faceva che aumentare, nonostante quel che aveva detto a Ron e a Hermione. Neanche gli altri giocatori della squadra erano tanto tranquilli. L'idea di superare Serpeverde nel Campionato delle Case faceva sognare: erano quasi sette anni che non succedeva, ma ci sarebbero riusciti, con un arbitro così poco imparziale?

Harry non sapeva se fosse solo una sua impressione, ma gli sembrava di imbattersi in Piton dovunque andasse. A volte si chiedeva persino se non lo stesse pedinando, nel tentativo di sorprenderlo da solo. Le lezioni di Pozioni si stavano trasformando in una specie di tortura settimanale, tanto il professore lo assillava. Era mai possibile che avesse intuito che avevano scoperto la storia della Pietra Filosofale? Harry non capiva come, ma a volte aveva l'agghiacciante sensazione che Piton sapesse leggere nel pensiero.

Il pomeriggio seguente, quando Ron e Hermione gli augurarono buona fortuna all'ingresso dello spogliatoio, Harry era ben consapevole che i due si stavano domandando se l'avrebbero mai rivisto vivo. E quel pensiero non era precisamente consolante. Mentre si infilava la divisa da Quidditch e inforcava la sua Nimbus Duemila, Harry non sentì quasi una parola del discorsetto d'incitamento pronunciato da Oliver Wood.

Nel frattempo, Ron e Hermione si erano trovati un posto a sedere sugli spalti vicino a Neville, che non riusciva a capire perché avessero quelle facce da funerale, né perché entrambi si fossero portati la bacchetta alla partita. Harry non immaginava nemmeno che Ron e Hermione, in gran segreto, si erano esercitati a fare la Maledizione delle Pastoie. Avevano preso spunto da Malfoy che se n'era servito contro Neville, ed erano prontissimi a usarla anche con Piton, se avesse dato l'impressione di voler fare del male a Harry.

« Allora, tieni bene a mente la formula magica: *Locomotor Mortis* » sussurrò Hermione all'orecchio di Ron mentre quest'ultimo si nascondeva la bacchetta nella manica.

« *Lo so* » ribatté Ron seccato, « piantala di tormentarmi ».

Intanto, negli spogliatoi, Wood aveva preso da parte Harry.

« Non per metterti sotto pressione, Potter, ma mai come oggi abbiamo bisogno di acchiapparlo subito, quel Boccino. Vedi di concludere il gioco prima che Piton riesca a regalare troppo vantaggio a Tassofrasso ».

« Ehi, là fuori c'è tutta la scuola! » esclamò Fred Weasley dopo aver fatto capolino fuori dalla porta. « C'è persino... accidenti! Anche Silente è venuto a vederci! »

Il cuore di Harry fece una capriola.

« *Silente?* » disse, precipitandosi fuori a controllare. Fred aveva proprio ragione: quella barba argentea era inconfondibile.

A Harry venne quasi da ridere per il sollievo. Era al sicuro.

Era semplicemente impossibile che Piton si azzardasse a cercare di fargli male, se fra il pubblico c'era Silente.

Forse era per quello che Piton aveva l'aria così inviperita quando le due squadre entrarono in campo. Lo notò anche Ron.

« Non gli ho mai visto in faccia un'espressione tanto feroce » confidò a Hermione. « Ehi, guarda, cominciano. Ahi! »

Qualcuno gli aveva dato un colpo sulla nuca. Era Malfoy.

« Uh, Weasley, scusa tanto, non t'avevo visto ».

Malfoy rivolse un largo, maligno sorriso a Crabbe e Goyle.

« Mi chiedo per quanto tempo Potter riuscirà a restare in sella questa volta. Si accettano scommesse! Tu che ne dici, Weasley? » Ron non rispose; Piton aveva appena assegnato un rigore a Tassofrasso perché George Weasley gli aveva spedito addosso un Bolide. Hermione, che teneva le mani in grembo con tutte le dita incrociate, aveva gli occhi socchiusi e fissava Harry, che sorvolava il campo da gioco come un falco, descrivendo cerchi in aria nella speranza di avvistare il Boccino d'Oro.

« Sai come penso che facciano, per scegliere chi gioca per Grifondoro? » disse Malfoy a voce alta qualche istante dopo, mentre Piton regalava un altro rigore a Tassofrasso senza motivo. « Scelgono quelli che gli fanno pena. E difatti ci gioca Potter, che non ha i genitori, ci giocano i Weasley, che non hanno il becco d'un quattrino... anche tu dovresti far parte della squadra, Longbottom, visto che non hai cervello ».

Neville si fece paonazzo ma si voltò per guardare Malfoy dritto in faccia.

« Io valgo più di dodici come te messi insieme, Malfoy » balbettò.

Malfoy, Crabbe e Goyle si sbellicarono dalle risate, ma Ron, sempre senza osare distogliere lo sguardo dal gioco, sibilò: « Cantagliele, Neville ».

« Ehi, Longbottom, se il cervello valesse tanto oro quanto pesa, saresti più povero di Weasley... ed è tutto dire! »

Ron aveva i nervi già abbastanza tesi, ansioso com'era per via di Harry.

« Ti avverto, Malfoy: un'altra parola e... »

« Ron! » esclamò Hermione all'improvviso. « Harry...! »

« Eh? Che cosa, dove? »

Harry si era appena gettato in una picchiata spettacolare che aveva mozzato il fiato ad alcuni e scatenato gli applausi di altri fra il pubblico. Hermione balzò in piedi, coprendosi la bocca con le dita ancora incrociate, mentre Harry planava a tutta velocità verso terra.

« Sei fortunato, Weasley: Potter deve aver visto una monetina caduta in terra! » fece Malfoy.

A quel punto, Ron scattò. Prima che Malfoy si rendesse conto di quel che stava succedendo, gli fu addosso e lo scaraventò a terra. Neville esitò, poi scavalcò il sedile per andare a dargli manforte.

« Forza, Harry! » gridò Hermione saltellando sul posto per seguire con lo sguardo il ragazzo che si stava dirigendo dritto dritto contro Piton. Non si accorse nemmeno di Malfoy e Ron che si rotolavano a terra sotto il suo sedile, né dei tonfi e delle grida provenienti da Neville, Crabbe e Goyle, trasformatisi in un unico vortice di pugni.

Intanto, in aria, Piton sterzò la sua scopa appena in tempo per scorgere qualcosa di rosso che gli sfrecciava accanto mancandolo di pochi centimetri. Un istante dopo, Harry emerse dalla sua picchiata, le braccia levate in alto in segno di trionfo, tenendo saldamente in mano il Boccino.

Le gradinate esplosero in un urlo di gioia: era un record, nessuno ricordava che il Boccino d'Oro fosse mai stato conquistato tanto rapidamente.

« Ron! Ron! Ma dove ti sei cacciato? La partita è finita! Harry ha vinto! Abbiamo vinto! Grifondoro è in testa alla classifica! » strillava Hermione, improvvisando un balletto sul suo sedile e abbracciando Parvati Patil, che sedeva nella fila davanti.

Harry saltò giù dalla sua scopa, a trenta centimetri da terra. Non riusciva a crederci. Ce l'aveva fatta: la partita era finita ed era durata appena cinque minuti. Mentre i Grifondoro si riversavano in campo, scorse Piton che atterrava lì accanto, livido e con le labbra serrate. Poi sentì una mano posarglisi sulla spalla e, quando levò lo sguardo, si trovò davanti il volto allegro di Silente.

« Ben fatto » gli disse Silente a bassa voce, in modo che solo lui potesse udirlo. « Mi fa piacere vedere che non sei stato tanto a rimuginare su quello Specchio... anzi, ti sei dato da fare. Eccellente! »

Piton sputò per terra, carico di rancore.

Harry uscì da solo dagli spogliatoi qualche tempo dopo, per riportare la sua Nimbus Duemila nella rimessa delle scope. Non ricordava di essersi mai sentito tanto felice in vita sua. Aveva davvero fatto una cosa di cui andare fiero: nessuno avrebbe più potuto dire che lui era soltanto un nome famoso. L'aria della sera non era mai stata così dolce. Camminava sull'erba umida, rivivendo l'ora appena trascorsa nella sua mente piacevolmente confusa: i Grifondoro che gli correvano incontro e lo issavano sulle loro spalle; Hermione e Ron in lontananza che saltavano su e giù, con quest'ultimo che urlava di gioia, nonostante una forte emorragia dal naso.

Harry raggiunse la rimessa. Si appoggiò alla porta di legno e alzò lo sguardo su Hogwarts, con le finestre che luccicavano nel rosso del tramonto. Grifondoro era in testa alla classifica. Ce l'aveva fatta, gliel'aveva fatta vedere lui a quel Piton...

A proposito di Piton...

Una figura incappucciata scendeva rapidamente i gradini all'entrata del castello. Camminava il più in fretta possibile, diretta alla Foresta Proibita, nel chiaro intento di non farsi vedere. A quella vista, l'euforia della vittoria svanì dalla mente di Harry. Il ragazzo riconobbe quella camminata furtiva. Era Piton che sgattaiolava nella Foresta mentre tutti gli altri cenavano. Che cosa stava combinando?

Harry saltò di nuovo in sella alla sua Nimbus Duemila e decollò. Planando silenziosamente sul castello, scorse Piton che entrava di corsa nella Foresta. Lo seguì dall'alto.

Gli alberi erano talmente fitti che non vedeva dove fosse finito. Descrisse in aria dei cerchi sempre più bassi, sfiorando le cime degli alberi, fino a quando non udì alcune voci. Volò verso di loro e atterrò senza fare rumore tra le fronde di un altissimo faggio.

Con circospezione, si aprì un varco fra i rami, sempre tenendo stretto il manico della sua scopa, nel tentativo di scorgere qualcosa fra le foglie.

Sotto di lui, in una radura già immersa nell'ombra, c'era Piton ritto in piedi, ma non era solo. C'era anche Quirrell. Harry non riusciva a cogliere l'espressione del suo viso, ma balbettava peggio che mai. Dovette fare uno sforzo per sentire quello che i due si stavano dicendo.

« ...n-non ca-capisco p-pe-perché hai v-voluto che ci ve-vedessimo qui, S-severus, con ta-tanti altri p-p-posti che ci sono... »

« Oh, be', non volevo farlo sapere in giro » rispose Piton in tono gelido. « In fin dei conti, gli studenti non devono sapere della Pietra Filosofale ».

Harry si sporse in avanti. Quirrell stava borbottando qualcosa, quando Piton lo interruppe.

« Hai già scoperto come si fa a oltrepassare la bestia che Hagrid ha piazzato lì dentro? »

« M-ma Severus, io... »

« Guarda che non ti conviene avermi come nemico, Quirrell » disse Piton facendo un passo verso di lui.

« N-non ca-capisco ch-che cosa vuo... »

« Lo sai benissimo, quel che voglio dire ».

In quel momento un gufo lanciò un forte stridio e Harry quasi cadde dall'albero. Si riprese in tempo per udire Piton che diceva: « ...quei tuoi abracadabra da quattro soldi. Sto aspettando ».

« M-ma i-io n-non so... »

« Benissimo » tagliò corto Piton. « Faremo presto un'altra

bella chiacchierata, quando avrai avuto il tempo di pensarci su e di decidere da che parte stai ».

E così dicendo, si ricoprì il capo con il mantello e si allontanò a grandi passi dalla radura. Ormai era quasi buio, ma Harry riuscì a scorgere Quirrell, che era rimasto lì, come pietrificato.

« Harry! Ma dove ti eri *cacciato*? » squittì Hermione.

« Abbiamo vinto! Hai vinto! Abbiamo vinto! » gridò Ron, dandogli una pacca sulla schiena. « E io ho fatto un occhio nero a Malfoy, mentre Neville si batteva da solo contro Crabbe e Goyle! È ancora k.o., ma Madame Pomfrey dice che si riprenderà. L'avevamo detto che gliel'avremmo fatta vedere noi, a quelli di Serpeverde! Sono tutti nella sala comune che ti aspettano. Abbiamo organizzato una festa: Fred e George hanno sgraffignato dalle cucine un po' di dolci e altra roba buona ».

« Non adesso » disse Harry ancora ansimante. « Troviamo una stanza vuota: ho qualcosa da dirvi... »

Si assicurò che Peeves non fosse nei paraggi prima di chiudersi la porta alle spalle, e poi raccontò loro per filo e per segno tutto quel che aveva visto e sentito.

« Avevamo ragione, si tratta *proprio* della Pietra Filosofale! E Piton sta cercando di costringere Quirrell ad aiutarlo a rubarla. Gli ha chiesto se sapeva come fare per eludere la sorveglianza di Fuffi e ha anche accennato agli 'abracadabra' di Quirrell. Io credo che, a parte Fuffi, la sorveglianza della Pietra sia affidata anche a qualcos'altro: un sacco di incantesimi, probabilmente... e Quirrell deve aver fatto qualche incantesimo anti-Magia Oscura che Piton deve superare... »

« Allora tu pensi che la Pietra sia al sicuro solo finché Quirrell resisterà a Piton... » fece Hermione in tono allarmato.

« Se è così, entro martedì prossimo sarà sparita » sentenziò Ron.

CAPITOLO 14

NORBERTO, DORSORUGOSO DI NORVEGIA

M a Quirrell doveva essere più coraggioso di quanto crede-vano. Nelle settimane successive sembrava farsi sempre più pallido e smunto, ma resisteva.

Ogni volta che passavano per il corridoio del terzo piano, Harry, Ron e Hermione accostavano l'orecchio alla porta per controllare che dentro Fuffi ringhiasse ancora. Piton si aggirava per la scuola con il suo solito malumore, il che significava che la Pietra era certamente ancora al sicuro. In quei giorni, ogni volta che Harry incrociava Quirrell, gli sorrideva come a inco-raggiarlo e Ron aveva cominciato a rimproverare chiunque ri-desse della balbuzie del professore. Hermione, invece, aveva al-tre cose cui pensare oltre la Pietra Filosofale. Aveva cominciato a programmare i ripassi e a dividere i suoi appunti per argomen-ti attribuendo un colore diverso a ciascuno. A Harry e a Ron non sarebbe mai passato per la testa, ma lei continuava a pun-golarli perché facessero lo stesso. «Ma, Hermione, agli esami mancano secoli!»

«Dieci settimane» precisò impaziente Hermione, «dieci settimane non sono secoli, e per Nicolas Flamel non sono che un attimo».

«Ma noi non abbiamo seicento anni come Flamel» le ricor-dò Ron. «E comunque, si può sapere a che cosa ti serve ripas-sare, visto che sai già tutto?»

«A che cosa mi serve? Ma sei matto? Ti rendi conto che dob-biamo passare questi esami per andare al secondo anno? Sono molto importanti, avrei dovuto cominciare a studiare un mese fa, non so proprio che cosa mi ha preso...»

Purtroppo pareva che gli insegnanti la pensassero come Hermione. Li caricarono di tanti compiti, che, quanto a divertimento, le vacanze di Pasqua non assomigliarono neanche lontanamente a quelle di Natale. Era difficile rilassarsi con Hermione accanto che recitava i dodici usi del sangue di drago e si esercitava ad agitare la bacchetta. Bofonchiando e sbadigliando, Harry e Ron trascorsero la maggior parte del tempo libero con lei in biblioteca cercando di finire i compiti per le vacanze.

«Questo non riuscirò mai a ricordarmelo» sbottò Ron un pomeriggio, gettando la penna d'oca e guardando nostalgico fuori dalla finestra della biblioteca. Era la prima vera, bella giornata di sole da mesi. Il cielo era azzurro chiaro, come i petali di un nontiscordardimé, e nell'aria aleggiava il profumo dell'estate imminente.

Harry, che stava cercando la voce 'Dittamo' nel volume *Mille erbe e funghi magici*, non alzò gli occhi dai libri se non quando udì Ron esclamare: «Hagrid, che cosa ci fai tu in biblioteca?»

Hagrid era apparso, nascondendo qualcosa dietro la schiena. Sembrava assolutamente fuori posto in quel suo pastrano di fustagno.

«Do solo un'occhiata» disse con un tono ambiguo che attrasse subito la loro attenzione. «Voi, piuttosto, che cosa ci fate qui?» Di colpo, parve farsi sospettoso. «Non starete mica ancora dietro a Nicolas Flamel, vero?»

«Oh, abbiamo scoperto chi è secoli fa ormai» disse Ron dandosi arie d'importanza, «e sappiamo anche a che cosa fa la guardia il cane, a una Pietra Filos...»

«*Shhhh!*» Hagrid si guardò intorno furtivo per vedere se qualcuno fosse in ascolto. «Non dovete mica gridarlo ai quattro venti, si può sapere che cosa vi passa per la testa?»

«In realtà» disse Harry, «volevamo chiederti alcune cose su come è sorvegliata la Pietra, a parte Fuffi...»

«SHHHHHH!» fece di nuovo Hagrid. «Sentite... venite a

trovarmi più tardi. Guardate, non vi prometto niente, ma voi piantatela di frugare qua dentro; gli studenti non devono sapere. Si penserà che sono stato io a dirvelo...»

«A dopo, allora» disse Harry.

Hagrid se ne andò caracollando col suo passo goffo.

«Ma che cosa nascondeva dietro la schiena?» chiese Hermione pensierosa.

«Pensi che avesse a che fare con la Pietra?»

«Io vado a vedere in che reparto è stato» disse Ron che ne aveva abbastanza di studiare. Un attimo dopo era di ritorno con una pila di libri che lasciò cadere sul tavolo.

«Draghi!» sussurrò. «Hagrid stava consultando la letteratura sui draghi! Guardate qui: *Specie di draghi della Gran Bretagna e dell'Irlanda... Dall'uovo agli inferi: guida pratica per l'allevatore di draghi*».

«Hagrid ha sempre desiderato un drago, me lo ha detto fin dalla prima volta che ci siamo conosciuti» disse Harry.

«Ma è contro le nostre leggi» disse Ron. «L'allevamento di draghi è stato dichiarato fuori legge dalla Convenzione degli Stregoni del 1709, questo lo sanno tutti. È difficile non farsi notare dai Babbani se teniamo un drago nel giardino sul retro, e comunque non si possono addomesticare: troppo pericoloso. Dovreste vedere le bruciature che si è beccato Charlie in Romania coi draghi selvatici».

«Ma in Gran Bretagna non esistono draghi selvatici, vero?» chiese Harry.

«Certo che sì» disse Ron. «Il Gallese Comune Verde e il Nero delle Ebridi. Il Ministero della Magia ha il suo bel da fare a tenere la cosa segreta. E noi maghi dobbiamo continuare a fare incantesimi sui Babbani che li hanno intravisti, affinché ne perdano il ricordo».

«Ma allora, che cosa diavolo ha in mente Hagrid?»

Un'ora dopo, quando bussarono alla porta del guardacaccia, furono sorpresi nel vedere che tutte le tende erano tirate. Prima di farli entrare Hagrid chiese « Chi va là? » e poi si richiuse velocemente la porta alle spalle.

Dentro si soffocava dal caldo. Benché la giornata fosse tutt'altro che fredda, nel camino ardeva un fuoco scoppiettante. Hagrid preparò del tè per i ragazzi e offrì loro panini al prosciutto di ermellino, che rifiutarono.

« Allora, volevate chiedermi qualcosa? »

« Sì » disse Harry. Non era il caso di girarci attorno. « Ci chiedevamo se potevi dirci da che cosa è protetta la Pietra Filosofale, oltre che da Fuffi ».

Hagrid lo guardò aggrottando le sopracciglia.

« Ma certo che no! Non ve lo posso dire » rispose. « Primo, non lo so neanch'io. Secondo, ne sapete già troppo e quindi in ogni caso non ve lo direi. Quella Pietra è qui per una buona ragione. Poco ci è mancato che dalla Gringott non la rubavano... penso che a questo ci siete arrivati, no? Però, mi venisse un colpo se capisco come avete fatto a sapere di Fuffi ».

« Dai, Hagrid, magari non ce lo vuoi dire, ma lo sai. Tu sai tutto quel che avviene a Hogwarts » lo adulò Hermione con voce calda e suadente. La barba di Hagrid ebbe un fremito: i ragazzi avrebbero giurato che il gigante stesse sorridendo. « Ci chiedevamo soltanto chi si sia occupato della protezione » proseguì Hermione. « Cioè, volevamo sapere, a parte te, di chi può essersi fidato Silente al punto da lasciarsi aiutare ».

Il petto di Hagrid si gonfiò d'orgoglio a queste ultime parole. Harry e Ron lanciarono a Hermione un'occhiata raggiante.

« Be'... immagino che non c'è niente di male se vi dico questo... Vediamo un po'... Silente ha preso Fuffi in prestito da me... poi alcuni degli insegnanti hanno fatto degli incantesimi: la professoressa Sprout... il professor Flitwick... la professoressa McGonagall... » e mentre li elencava li contava sulle dita, « il professor Quirrell... e naturalmente anche Silente ha fatto qualcosa. Aspettate un attimo. Ho dimenticato qualcuno. Ah, sì, il professor Piton ».

« *Piton?* »

« Già. Sentite un po', non è che state ancora rimuginando cose strane sul suo conto, no? Guardate che Piton ha dato una mano a proteggere la Pietra: non ha nessuna intenzione di rubarla! »

Harry sapeva che Ron e Hermione stavano pensando la stessa cosa. Se Piton era stato coinvolto nella protezione della Pietra, non doveva aver avuto difficoltà a scoprire quali sistemi di sorveglianza avessero escogitato gli altri insegnanti. Probabilmente sapeva tutto... a eccezione, a quanto pareva, dell'incantesimo di Quirrell e del modo per evitare le ire di Fuffi.

« Tu sei l'unico che sa come si fa a tenere buono Fuffi, vero, Hagrid? » chiese Harry in tono ansioso. « E non lo diresti a nessuno, no? Neanche a uno degli insegnanti? »

« Non lo sa anima viva, solo io e Silente » disse Hagrid tutto fiero.

« Be', è già qualcosa » sussurrò Harry agli altri per non farsi sentire. Poi disse: « Hagrid, non è che si potrebbe aprire una finestra? Sto scoppiando di caldo ».

« Impossibile, Harry, mi dispiace » disse Hagrid. Harry notò che lanciava un'occhiata di sbieco al focolare. Guardò anche lui.

« Ehi, Hagrid, e *quello* che cos'è? »

Ma sapeva già di che cosa si trattava. Proprio al centro del caminetto, sotto il bollitore, c'era un enorme uovo nero. « Oh » disse Hagrid giocherellando nervosamente con la sua barba. « Quello... ehm... »

« Dove l'hai preso, Hagrid? » chiese Ron chinandosi sul focolare per vedere l'uovo da vicino. « Dev'esserti costato una fortuna ».

« L'ho vinto » disse Hagrid. « Ieri sera. Sono sceso al villaggio per farmi un goccetto e mi sono messo a giocare a carte con un tizio che non conoscevo. Anzi, a dir la verità mi pareva che era molto contento di disfarsene ».

« Ma che cosa farai, quando si schiude? » chiese Hermione.

« Be', mi sono dato un po' alla lettura » disse Hagrid estraendo un librone da sotto il cuscino. « L'ho trovato in biblioteca:

Allevare draghi per lavoro e per hobby... Naturalmente è un po' vecchiotto, ma dentro c'è proprio tutto. Bisogna tenere l'uovo sul fuoco, perché a quanto pare le mamme drago scaldano i loro piccoli col fiato... Poi, quando si schiude, ogni mezz'ora bisogna dare al piccolo un secchio di brandy mescolato a sangue di pollo. E qui, vedete? Spiega come riconoscere le diverse specie dall'uovo... Il mio, pare, è un Dorsorugoso di Norvegia. Una specie molto rara».

Aveva un'aria tutta compiaciuta, ma Hermione non lo era altrettanto.

«Hagrid, tu abiti in una capanna di *legno*» osservò.

Ma Hagrid non l'ascoltava. Canticchiava allegramente mentre attizzava il fuoco.

E così, adesso avevano un'altra cosa di cui preoccuparsi, e cioè quel che sarebbe potuto accadere a Hagrid se qualcuno avesse scoperto che nascondeva illegalmente un drago nella sua capanna.

«Mi domando com'è vivere una vita tranquilla» sospirò Ron, una delle tante sere di fila che passarono a sgobbare sulla montagna di compiti che gli erano stati assegnati. Ormai Hermione aveva cominciato a compilare programmi di ripasso anche per Harry e Ron, facendoli diventare matti.

Poi un mattino a colazione Edvige portò a Harry un altro messaggio di Hagrid. Dentro c'erano soltanto tre parole: *Si sta schiudendo.*

Ron aveva voglia di saltare Erbologia e di andare difilato alla capanna, ma Hermione non volle neanche sentirne parlare.

«Senti un po', Hermione, quante volte in vita nostra potremo vedere schiudersi un uovo di drago?»

«Ma abbiamo le lezioni! Ci cacceremo nei guai, ed è ancora niente in confronto a quel che capiterà a Hagrid quando si scoprirà quel che sta facendo!»

«Zitti!» sussurrò Harry.

Malfoy era a pochi metri di distanza e si era fermato di colpo per ascoltare. Quanto aveva udito di quel che avevano detto? A Harry non piacque affatto l'espressione sulla sua faccia. Ron e Hermione litigarono per tutto il tragitto fino all'aula di Erbologia e alla fine la ragazza acconsentì a recarsi da Hagrid con gli altri due durante la ricreazione. Quando si udì la campana del castello che annunciava la fine della lezione, tutti e tre lasciarono cadere contemporaneamente gli attrezzi da giardinaggio e si affrettarono ad attraversare il parco fino al margine della Foresta. Hagrid li accolse col volto arrossato per l'eccitazione.

«Sta quasi uscendo». Li accompagnò in casa. L'uovo era posato sul tavolo, inciso da crepe profonde: dentro c'era qualcosa che si muoveva e dall'interno proveniva un curioso ticchettio. Tutti trascinarono le seggiole vicino al tavolo e stettero a guardare col fiato sospeso.

A un tratto si udì raschiare e l'uovo si spaccò in due. Il draghetto cadde sul tavolo con un piccolo tonfo. Non era esattamente quel che si dice grazioso. A Harry sembrava un ombrello nero tutto accartocciato. Le ali, coperte da aculei, erano enormi a confronto del corpicino esile e nero come la pece. Aveva il muso allungato, narici larghe, due cornini appena accennati e sporgenti occhi arancioni. Il draghetto starnutì e dal naso gli uscirono un paio di scintille.

«Non è *adorabile*?» mormorò Hagrid tendendo una mano per accarezzare la testa dell'animale. Questo fece per mordergli le dita scoprendo zanne acuminate.

«Che Dio lo benedica... guardate, riconosce la mamma!» disse Hagrid.

«Hagrid» disse Hermione, «un Dorsorugoso di Norvegia quanto ci mette a crescere, esattamente?»

Hagrid stava per rispondere, quando il volto gli si fece improvvisamente pallido: balzò in piedi e corse alla finestra.

«Che succede?»

«C'era qualcuno che spiava attraverso le tendine... un ragazzino... è partito di corsa verso la scuola».

Harry corse alla porta e guardò fuori. Anche a distanza, era impossibile non riconoscerlo.

Malfoy aveva visto il drago.

Nel sorrisetto beffardo che Malfoy portò stampato in faccia per tutta la settimana seguente c'era qualcosa che innervosiva molto Harry, Ron e Hermione. I tre passarono gran parte del tempo libero nella capanna semibuia di Hagrid, cercando di farlo ragionare.

« Senti, lascialo andare » lo esortava Harry. « Liberalo ».

« Ma non posso » rispondeva Hagrid. « È troppo piccolo. Morirebbe ».

Guardarono il drago. Nel giro di una settimana la sua lunghezza si era già triplicata. Dalle narici continuavano a uscirgli volute di fumo. Hagrid aveva trascurato i suoi doveri di guardacaccia, tanto aveva da fare con il drago. Il pavimento era coperto di bottiglie di brandy vuote e di penne di pollo.

« Ho deciso di chiamarlo Norberto » disse guardando il drago con gli occhi lucidi. « Mi riconosce davvero: guardate. Norberto! Norberto! Dov'è la mamma? »

« È andato fuori di testa » mormorò Ron all'orecchio di Harry.

« Hagrid » disse Harry ad alta voce, « da qui a quindici giorni, Norberto sarà lungo quanto la tua casa. Malfoy potrebbe andare a spifferare tutto a Silente in qualsiasi momento ».

Hagrid si morse un labbro.

« Lo so... lo so che non potrò tenerlo per sempre, ma non posso mica abbandonarlo, no? »

Harry si volse di scatto verso Ron.

« Charlie » disse.

« Stai diventando matto pure tu » si allarmò Ron. « Io sono Ron, hai presente? »

« Ma no! Charlie... tuo fratello! In Romania. Quello che studia i draghi. Potremmo mandare Norberto da lui. Charlie potrebbe allevarlo e poi liberarlo nella Foresta! »

« Geniale! » esclamò Ron. « Che ne dici, Hagrid? »

Alla fine Hagrid acconsentì a mandare un gufo a Charlie per chiedergli se andava bene.

La settimana seguente trascorse lenta. Giunse mercoledì sera: tutti erano già a letto da un pezzo, solo Hermione e Harry erano ancora seduti nella sala comune. L'orologio a muro aveva appena suonato la mezzanotte, quando il buco del ritratto si aprì di colpo. Non appena si fu tolto di dosso il Mantello dell'Invisibilità Ron apparve dal nulla. Era stato giù alla capanna di Hagrid per aiutarlo a dar da mangiare a Norberto, che adesso divorava topi morti a carrettate.

« Mi ha morso! » disse mostrando loro la mano fasciata in un fazzoletto insanguinato. « Non riuscirò a tenere in mano una penna d'oca per una settimana. Ve lo dico io: quel drago è l'animale più terribile che ho mai visto, ma da come lo tratta Hagrid, si direbbe un tenero coniglietto. Quando Norberto mi ha morso, Hagrid mi ha rimproverato per averlo spaventato. E quando sono uscito gli stava cantando la ninnananna ».

Si udì bussare alla finestra buia.

« È Edvige! » esclamò Harry, affrettandosi ad aprirle. « Deve avere la risposta di Charlie! »

I tre accostarono le teste per leggere il messaggio, che diceva:

Caro Ron,
come stai? Grazie della lettera. Sarei lieto di prendere con me il Dorsorugoso di Norvegia, ma non sarà facile farlo arrivare fin qui. Credo che la cosa migliore sia affidarlo a certi amici che verranno a trovarmi la prossima settimana. Il problema è che non possono essere visti mentre trasportano un drago clandestino.

Potresti far salire il Dorsorugoso sulla torre più alta, a mezzanotte di sabato? Loro possono venirti incontro lì e portarselo via finché è ancora buio.

Mandami una risposta al più presto.

Con affetto,
Charlie

232

Si guardarono.

« Abbiamo il Mantello dell'Invisibilità » disse poi Harry. « Non dovrebbe essere troppo difficile... mi pare che il Mantello sia grande abbastanza da coprire due di noi e Norberto ».

Quella settimana era stata talmente dura che gli altri due furono subito d'accordo con lui: avrebbero fatto qualsiasi cosa pur di disfarsi di Norberto... e di Malfoy.

Ma vi fu un intoppo. La mattina dopo, la mano di Ron si era gonfiata fino a diventare il doppio dell'altra. Il ragazzo non era certo di far bene ad andare da Madame Pomfrey: e se si fosse accorta che si trattava di un morso di drago? Comunque, il pomeriggio non aveva più scelta: la ferita era diventata di un brutto color verde. A quanto sembrava, le zanne di Norberto erano velenose.

A fine giornata, Harry e Hermione si precipitarono in infermeria dove trovarono Ron a letto, in condizioni pietose.

« Non è soltanto la mano » sussurrò, « anche se mi sento come se mi stesse per cadere. Malfoy ha detto a Madame Pomfrey che voleva prendere in prestito uno dei miei libri, e con questa scusa è venuto a farsi quattro risate alla faccia mia. Non ha smesso un attimo di minacciare di spifferare da che cosa sono stato morso... Io ho detto che era stato un cane, ma non penso che Madame Pomfrey mi abbia creduto. Non avrei proprio dovuto picchiarlo, alla partita di Quidditch: è per questo che adesso se la prende con me » concluse Ron.

Harry e Hermione cercarono di calmarlo.

« Entro la mezzanotte di sabato sarà tutto finito » disse Hermione, ma la cosa non parve tranquillizzarlo minimamente. Anzi, Ron si tirò su a sedere e cominciò a sudare.

« A mezzanotte di sabato! » esclamò con voce roca. « Oh no... oh no... mi è appena tornato in mente che... dentro il libro che Malfoy ha portato via con sé c'era la lettera di Charlie! Adesso sa che stiamo per disfarci di Norberto ».

Harry e Hermione non ebbero neanche il tempo di rispondere. In quel preciso istante entrò Madame Pomfrey e li mise alla porta, dicendo che Ron aveva bisogno di dormire.

« Ormai è troppo tardi per cambiare il nostro piano » disse Harry a Hermione. « Non abbiamo tempo di mandare un altro gufo a Charlie, e questa potrebbe essere la nostra unica possibilità di far sparire Norberto. Dobbiamo rischiare. E comunque, abbiamo il Mantello dell'Invisibilità e Malfoy questo non lo sa ».

Quando andarono da Hagrid per riferirgli tutto, trovarono Zanna, il suo danese, seduto fuori dalla porta con la coda bendata. Hagrid parlò loro attraverso la finestra.

« Non vi faccio entrare » spiegò. « Norberto è in vena di dispetti... ma io so bene come trattarlo ».

Quando gli dissero della lettera di Charlie, gli occhi gli si riempirono di lacrime. Ma forse piangeva perché Norberto gli aveva appena morso una gamba.

« Ahi! Tutto a posto, mi ha preso sullo stivale... è soltanto un gioco... in fin dei conti, è ancora piccolino ».

In quel momento, il piccolino picchiò con forza la coda sul muro, facendo sbatacchiare le finestre. Quando Harry e Hermione ripresero la strada del castello, non vedevano l'ora che arrivasse sabato.

Quando giunse il momento di dire addio a Norberto, avrebbero anche potuto provare pena per Hagrid, se non fossero stati tanto preoccupati al pensiero di quel che li aspettava. Era una notte molto buia e nuvolosa e arrivarono alla capanna con un po' di ritardo perché si erano attardati nella Sala d'Ingresso ad aspettare che Peeves la smettesse di giocare a tennis contro il muro e si togliesse di torno.

Hagrid aveva già sistemato Norberto dentro una grossa cassa.

« Gli ho messo un bel po' di topi e di brandy per il viaggio » disse con voce soffocata. « E anche il suo orsacchiotto, se mai si sente solo ».

Dall'interno della cassa provenivano rumori sinistri: Harry

ebbe l'impressione che Norberto stesse staccando la testa all'orsacchiotto.

« Addio, Norberto! » singhiozzò Hagrid mentre Harry e Hermione ricoprivano la cassa con il Mantello dell'Invisibilità e ci s'infilavano sotto anche loro. « La mamma non ti dimenticherà! »

Non si spiegarono mai come riuscirono a trascinare quella cassa su fino al castello. Era quasi mezzanotte quando la sollevarono per salire la scalinata di marmo e la trascinarono attraverso l'ingresso e lungo i corridoi bui. Poi un'altra scala, e un'altra ancora: neppure la scorciatoia che conosceva Harry servì a facilitare il compito.

« Ci siamo quasi! » esclamò il ragazzo ansimando quando raggiunsero il corridoio situato al di sotto della torre più alta.

Davanti a loro qualcosa si mosse così all'improvviso che quasi lasciarono cadere la cassa. Dimenticando di essere invisibili, si ritrassero nell'ombra e rimasero a guardare le sagome scure di due persone impegnate in un corpo a corpo a tre metri da loro. A un tratto si accese un lume.

Era la professoressa McGonagall, in vestaglia scozzese e retina per i capelli, che teneva saldamente Malfoy per un orecchio.

« In punizione! » gridò. « E venti punti in meno a Serpeverde! Andare in giro nel bel mezzo della notte... *Come ti permetti?* »

« Professoressa, lei non capisce... sta arrivando Harry Potter... ha un drago! »

« Ma che sciocchezze! Come osi raccontare simili panzane! Avanti, Malfoy... riferirò tutto al professor Piton! »

Dopo quel che avevano udito, salire la ripida scala a chiocciola che conduceva in cima alla torre sembrò loro la cosa più facile del mondo. Soltanto quando furono usciti fuori nell'aria fredda della notte si tolsero di dosso il Mantello, lieti di poter finalmente tornare a respirare come si deve. Hermione improvvisò una specie di balletto.

« Malfoy si è beccato una punizione! Sono talmente contenta che mi metterei a cantare! »

« Evita » le consigliò Harry.

Sempre ridendosela per la sorte di Malfoy, rimasero in attesa, mentre Norberto si agitava nella sua cassa. Dopo circa dieci minuti, videro sbucare di colpo dall'oscurità quattro scope.

Gli amici di Charlie erano dei tipi simpatici. Mostrarono a Harry e a Hermione i finimenti che avevano fabbricato in modo da poter volare con Norberto sospeso fra loro. Tutti diedero una mano per assicurare la cassa a quei sostegni, e alla fine Harry e Hermione strinsero la mano agli altri ringraziandoli sentitamente.

Finalmente, Norberto se ne andava: seguendolo con lo sguardo, lo videro allontanarsi e scomparire.

Ora che si erano liberati di lui, ridiscesero lungo la scala a chiocciola col cuore leggero. Niente più drago, Malfoy in punizione... ormai, che cosa avrebbe potuto guastare la loro felicità?

La risposta li attendeva in fondo alla scala. Appena misero piede nel corridoio, la faccia di Filch sbucò all'improvviso dalle tenebre.

« Bene, bene, bene » mormorò, « vedo che ci siamo cacciati nei pasticci! »

Avevano lasciato sulla torre il Mantello dell'Invisibilità.

CAPITOLO 15

LA FORESTA
PROIBITA

L e cose non avrebbero potuto andare peggio di così.
Filch li scortò giù al primo piano, nello studio della professoressa McGonagall, dove si sedettero in attesa senza scambiarsi una parola. Hermione tremava. Nel cervello di Harry si accavallavano scuse, alibi e strampalate storie di copertura, ma erano una più debole dell'altra. Stavolta non vedeva proprio come avrebbero potuto fare per tirarsi fuori dai pasticci. Erano in trappola. Come avevano potuto essere così stupidi da dimenticarsi il Mantello? La professoressa McGonagall non avrebbe mai accettato nessuna delle scuse che potevano addurre per giustificare il fatto di essere fuori dai loro letti a girare per la scuola a notte fonda, per non parlare poi di essere saliti sulla torre più alta, quella di Astronomia, il cui accesso era proibito salvo che in orario di lezione. Se a ciò si aggiungevano Norberto e il Mantello dell'Invisibilità, era chiaro che potevano anche cominciare a fare i bagagli.

Harry credeva che le cose non potessero andar peggio? Ebbene, si sbagliava. Quando la McGonagall apparve, Neville era con lei.

« Harry! » esclamò questi nell'istante in cui vide gli altri due. « Ti stavo cercando per avvertirti! Ho sentito Malfoy dire che ti avrebbe beccato, e ha detto che hai un dra... »

Harry scosse violentemente il capo per far segno a Neville di tacere, ma la professoressa McGonagall l'aveva notato. A vederla lì, torreggiante sopra le teste di tutti e tre, non ci si sarebbe stupiti se fossero uscite a lei fiamme dal naso, invece che a Norberto.

« Non me lo sarei mai aspettato da nessuno di voi. Filch dice che eravate su alla Torre di Astronomia. È l'una del mattino! *Esigo una spiegazione* ».

Era la prima volta che Hermione non riusciva a rispondere alla domanda di un insegnante. Stava lì a fissarsi le pantofole, immobile come una statua.

« Credo di sapere che cosa è successo » disse a un certo punto la McGonagall. « Non ci vuole certo un genio per capirlo. Avete raccontato a Malfoy chissà quali sciocchezze a proposito di un drago, nel tentativo di attirarlo fuori dal letto e metterlo nei guai. Comunque, l'ho già pescato. Presumo vi sembri divertente che Longbottom, qui, abbia sentito le vostre storie e ci abbia anche creduto! »

Harry incrociò lo sguardo di Neville e tentò di dirgli, sempre senza parlare, che non era vero, perché Neville aveva un'espressione attonita e ferita. Povero Neville, sempre così maldestro! Harry sapeva bene quanto doveva essergli costato cercare di raggiungerli al buio per avvertirli.

« Sono indignata » disse la McGonagall. « Quattro studenti fuori dai loro letti nella stessa nottata! Non si è mai sentito niente del genere! Quanto a te, signorina Granger, credevo che avessi più senno. E tu, Potter: credevo che Grifondoro significasse qualcosa di più per te. Adesso, andrete in punizione tutti e tre... sì, anche tu, Longbottom, perché *nulla* ti autorizza ad andartene a zonzo per la scuola di notte, specie di questi tempi! È troppo pericoloso! E in più, toglierò cinquanta punti a Grifondoro ».

« *Cinquanta?* » esclamò Harry con voce strozzata: avrebbero perso il vantaggio, quel vantaggio che avevano conquistato con l'ultima partita a Quidditch.

« Cinquanta punti *a testa* » precisò la McGonagall, respirando profondamente con quel suo naso a punta.

« Ma professoressa... la prego... »

« Non può... »

« Non sarai tu a dirmi quello che posso e non posso fare, Potter! E adesso, tornatevene a letto tutti quanti. Non mi sono mai vergognata tanto dei miei studenti di Grifondoro ».

Centocinquanta punti in meno! Grifondoro sarebbe finito all'ultimo posto della classifica. Nel giro di una sola notte, avevano mandato a monte la possibilità che la loro Casa vincesse la Coppa. Harry aveva l'impressione che il mondo gli fosse crollato addosso. Come avrebbe potuto rimediare a una cosa del genere?

Non riuscì a chiudere occhio. Sentì Neville singhiozzare nel suo cuscino per quelle che gli sembrarono ore e ore. Non gli veniva in mente niente da dirgli per consolarlo. Sapeva bene che Neville, come lui, attendeva l'alba con terrore. Che cosa sarebbe successo quando i loro compagni avessero saputo quel che avevano combinato?

Il mattino seguente, passando accanto alle gigantesche clessidre che segnavano il punteggio delle Case, i Grifondoro pensarono che si trattasse di un errore. Com'era possibile che la loro Casa avesse improvvisamente centocinquanta punti meno del giorno prima? Poi cominciò a spargersi la voce: Harry Potter, il famoso Harry Potter, l'eroe di ben due partite a Quidditch, aveva fatto perdere loro tutti quei punti. Lui e un altro paio di imbecilli del primo anno.

Di colpo, dopo essere stato uno dei ragazzi più amati e ammirati dell'intera scuola, Harry divenne il più odiato. Persino quelli di Corvonero e di Tassofrasso gli si rivoltarono contro, perché tutti quanti avevano sperato che Serpeverde perdesse la Coppa delle Case. Dovunque Harry andasse, veniva segnato a dito e i compagni non si davano neanche la pena di abbassare la voce quando parlavano male di lui. I Serpeverde, invece, applaudivano al suo passaggio, fischiavano e dicevano in tono entusiasta: « Grazie, Potter, ti siamo debitori! »

L'unico che gli rimase vicino fu Ron.

« Di qui a poche settimane si saranno scordati tutto. Fred e George gli hanno fatto perdere tanti di quei punti, da quando sono qui... eppure i compagni gli vogliono ancora bene ».

« Però non hanno mai fatto perdere a Grifondoro centocinquanta punti in un colpo solo! O no? » rispose Harry affranto.

« Be'... effettivamente no » ammise Ron.

Era un po' tardi per rimediare al danno, ma Harry giurò a se stesso che da allora in poi non si sarebbe più immischiato in cose che non lo riguardavano. Doveva piantarla di andarsene in giro di nascosto a cacciare il naso qua e là. Provava tanta vergogna che andò da Wood a offrirgli le sue dimissioni dalla squadra di Quidditch.

« Dimissioni? » tuonò Wood. « E a che cosa servirebbero? Come facciamo a riacquistare punti, se non vinciamo a Quidditch? »

Ma anche il Quidditch non lo divertiva più. Durante gli allenamenti i compagni di squadra non gli rivolgevano la parola e, se dovevano parlare di lui, lo chiamavano 'il Cercatore'.

Anche Hermione e Neville se la passavano male. Non quanto Harry, perché non avevano neanche lontanamente la sua notorietà; ma nemmeno a loro nessuno rivolgeva più la parola. In classe, durante le lezioni, Hermione aveva smesso di attirare l'attenzione degli altri: stava a testa china e studiava in silenzio.

Harry era quasi contento che non mancasse molto agli esami. Aveva da ripassare un sacco di materie e questo lo distoglieva dal pensare ai suoi guai. Lui, Ron e Hermione se ne stavano per conto loro, studiavano fino a notte fonda, cercando di memorizzare gli ingredienti di complicate pozioni, incantesimi e sortilegi di ogni genere, le date di grandi scoperte magiche e delle rivolte dei goblin...

Poi, a circa una settimana dall'inizio degli esami, la risoluzione che Harry aveva preso – cioè di non immischiarsi in cose che non lo riguardavano – fu messa alla prova in maniera inattesa. Un pomeriggio, mentre, da solo, tornava dalla biblioteca, udì una voce lamentosa proveniente da una delle aule. Quando si avvicinò, capì che si trattava di Quirrell.

« No, no, un'altra volta no, per pietà... »

A sentire quelle parole, sembrava che qualcuno lo stesse minacciando. Harry si avvicinò ancora.

« E va bene... va bene » sentì Quirrell singhiozzare.

Passò appena un secondo e dall'aula uscì in gran fretta Quirrell, tutto intento a raddrizzarsi il turbante. Era pallido e sembrava sul punto di scoppiare in lacrime. Si allontanò fino a sparire alla vista e Harry ebbe l'impressione che non lo avesse neanche notato. Attese che l'eco dei suoi passi si spegnesse, poi fece capolino nell'aula per dare un'occhiata. Era vuota, ma all'estremità opposta c'era una porta spalancata. A metà strada, Harry ricordò che aveva promesso a se stesso di non immischiarsi in faccende che non lo riguardavano.

Eppure, avrebbe scommesso dodici Pietre Filosofali che da quell'aula era appena uscito Piton. E da quanto aveva appena sentito, Piton doveva essere tutto ringalluzzito: sembrava che finalmente Quirrell avesse ceduto.

Harry tornò in biblioteca, dove Hermione stava interrogando Ron in Astronomia, e raccontò quello che aveva sentito.

« Dunque, Piton ce l'ha fatta! » esclamò Ron. « Se Quirrell gli ha spiegato come spezzare il suo incantesimo anti-Magia Oscura... »

« Però, c'è sempre Fuffi » obiettò Hermione.

« Forse Piton ha scoperto come eludere la sua sorveglianza senza chiedere niente a Hagrid » disse Ron alzando gli occhi sulle migliaia di volumi che li circondavano. « Scommetto che qua dentro, da qualche parte, c'è un libro che spiega come fare per mettere fuori combattimento un gigantesco cane a tre teste. E allora, che cosa facciamo, Harry? »

Negli occhi di Ron era tornata a brillare la fiamma dell'avventura; ma prima che potesse rispondere, lo fece Hermione al posto suo.

« Va' da Silente. È quello che avremmo dovuto fare già da un sacco di tempo. Se tentiamo qualcosa noi, ci sbattono fuori di sicuro ».

« Ma non abbiamo *prove*! » disse Harry. « Quirrell ha troppa paura per sostenere la nostra versione. Basta solo che Piton dica di non sapere come ha fatto a entrare quel troll a Halloween, e che lui al terzo piano non ci si è neanche avvicinato... Secondo voi, a chi crederanno, a lui o a noi? Che noi non possiamo soffrire Piton, non è precisamente un segreto. Silente penserà che ci siamo inventati tutto per farlo licenziare. Filch non ci aiuterebbe per tutto l'oro del mondo: è troppo amico di Piton e, dal suo punto di vista, più studenti vengono rispediti a casa, meglio è. E poi, non dimenticate che noi non ne dovremmo proprio sapere nulla, né della Pietra né di Fuffi. Sarà dura spiegare come l'abbiamo saputo ».

Hermione aveva l'aria convinta, ma Ron no.

« Ma se facessimo una piccola indagine... »

« No » ribatté secco Harry, « abbiamo già indagato abbastanza ».

E ciò detto, tirò a sé una mappa di Giove e incominciò a memorizzare i nomi delle sue lune.

Il mattino seguente, a colazione, Harry, Hermione e Neville ricevettero dei messaggi. Erano tutti identici e dicevano:

Sconterete la vostra punizione a partire dalle undici di stasera. Presentatevi al signor Filch nella Sala d'Ingresso.
                                                    Prof.ssa McGonagall

Nella gran confusione suscitata dalla retrocessione di Grifondoro, Harry aveva dimenticato che li attendeva la punizione. Temeva quasi che Hermione protestasse perché avrebbero perso un'intera nottata per ripassare. Ma la ragazzina non disse una parola: al pari di Harry, anche lei sentiva che se l'erano meritata.

Quella sera alle undici, salutarono Ron nella sala comune e scesero nell'ingresso insieme a Neville. Filch era già lì ad attenderli e con lui c'era Malfoy. Harry aveva dimenticato che anche Malfoy si era beccato la punizione.

« Seguitemi » disse Filch, accendendo un lume e conducendoli fuori. « Adesso credo proprio che ci penserete due volte, prima di violare di nuovo il regolamento della scuola, eh? » fece in tono di scherno. « Se volete sapere come la penso io, i migliori insegnanti sono il lavoro duro e le punizioni... È proprio un peccato che non ne diano più come quelle che davano una volta... Allora ti appendevano al soffitto per i polsi e ti ci lasciavano per qualche giorno! Ho ancora le catene in ufficio: le tengo ben oliate, nel caso che servano... Allora, andiamo, e non sognatevi di filarvela proprio adesso: se ci provate, sarà peggio per voi ».

Si avviarono attraverso il parco immerso nell'oscurità. Neville non la smetteva di tirare su col naso. Intanto, Harry si domandava come sarebbero stati puniti. Doveva essere qualcosa di veramente orribile, altrimenti Filch non avrebbe avuto quel tono gongolante.

La luna splendeva in cielo, ma ogni tanto una nube le passava davanti oscurandola e sprofondava anche loro nel buio. Davanti a sé, Harry scorse le finestre illuminate della capanna di Hagrid. Poi udirono un grido in lontananza.

« Sei tu, Filch? Sbrigati, che voglio incominciare ».

Harry si sentì sollevato: non sarebbe stato poi tanto male, se avessero dovuto scontare la punizione con Hagrid. Quel sollievo dovette riflettersi nell'espressione del suo volto, perché Filch disse: « Non penserai mica che siete venuti a divertirvi insieme a quello zoticone? Be', levatelo dalla testa, ragazzo: è nella Foresta che andrete, e non so neanche se tornerete tutti interi ».

A quelle parole, Neville diede un flebile lamento e Malfoy si fermò, incapace di proseguire.

« Nella Foresta? » ripeté. Stavolta non aveva il suo solito tono da spaccone. « Ma non ci si può andare di notte... ci sono un sacco di bestie strane... lupi mannari, dicono ».

Neville strinse la manica di Harry ed emise un suono strozzato.

« È questo che ti fa paura, eh? » fece Filch con la voce che tradiva la sua gioia maligna. « Ai lupi mannari dovevi pensarci prima di cacciarti nei guai, non credi? »

Hagrid emerse dalle tenebre e si avvicinò a loro a grandi passi, seguito a ruota da Zanna. Aveva con sé la sua grossa balestra e portava a tracolla una faretra piena di frecce.

« Era ora » disse. « È già mezz'ora che aspetto. Tutto bene? Harry, Hermione? »

« Io non sarei così gentile, Hagrid » disse Filch freddamente, « in fin dei conti sono qui per essere puniti ».

« Forse è per questo che sei in ritardo, Filch? » chiese Hagrid aggrottando le sopracciglia. « Perché hai perso tempo a fargli la lezione? Non è compito tuo. Hai fatto la tua parte, da qui in avanti me ne occupo io ».

« Allora io torno all'alba » disse Filch, « ...a riprendere quel che resta di loro » aggiunse poi malignamente. Dopodiché si voltò e riprese la strada del castello, con il lume che ballonzolava nel buio.

A quel punto, Malfoy si voltò verso Hagrid.

« Io in quella Foresta non ci metto piede » disse, e Harry fu contento di sentire che nella sua voce c'era una nota di panico.

« Ci andrai, eccome, se vuoi restare a Hogwarts! » ribatté Hagrid in tono feroce. « Avete combinato un guaio e adesso dovete pagare ».

« Ma questa è roba da servi, mica da studenti. Io pensavo che ci avrebbero dato degli esercizi o roba del genere... Se lo sapesse mio padre, quel che mi state facendo, lui... »

« ...ti direbbe che a Hogwarts si è sempre fatto così » lo rimbeccò Hagrid. « Figuriamoci: esercizi! E a che cosa servirebbero? No: farete qualcosa di utile, oppure vi sbatteranno fuori. Se credi che tuo padre preferisce vederti espulso, tornatene al castello e fa' le valigie. Avanti, adesso! »

Malfoy non si mosse. Guardò Hagrid con aria infuriata, ma poi abbassò gli occhi.

« Allora » disse Hagrid, « adesso statemi a sentire bene, perché quel che faremo stanotte è molto pericoloso e non voglio che correte rischi. Venite un momento con me».

Li condusse fino al margine della Foresta. Tenendo alto il lume, additò uno stretto sentiero tortuoso, che scompariva tra il fitto degli alberi, immerso nell'oscurità. Una brezza leggera scompigliò loro i capelli, mentre si sporgevano a sbirciare tra la folta vegetazione.

«Guardate lì» fece Hagrid, «vedete quella roba che luccica per terra? Quella roba argentata? È sangue di unicorno. Là dentro c'è un unicorno che è stato ferito da qualcuno. È la seconda volta che succede, questa settimana. Mercoledì scorso ne ho trovato uno morto. Noi cercheremo di andare a salvarlo, povera bestia. Ma forse dovremo abbatterlo, per non farlo più soffrire».

«E se ci trova prima quello che ha ferito l'unicorno?» fece Malfoy, incapace di non lasciar trasparire la paura dalla sua voce.

«Niente che vive nella Foresta può farvi del male, se siete con me o con Zanna» rispose Hagrid. «E poi, non lasciate mai il sentiero. Bene: adesso ci divideremo in due gruppi e seguiremo le tracce in direzioni diverse. C'è sangue dappertutto: l'unicorno si starà trascinando in giro almeno dalla notte scorsa».

«Io voglio Zanna» disse rapidamente Malfoy, adocchiando i lunghi denti del cane.

«D'accordo, ma ti avverto che è un gran codardo» disse Hagrid. «Allora io, Harry e Hermione andremo da una parte, e Draco, Neville e Zanna dall'altra. Se uno dei due gruppi trova l'unicorno, sprizza subito delle scintille verdi. Va bene? Adesso tirate fuori le bacchette ed esercitatevi... bene così... e se qualcuno si trova in difficoltà, manda scintille rosse, e tutti verremo ad aiutarlo. Allora, siate prudenti. Andiamo».

La Foresta era nera e silenziosa. Dopo aver fatto un po' di strada giunsero a un bivio nel sentiero di terra battuta: Harry, Hermione e Hagrid presero a sinistra, mentre Malfoy, Neville e Zanna andarono a destra.

Avanzavano in silenzio, occhi a terra. Di tanto in tanto un

raggio di luna, filtrando attraverso i rami alti degli alberi, illuminava una macchia di sangue blu-argenteo sulle foglie secche.

Harry si accorse che Hagrid aveva un'aria molto preoccupata.

« Può essere stato un lupo mannaro a uccidere gli unicorni? » gli chiese.

« Macché, i lupi mannari non sono così veloci » rispose Hagrid. « Acchiappare un unicorno non è mica facile. Sono creature con grandi poteri magici. Prima d'ora non avevo mai sentito di un unicorno rimasto ferito ».

Passarono accanto a un tronco d'albero ricoperto di muschio. Harry udì uno scrosciare d'acqua: là vicino doveva esserci un torrente. Continuarono a trovare macchie sparse di sangue di unicorno lungo tutto il sentiero tortuoso.

« Tutto bene, Hermione? » sussurrò a un certo punto Hagrid. « Non ti preoccupare, se sta davvero male non può essere andato lontano e noi riusciremo a... PRESTO, NASCONDETEVI DIETRO QUELL'ALBERO! »

Hagrid afferrò Harry e Hermione e li trascinò via dal sentiero, perché si riparassero dietro un'altissima quercia. Poi estrasse una freccia dalla faretra, la infilò nella balestra e sollevò l'arma, pronto a colpire. Rimasero tutti e tre in ascolto. Là vicino c'era qualcosa che strisciava sulle foglie secche: dal suono sembrava il fruscio di un mantello. Hagrid cercò di aguzzare lo sguardo per vedere più in là, lungo il sentiero buio, ma dopo qualche secondo il rumore svanì.

« Lo sapevo » mormorò. « Qua in giro c'è qualcosa che non ci doveva essere ».

« Un lupo mannaro? » suggerì Harry.

« Macché, quello non era un lupo mannaro, e non era neanche un unicorno » rispose Hagrid cupamente. « Va bene, seguitemi, ma state attenti ».

Ripresero ad avanzare ma più lentamente, tendendo l'orecchio al minimo rumore. All'improvviso, in una radura poco più avanti, qualcosa senza dubbio si mosse.

« Chi è là? » gridò Hagrid. « Fatti vedere... sono armato! »

Qualcuno avanzò nella radura... ma era un uomo o un cavallo? Fino alla cintola era un uomo, con barba e capelli rossi, ma dalla vita in giù aveva un corpo di cavallo di un bel castano, con una lunga coda rossastra. Harry e Hermione restarono a bocca aperta.

« Ah, sei tu, Ronan » disse Hagrid in tono sollevato. « Come va? »

Fece un passo avanti e strinse la mano al centauro.

« Buona sera a te, Hagrid » disse Ronan. Aveva una voce profonda e malinconica. « Non è che volevi colpirmi? »

« Non si è mai troppo attenti, Ronan » rispose Hagrid dando un colpetto alla sua balestra. « C'è qualcosa di malvagio che scorrazza per la Foresta. Ah, comunque, ti presento Harry Potter e Hermione Granger. Studiano su alla scuola. E questo è Ronan, ragazzi. È un centauro ».

« L'avevamo notato » disse Hermione con un filo di voce.

« Buona sera » fece Ronan. « Allora, voi due siete studenti? E dite un po': in quella scuola imparate molto? »

« Ehm... »

« Un po' » disse Hermione timidamente.

« Un po'. Be', è già qualcosa » sospirò Ronan. Poi rovesciò il capo all'indietro e guardò il cielo. « Marte è molto luminoso stasera ».

« Già » fece Hagrid guardando anche lui in alto. « Senti un po', Ronan, sono proprio contento che ti abbiamo incontrato, perché c'è in giro un unicorno ferito. Tu hai visto niente? »

Ronan non rispose subito. Continuò a fissare il cielo, poi tornò a sospirare.

« Le prime vittime sono sempre gli innocenti » disse. « Così fu nei secoli dei secoli, così è adesso ».

« Già » fece Hagrid, « ma tu hai visto niente, Ronan? Niente di strano? »

« Marte è molto luminoso stasera » ripeté Ronan mentre Hagrid gli lanciava un'occhiata impaziente. « Non capita spesso ».

« Va bene, ma io volevo dire niente di strano un po' più terra terra » riprese Hagrid. « Insomma, non hai notato niente? »

Ancora una volta, Ronan ci mise un po' prima di rispondere. Alla fine disse: « La Foresta nasconde molti segreti ».

Dietro Ronan, fra gli alberi, si udì un fruscio che indusse Hagrid ad alzare di nuovo la balestra; ma era soltanto un altro centauro, stavolta con i capelli e il corpo nero, e con un aspetto più selvaggio di Ronan.

« Ehilà, Bane » disse Hagrid. « Come ti va? »

« Buona sera, Hagrid, spero tu stia bene ».

« Non c'è malaccio. Senti un po', ho appena fatto la stessa domanda a Ronan: hai mica visto qualcosa di strano da queste parti, ultimamente? Pare che in giro c'è un unicorno ferito: tu ne sai niente? »

Bane si avvicinò a Ronan. Poi volse lo sguardo verso il cielo.

« Marte è molto luminoso stasera » disse semplicemente.

« Sì, me l'hanno detto » rispose Hagrid seccato. « Be', se uno di voi due vede qualcosa, me lo fa sapere, d'accordo? Noi ora andiamo ».

E così dicendo uscì dalla radura, seguito da Harry e Hermione che si voltarono per guardare Ronan e Bane fino a quando la visuale fu ostruita dagli alberi.

« È davvero impossibile » stava dicendo Hagrid in tono irritato, « avere una risposta chiara da un centauro. Sono sempre lì che guardano le stelle. Di quel che succede quaggiù, non gliene importa un fico secco ».

« Ma qui nella Foresta, ce ne sono *molti*? » chiese Hermione.

« Oh, be', parecchi... Per lo più se ne stanno per i fatti loro, ma per fortuna si fanno vivi quando ho voglia di scambiare una parola con qualcuno. Badate bene, i centauri sono profondi... sanno un sacco di cose. Solo che non sono tanto chiacchieroni ».

« E quello che abbiamo sentito prima, credi che fosse un centauro? » chiese Harry.

« A te è sembrato rumore di zoccoli? Macché. Secondo me

era quello che va in giro ad ammazzare unicorni... Non ho mai sentito niente del genere prima d'ora ».

Avanzarono nella vegetazione fitta e buia. Harry, nervoso, non la smetteva di guardarsi indietro. Aveva la sgradevole sensazione che qualcuno li stesse osservando. Era contento che con loro ci fosse Hagrid con la sua balestra. Avevano appena oltrepassato una curva del sentiero, quando Hermione afferrò il braccio di Hagrid.

« Hagrid, guarda! Scintille rosse! Gli altri sono in difficoltà! »

« Voi due aspettatemi qui! » gridò Hagrid. « Non vi allontanate dal sentiero, torno subito a prendervi! »

I due ragazzi lo sentirono correre via, facendo scricchiolare il sottobosco al suo passaggio, e rimasero a guardarsi terrorizzati fino a quando non udirono più niente attorno a loro, salvo il frusciare delle foglie.

« Non pensi che gli sia successo qualcosa, vero? » sussurrò Hermione.

« Se si tratta di Malfoy non me ne importa proprio niente, ma se capita qualcosa di brutto a Neville... In fin dei conti, se lui è finito qui, la colpa è nostra ».

I minuti passavano con lentezza esasperante. Sembrava che il loro udito si fosse fatto più acuto del solito: le orecchie di Harry coglievano ogni sospiro del vento, ogni scricchiolio di rametti. Che cosa stava succedendo? E dov'erano gli altri?

Alla fine un gran rumore di rami spezzati annunciò il ritorno di Hagrid, seguito da Malfoy, Neville e Zanna. Hagrid era furioso. A quanto pareva, Malfoy, per fare uno scherzo, si era avvicinato a Neville da dietro e l'aveva afferrato. Dalla paura, Neville era andato nel panico e aveva fatto scoccare le scintille.

« Ormai, dopo tutto il baccano che avete fatto voi due, saremo fortunati se riusciremo a trovare qualcosa. D'accordo, adesso cambiamo i gruppi. Neville, tu stai con me e con Hermione, e tu Harry, vai con Zanna e con questo cretino. Scusami » aggiunse poi bisbigliando rivolto a Harry, « ma spaventare te è un po' più difficile, e noi questa missione la dobbiamo concludere ».

E così, Harry si incamminò verso il folto della Foresta Proibita insieme a Malfoy e a Zanna. Camminarono per quasi mezz'ora, addentrandosi sempre di più, fino a quando seguire il sentiero divenne quasi impossibile, tanto erano fitti gli alberi. A Harry sembrò che le macchie di sangue si facessero più frequenti. C'erano schizzi sulle radici di un albero, come se quella povera creatura ferita si fosse dimenata in agonia proprio lì intorno. Davanti a sé, attraverso i rami intricati di una vecchia quercia, Harry scorse di nuovo una radura.

« Guarda... » mormorò tendendo il braccio per fermare Malfoy.

Qualcosa di bianchissimo scintillava per terra. Si avvicinarono con circospezione.

Era proprio l'unicorno, ed era morto. Harry non aveva mai visto nulla di così bello e così triste. Cadendo, le lunghe zampe affusolate si erano divaricate formando angoli strani, e la criniera bianco perla era sparsa sulle foglie scure.

Harry aveva già fatto un passo verso l'unicorno, quando un fruscio lo gelò sul posto. Ai margini della radura, un cespuglio vibrò... Poi, dall'ombra, uscì una figura incappucciata che avanzò strisciando come un animale famelico. Harry, Malfoy e Zanna rimasero impietriti. La figura incappucciata si avvicinò all'unicorno, chinò il capo sulla ferita che si apriva sul fianco dell'animale e si mise a berne il sangue.

« AAAAAARGH! »

Malfoy si lasciò sfuggire un grido agghiacciante e schizzò via, e con lui Zanna. La figura col mantello alzò il capo e puntò lo sguardo su Harry, con il sangue dell'unicorno che gli colava sul petto. Poi si alzò in piedi e gli si avvicinò rapidamente. Harry non riusciva a muoversi per il terrore.

In quell'istante una fitta di dolore come non ne aveva mai provate gli trapassò la testa. Era come se la sua cicatrice avesse preso fuoco. Mezzo accecato, arretrò barcollando. Dietro di sé udì un rumore di zoccoli al galoppo, poi qualcosa lo superò d'un balzo, piombando addosso alla figura incappucciata.

Il dolore alla testa era talmente forte che Harry cadde in ginocchio. Ci vollero un paio di minuti prima che passasse. Quando il ragazzo levò lo sguardo, la figura era scomparsa. Davanti a lui c'era un centauro, ma non Ronan, né Bane; dall'aspetto era più giovane, aveva chiome di un biondo chiarissimo e il manto dorato.

« Tutto bene? » disse il centauro aiutando Harry a rimettersi in piedi.

« S-sì, grazie... ma che cos'era *quello*? »

Il centauro non rispose. Aveva occhi di un azzurro stupefacente, come pallidi zaffiri. Guardò Harry con attenzione, soffermandosi a osservare la cicatrice che gli spiccava livida sulla fronte.

« Ma tu sei il giovane Potter! » esclamò. « Faresti bene a tornare da Hagrid. A quest'ora la Foresta è un posto pericoloso, specie per te. Sai cavalcare? Così faremo prima.

« Mi chiamo Firenze » aggiunse poi mentre si chinava sulle zampe anteriori perché Harry potesse salirgli in groppa.

Improvvisamente, si udì di nuovo un rumore di zoccoli al galoppo, che proveniva dall'estremità opposta della radura. Dal folto degli alberi uscirono di gran carriera Ronan e Bane, ansimanti e con i fianchi coperti di sudore.

« Firenze! » tuonò Bane. « Che cosa stai facendo? Hai in groppa un essere umano! Ma non ti vergogni? Sei forse un mulo qualunque? »

« Ma tu sai chi è lui? » disse Firenze. « È il giovane Potter. Prima se ne va da questa Foresta e meglio è ».

« Che cosa gli hai detto? » chiese Bane a denti stretti. « Ricordatelo, Firenze, noi abbiamo giurato di non ostacolare i cieli. Non abbiamo forse letto quel che accadrà nel movimento dei pianeti? »

Ronan scalpitava nervosamente.

« Sono certo che Firenze era convinto di agire per il meglio » disse con quella sua voce triste.

Bane, adirato, scalciò con le zampe posteriori.

« Per il meglio! E questo che cosa ha a che fare con noi? I

centauri si occupano di quello che è stato predetto! Non è compito nostro correre qua e là come asini, inseguendo esseri umani che si sono smarriti nella nostra Foresta! »

All'improvviso Firenze si impennò sulle zampe posteriori per l'ira, e Harry dovette aggrapparsi alle sue spalle per non essere disarcionato.

« Ma non vedi quell'unicorno? » esclamò Firenze rivolto a Bane. « Non capisci perché è stato ucciso? O forse i pianeti non ti hanno rivelato quel segreto? Io mi schiero contro ciò che si aggira per questa Foresta, Bane, proprio così, e al fianco degli esseri umani, se è necessario ».

Firenze si voltò di scatto e, mentre Harry si reggeva come meglio poteva per non cadere, partì al galoppo tuffandosi nella Foresta e lasciandosi alle spalle Ronan e Bane.

Harry non aveva la minima idea di quel che stava succedendo.

« Perché Bane è tanto arrabbiato? » chiese. « E poi, da che cos'è che mi hai salvato? »

Firenze rallentò l'andatura e proseguì al passo, consigliò a Harry di tenere giù la testa per schivare gli eventuali rami bassi, ma non rispose alla sua domanda. Avanzarono in silenzio attraverso gli alberi per tanto tempo che Harry pensò che Firenze non volesse più parlargli. Ma mentre attraversavano un punto dove il bosco era particolarmente fitto, il centauro si fermò di colpo.

« Harry Potter, tu sai che cosa si fa con il sangue di unicorno? »

« No » rispose Harry, stupito da quella strana domanda. « A Pozioni abbiamo usato soltanto il corno e i crini della coda ».

« Questo perché uccidere un unicorno è una cosa mostruosa » ribatté Firenze. « Soltanto uno che non ha niente da perdere e tutto da guadagnare commetterebbe un delitto del genere. Il sangue dell'unicorno ti mantiene in vita anche se sei a un passo dalla morte; ma il prezzo da pagare è tremendo. Poiché hai ucciso una cosa pura e indifesa per salvarti, dall'istante che il sangue tocca le tue labbra non vivrai che una vita a metà, una vita maledetta ».

Harry fissava la nuca di Firenze, che la luce lunare chiazzava d'argento.

« Ma chi potrebbe essere così disperato? » si domandò ad alta voce. « Meglio morire che essere maledetti per l'eternità, no? »

« È vero » concordò Firenze, « a meno che non ti basti restare vivo per il tempo necessario a bere qualcos'altro... qualcosa che ti restituisca tutta la tua forza e il tuo potere, qualcosa che fa sì che tu non possa mai morire. Signor Potter, tu lo sai che cosa è nascosto nella scuola, in questo preciso momento? »

« La Pietra Filosofale! Ma certo... l'Elisir di Lunga Vita! Però non capisco chi... »

« Non ti viene in mente nessuno che abbia atteso molti anni per tornare al potere, che si sia aggrappato alla vita aspettando la sua grande occasione? »

Fu come se una mano dalla stretta di ferro si fosse improvvisamente serrata attorno al cuore di Harry. Oltre il fruscio delle fronde, gli sembrava di udire di nuovo quel che gli aveva detto Hagrid la sera che si erano conosciuti: 'Alcuni dicono che è morto. Balle, secondo me. Non so se dentro aveva ancora qualcosa di abbastanza umano che poteva morire'.

« Vuoi dire » fece Harry con voce strozzata, « che quello era *Vol*... »

« Harry! Harry, stai bene? »

Hermione correva verso di loro lungo il sentiero, seguita da Hagrid tutto ansimante.

« Sto benissimo » rispose Harry sapendo a malapena quel che stava dicendo. « L'unicorno è morto, Hagrid. È nella radura lì dietro ».

« A questo punto, io ti lascio » mormorò Firenze, mentre Hagrid si affrettava nella direzione indicata per esaminare l'unicorno. « Adesso sei al sicuro ».

Harry scivolò giù dalla sua groppa.

« Buona fortuna, Harry Potter » disse Firenze. « È già successo che i pianeti venissero interpretati in modo errato, anche dai centauri. Spero che questa sia una di quelle volte ».

Così dicendo, si voltò e galoppando piano si addentrò nel folto della Foresta, lasciandosi alle spalle Harry scosso dai brividi.

Mentre aspettava il loro ritorno, Ron si era addormentato nella sala comune immersa nell'oscurità. Quando Harry lo svegliò bruscamente, scuotendolo, gridò alcune parole sconnesse a proposito di un fallo a Quidditch. Nel giro di pochi secondi, comunque, era perfettamente sveglio e ascoltava Harry spiegare a lui e a Hermione che cosa era successo nella foresta.

Harry non riusciva a sedersi. Andava su e giù a grandi passi davanti al fuoco. Tremava ancora.

« Piton vuole rubare la Pietra per conto di Voldemort... e Voldemort aspetta nella Foresta... e pensare che per tutto questo tempo abbiamo creduto che Piton volesse soltanto arricchirsi... »

« Piantala di pronunciare quel nome! » sussurrò Ron terrorizzato, come se credesse che Voldemort potesse udirli.

Ma Harry non lo ascoltava.

« Firenze mi ha salvato, ma non avrebbe dovuto farlo... Bane era arrabbiatissimo... parlava di interferenze con quello che i pianeti hanno predetto... Probabilmente, secondo i pianeti Voldemort sta per tornare... Secondo Bane, Firenze avrebbe dovuto lasciare che Voldemort mi uccidesse... Credo proprio che anche questo sia scritto nelle stelle ».

« *La pianti di pronunciare quel nome?* » sibilò Ron.

« Quindi, adesso non mi resta che aspettare che Piton rubi la Pietra » proseguì Harry febbrilmente, « e a quel punto Voldemort potrà venire a farmi fuori... Be', immagino che Bane sarà soddisfatto ».

Hermione aveva un'aria molto spaventata, ma gli offrì una parola di conforto.

« Harry, tutti dicono che Silente è l'unica persona di cui Tu-Sai-Chi abbia mai avuto paura. Se c'è in giro Silente, Tu-Sai-Chi non ti torcerà un capello. E comunque, chi ha detto che i centauri hanno ragione? A me sembra roba da indovini, e anche la professoressa McGonagall ha detto che quella è una branca della magia molto imprecisa».

Prima che avessero finito di parlare, il cielo si era rischiarato. Andarono a letto esausti, con la gola che doleva. Ma le sorprese di quella nottata non erano finite.

Quando Harry scostò le lenzuola, vi trovò sotto, piegato con cura, il Mantello dell'Invisibilità. A esso era attaccato un biglietto che diceva: *In caso ti serva.*

CAPITOLO 16

ATTRAVERSO
LA BOTOLA

Negli anni seguenti, Harry non ricordò mai esattamente come avesse fatto a superare gli esami vivendo nella quasi certezza che da un momento all'altro Voldemort potesse piombargli fra capo e collo. E invece i giorni passarono lenti e non vi era il minimo dubbio che Fuffi fosse ancora vivo e vegeto dietro quella porta sprangata.

Faceva un caldo micidiale, specie nella grande aula dove si svolgevano gli scritti. Per l'esame avevano ricevuto penne d'oca speciali, nuove di zecca, che erano state stregate con un Incantesimo Antimbroglio per impedire loro di copiare.

Gli esami comprendevano anche esercitazioni pratiche. Il professor Flitwick li aveva chiamati a uno a uno nella sua aula per vedere se erano capaci di far danzare un ananas a passo di tip tap da un lato all'altro del banco. La professoressa McGonagall li stette a guardare mentre trasformavano un topolino in una tabacchiera: se la tabacchiera era carina si guadagnavano punti, se aveva i baffi se ne perdevano. Piton li rese tutti nervosi restandogli col fiato sul collo mentre cercavano di ricordare come si fabbricava la Pozione Obliviosa.

Harry fece del suo meglio, sforzandosi di ignorare le penetranti fitte alla fronte che lo tormentavano fin da quella sua uscita nella Foresta. Dato che Harry non riusciva a dormire, Neville era convinto che soffrisse di un grave esaurimento da esami. Ma la verità era che veniva puntualmente svegliato dal solito incubo, solo che adesso era peggio che mai: sognava una figura incappucciata che gocciolava sangue.

Forse perché non avevano visto quel che aveva visto Harry nella Foresta, o perché non avevano cicatrici incandescenti in fronte, Ron e Hermione non sembravano altrettanto ossessionati dalla Pietra Filosofale. Naturalmente, il pensiero di Voldemort li atterriva, ma almeno non turbava i loro sonni, ed erano talmente impegnati a ripassare che non avevano il tempo di scervellarsi a pensare che cosa potesse combinare Piton o chiunque altro.

L'ultimo esame fu quello di Storia della Magia. Dopo aver passato un'ora a rispondere a domande su qualche vecchio mago svitato, inventore del calderone autorimestante, sarebbero stati liberi, liberi per una settimana intera, prima che uscissero i risultati. Quando il fantasma del professor Binns ordinò loro di riporre le penne e di arrotolare le pergamene, Harry non poté fare a meno di rallegrarsi.

« È stato molto più facile di quanto credessi » gli disse Hermione mentre si univano alla folla dei compagni che sciamavano fuori, nel parco assolato. « Era perfettamente inutile imparare a memoria il Codice di Comportamento dei Lupi Mannari del 1637 e studiare la rivolta di Elfric l'Avido ».

Hermione si divertiva sempre a rivedere gli esercizi dopo l'esame, ma Ron le disse che gli faceva venire mal di stomaco e così si diressero verso il lago e si stesero comodamente sotto un albero. I gemelli Weasley e Lee Jordan stavano facendo il solletico ai tentacoli di un calamaro gigante che si crogiolava nell'acqua tiepida e poco profonda.

« Niente più ripassi! » disse Ron con un sospiro di sollievo, stiracchiandosi sull'erba. « Potresti anche smetterla di fare quel muso, Harry! Abbiamo davanti una settimana intera, prima di scoprire quanto siamo andati male. Inutile preoccuparsi adesso! »

Harry si stava strofinando la fronte.

« Vorrei sapere che cosa significa! » disse con uno scatto di rabbia. «Questa cicatrice non la pianta di farmi male... mi è già capitato, ma mai tanto spesso».

«Va' da Madame Pomfrey» suggerì Hermione.

«Non sono mica malato» rispose Harry. «Credo che sia un avvertimento... significa pericolo incombente».

Ron aveva troppo caldo per agitarsi.

«Rilassati, Harry: Hermione ha ragione, la Pietra è al sicuro fino a che c'è in giro Silente. In ogni caso, non abbiamo mai avuto alcuna prova che Piton abbia scoperto come eludere la sorveglianza di Fuffi. Una volta si è quasi fatto staccare una gamba: vedrai che aspetterà prima di riprovarci. E prima che Hagrid volti le spalle a Silente, Neville sarà entrato nella nazionale di Quidditch».

Harry annuì, ma non riusciva a liberarsi dalla fastidiosa sensazione di aver dimenticato di fare qualcosa: qualcosa di importante. Quando tentò di spiegarsi, Hermione commentò: «Sono gli esami. L'altra notte mi sono svegliata e ho ripassato metà dei miei appunti di Trasfigurazione prima di ricordarmi che l'avevamo già fatto».

Eppure, Harry era convinto che quella fastidiosa sensazione non avesse nulla a che fare con lo studio. Guardò un gufo svolazzare nel luminoso cielo azzurro, diretto alla scuola, con un messaggio stretto nel becco.

Hagrid era l'unico che gli avesse mai scritto. Hagrid non avrebbe mai tradito Silente. Hagrid non avrebbe mai detto a nessuno come fare per evitare Fuffi, mai... Eppure...

Di colpo, Harry balzò in piedi.

«Ma dove vai?» chiese Ron in tono sonnacchioso.

«Mi è appena venuta in mente una cosa» rispose Harry. Era impallidito. «Dobbiamo andare da Hagrid immediatamente».

«E perché?» disse Hermione tutta ansimante mentre tentava di stare al passo con loro.

«A voi non sembra un po' strano» proseguì Harry mentre risalivano il declivio erboso, «che la cosa che Hagrid più desidera al mondo sia un drago, e che si presenti uno sconosciuto

258

che per caso si ritrova un uovo di drago in tasca? Quanta gente c'è che va in giro con in tasca uova di drago, visto che è vietato dalla legge dei maghi? Quel tizio è stato fortunato a incontrare Hagrid, non vi pare? Oh, ma perché non ci ho pensato prima? »

« Cosa ti frulla per la testa? » chiese Ron. Ma Harry, attraversando speditamente il parco diretto verso la Foresta, non rispose.

Hagrid era seduto in poltrona davanti alla porta di casa; aveva le maniche e le gambe dei pantaloni arrotolate e stava sgusciando piselli in una grossa ciotola.

« Salve! » disse sorridendo. « Finiti gli esami? Avete tempo di fermarvi a bere qualcosa? »

« Sì, grazie » disse Ron, ma Harry lo bloccò.

« No, abbiamo fretta. Hagrid, devo chiederti una cosa. Sai quella notte che hai vinto Norberto? Che aspetto aveva lo sconosciuto con cui hai giocato a carte? »

« Boh » rispose Hagrid, vago, « non si è mai tolto il mantello ».

Quando si accorse che tutti e tre lo fissavano allibiti, alzò un sopracciglio.

« Non è mica una cosa tanto strana, di gente bizzarra ce n'è parecchia alla Testa di Porco – è uno dei pub giù al villaggio. Poteva essere un trafficante di draghi, no? Comunque, in faccia non l'ho mai visto, si è sempre tenuto il cappuccio ».

Harry si afflosciò a terra, vicino alla ciotola di piselli.

« E di che cosa avete parlato, Hagrid? Gli hai mai accennato a Hogwarts? »

« Può darsi » rispose Hagrid aggrottando le sopracciglia nello sforzo di ricordare. « Sì... Mi ha chiesto che mestiere facevo e io gli ho detto che facevo il guardacaccia qui... Allora ha chiesto di che genere di creature mi occupavo. Io gliel'ho detto... e ho anche detto che avevo sempre desiderato avere un drago... Poi... non ricordo tanto bene, perché quello non faceva che offrirmi da bere. Vediamo... sì, allora ha detto che lui aveva un uovo di drago e se lo volevo potevamo giocarcelo a carte... Però dovevo promettere che glielo tenevo bene: non voleva che finiva al chiuso in qualche casa... Allora io gli ho detto che, dopo Fuffi, tenere un drago era la cosa più facile del mondo... »

« E lui... ha mostrato qualche interesse per Fuffi? » chiese Harry cercando di mantenere calmo il tono della voce.

« Be', sì... Insomma, anche dalle parti di Hogwarts, non è che capita spesso di incontrare cani a tre teste, no? Allora gli ho detto che Fuffi è buono come il pane, se uno sa calmarlo. Basta un po' di musica e lui si addormenta come un angioletto... »

Di colpo, un'espressione inorridita si dipinse sul volto di Hagrid.

« Accidenti, non ve lo dovevo dire! » farfugliò. « Dimenticate tutto! Ehi... ma dove andate? »

Harry, Ron e Hermione non scambiarono neanche una parola finché non si fermarono nella Sala d'Ingresso, che dopo il parco assolato parve loro molto fredda e cupa.

« Dobbiamo andare da Silente » disse Harry. « Hagrid ha raccontato a quello sconosciuto come si fa a eludere la sorveglianza di Fuffi e sotto quel mantello c'erano o Piton o Voldemort... Dev'essere stato facile, dopo aver fatto sbronzare Hagrid. Spero solo che Silente creda a quello che gli diremo. Firenze potrebbe darci manforte, sempre che Bane non glielo impedisca. Dov'è lo studio di Silente? »

Si guardarono attorno come se sperassero di scorgere un cartello che indicasse la direzione giusta. Nessuno gli aveva mai detto dove fosse lo studio di Silente, né conoscevano nessuno che fosse stato spedito a colloquio da lui.

« Basterà che... » cominciò Harry, ma all'improvviso una voce risuonò nel salone.

« Che cosa ci fate voi tre al chiuso? »

Era la professoressa McGonagall, che portava una grossa pila di libri.

« Vogliamo vedere il professor Silente » disse Hermione con un coraggio che Harry e Ron giudicarono notevole.

« Vedere il professor Silente? » ripeté la McGonagall come se quella richiesta le apparisse molto sospetta. « E perché? »

Harry deglutì. E adesso?

« Be', sarebbe un segreto... » rispose, ma subito rimpianse di averlo detto, perché le narici dell'insegnante cominciarono a fremere.

« Il professor Silente è uscito dieci minuti fa » disse poi in tono gelido. « Ha ricevuto un gufo urgente dal Ministero della Magia ed è subito partito in volo per Londra ».

« Se n'è andato? » fece Harry in tono affranto. « Proprio *adesso*? »

« Potter, il professor Silente è un grandissimo mago, la sua presenza è richiesta da molte parti... »

« Ma questo è importante! »

« Quel che voi avete da dirgli sarebbe più importante del Ministero della Magia, Potter? »

« Senta, professoressa » fece Harry gettando all'aria ogni prudenza, « si tratta della Pietra Filosofale... »

La McGonagall poteva aspettarsi di tutto, tranne quello. I libri le caddero di mano e lei non si diede neanche la pena di raccoglierli.

« E voi come lo sapete? » farfugliò.

« Professoressa: io penso, anzi, so di certo, che Pit... che qualcuno ha intenzione di provare a rubare la Pietra. Devo parlare con il professor Silente ».

La professoressa gli scoccò un'occhiata sconvolta e sospettosa insieme.

« Il professor Silente sarà di ritorno domani » disse infine. « Non so proprio come abbiate fatto a scoprire la storia della Pietra, ma state pur certi che nessuno può rubarla, è troppo ben protetta ».

« Ma professoressa... »

« So quel che dico, Potter » tagliò corto la McGonagall. Poi si chinò a raccogliere i libri che le erano caduti. « E adesso, vi consiglio di tornarvene tutti fuori a godervi questo bel sole ».

Ma loro non seguirono il suo consiglio.

« È per stanotte » disse Harry quando si fu accertato che la professoressa McGonagall non fosse più a tiro di voce. « Stanotte Piton ha intenzione di passare attraverso la botola. Ha trovato tutto quello che gli occorre e per di più adesso Silente è fuori circolazione. È stato lui a mandare quel gufo: ci scommetto che al Ministero della Magia resteranno a bocca aperta quando vedranno arrivare Silente ».

« Ma noi, che cosa possiamo... »

A Hermione le parole si gelarono in gola. Harry e Ron si voltarono di scatto.

Davanti a loro c'era Piton.

« Buon pomeriggio » disse in tono calmo.

I tre ragazzi lo fissarono.

« Non bisognerebbe stare al chiuso, in una giornata come questa » proseguì lui con uno strano sorriso forzato.

« Stavamo... » cominciò Harry, senza avere la minima idea di come continuare.

« Dovete fare più attenzione » fece Piton, « se ve ne state così con le mani in mano si potrebbe pensare che stiate tramando qualcosa. E Grifondoro non può permettersi di perdere altri punti, dico bene? »

Harry arrossì. Si voltarono per tornare fuori, ma Piton li richiamò.

« Sei avvisato, Potter: fatti pescare un'altra volta ad andare in giro di notte e mi occuperò personalmente di farti espellere. Buona giornata ».

E si allontanò, diretto verso la sala professori.

Fuori, sui gradini di pietra, Harry si rivolse ai suoi compagni.

« Allora, ecco che cosa dobbiamo fare » bisbigliò affannosamente. « Uno di noi terrà d'occhio Piton: aspetterà fuori dalla sala professori e se esce lo seguirà. Sarà bene che lo faccia tu, Hermione ».

« E perché proprio io? »

« Ma è evidente » interloquì Ron. « Puoi far finta di aspettare il professor Flitwick, no? » E proseguì con una vocetta stridula: « 'Oh, professore, sono tanto preoccupata, ho paura di aver dato la risposta sbagliata alla domanda 14b...' »

« E piantala! » lo rimbeccò Hermione, ma poi accettò di andare a sorvegliare le mosse di Piton.

« Noi invece ci apposteremo fuori dal corridoio del terzo piano » concluse Harry rivolto a Ron. « Dai, vieni ».

Ma quella parte del piano non funzionò. Non appena ebbero raggiunto la porta che separava Fuffi dal resto della scuola, ricomparve la professoressa McGonagall e stavolta perse proprio le staffe.

« Allora voi vi credete più furbi di una sfilza di incantesimi! » li aggredì. « Ne ho abbastanza di questa storia! Se vengo a sapere che vi siete avvicinati un'altra volta a questa porta, tolgo altri cinquanta punti a Grifondoro! Sì, Weasley, hai capito bene: lo farò anche se è la mia Casa! »

Harry e Ron se ne tornarono nella sala comune. Harry non fece in tempo a dire « Per lo meno, Hermione sta alle costole di Piton » che il ritratto della Signora Grassa si spostò ed entrò Hermione.

« Mi dispiace, Harry! » gemette. « Piton è venuto fuori e mi ha chiesto che cosa stavo facendo, allora gli ho detto che aspettavo Flitwick e lui è tornato dentro per cercarlo. Così sono venuta via e lui non so dove sia finito ».

« Be', allora ci siamo, no? » disse Harry.

Gli altri due lo guardarono attoniti. Era pallido e gli brillavano gli occhi.

« Io stasera vado e cerco di arrivare alla Pietra prima di lui ».

« Tu sei matto! » esclamò Ron.

« Non puoi farlo! » disse Hermione. « Dopo quel che hanno detto Piton e la McGonagall? Sarai espulso! »

« E CHI SE NE IMPORTA! » gridò Harry. « Ma non capite? Se Piton mette le mani sulla Pietra, Voldemort tornerà! Non avete sentito che cosa è successo quando ha tentato di conquistare il potere? Non ci sarà più una Hogwarts da cui essere espulsi! La raderà al suolo, o la trasformerà in una scuola di Arti Oscure! Ormai, perdere punti non ha più importanza, non lo capite? O credete forse che, se Grifondoro vince la Coppa delle Case, lui lascerà in pace noi e le nostre famiglie? Se mi pescano prima che io riesca a prendere la Pietra, be', dovrò tornarmene dai Dursley e aspettare che Voldemort mi venga a cercare. Come dire che morirò un po' prima del previsto, visto che io non passerò mai al Lato Oscuro! Stanotte attraverserò quella botola e nulla di quel che direte potrà fermarmi! Ve lo ricordate o no che Voldemort ha ucciso i miei genitori? »

E li guardò con occhi fiammeggianti.

« Hai ragione, Harry » disse Hermione con un filo di voce.

« Userò il Mantello dell'Invisibilità » concluse Harry. « È una bella fortuna averlo di nuovo ».

« Ma basterà a coprirci tutti e tre? » chiese Ron.

« Come, tutti e tre? »

« Oh, falla finita, mica penserai che ti lasciamo andare da solo? »

« Levatelo dalla testa » disse Hermione in tono spiccio. « Come pensi che faresti ad arrivare alla Pietra senza di noi? Sarà meglio che vada a sfogliare i miei libri, potrei trovare qualcosa di utile... »

« Ma se ci beccano, sarete espulsi anche voi ».

« Forse io posso evitarlo » ribatté la ragazza in tono cupo. « Flitwick mi ha detto in gran segreto che al suo esame ho preso centododici su cento. Con un voto del genere, non mi butteranno fuori ».

Dopo cena i tre, nervosissimi, si sedettero in disparte nella sala comune. Nessuno venne a seccarli; nessuno dei loro compagni aveva più niente da dire a Harry. Era la prima sera che la cosa lo lasciava indifferente. Hermione sfogliava i suoi appunti nella speranza di ritrovare qualcuno degli incantesimi che quella notte avrebbero dovuto spezzare. Harry e Ron quasi non aprirono bocca. Entrambi pensavano a quello che stavano per fare.

Lentamente, via via che i compagni se ne andavano a letto, la sala si vuotò.

«Meglio prendere il Mantello» borbottò Ron quando Lee Jordan si decise finalmente ad andarsene, stiracchiandosi e sbadigliando. Harry corse di sopra, nel loro dormitorio già buio. Tirò fuori il Mantello e poi lo sguardo gli cadde sul flauto che Hagrid gli aveva regalato per Natale. Se lo mise in tasca per usarlo con Fuffi: di cantare, non se la sentiva proprio.

Poi tornò di corsa nella sala comune.

«Il Mantello sarà il caso di indossarlo qui ed essere ben certi che ci copra tutti e tre... Se Filch nota anche soltanto un piede che se ne va a spasso per conto suo...»

«Che cosa state facendo?» disse una voce proveniente da un angolo della stanza.

Da dietro una poltrona emerse Neville, stringendo in mano il suo rospo Trevor, che a quanto pareva aveva tentato l'ennesima fuga verso la libertà.

«Niente, Neville, niente» disse Harry nascondendo in fretta il Mantello dietro la schiena.

Neville fissò le loro facce colpevoli.

«State uscendo un'altra volta» disse.

«No, no» fece Hermione. «Macché uscendo. Senti, Neville, perché non vai a letto?»

Harry lanciò un'occhiata al pendolo, accanto alla porta. Non potevano permettersi di perdere altro tempo: forse, proprio in quel momento, Piton stava suonando la ninnananna a Fuffi.

«Non potete uscire» insisté Neville. «Vi pescheranno un'altra volta e Grifondoro sarà nei guai più di prima».

«Non capisci» disse Harry, «è importante».

Ma Neville stava chiaramente raccogliendo le forze in vista di un gesto disperato.

«Non ve lo permetterò!» esclamò mettendosi in piedi davanti al buco del ritratto. «Io... Io sono disposto anche a fare a pugni!»

« *Neville!* » sbottò Ron. « Togliti da là e non fare il cretino... »

« Non darmi del cretino! » ribatté Neville. « Credo proprio che non dovresti violare le regole un'altra volta. Guarda che sei stato proprio tu a insegnarmi a tener testa agli altri! »

« Sì, ma non *a noi* » disse Ron esasperato. « Neville, non sai quel che fai ».

Fece un passo avanti e Neville lasciò cadere il rospo Trevor, che si allontanò a grandi balzi.

« E allora dai, prova a picchiarmi! » esclamò Neville alzando i pugni. « Sono pronto! »

Harry si volse verso Hermione.

« Fa' qualcosa » le disse in tono disperato.

Hermione si fece avanti.

« Neville, scusami, scusami tanto ».

Poi alzò la sua bacchetta.

« *Petrificus Totalus!* » gridò puntandola contro Neville.

Le braccia del ragazzo si bloccarono con uno scatto lungo i fianchi; le gambe si strinsero insieme. Il suo corpo s'irrigidì e ondeggiò paurosamente per poi cadere in avanti, lungo disteso e duro come la pietra.

Hermione corse verso di lui e lo girò. Le mascelle di Neville erano talmente serrate che non riusciva a parlare. Solo gli occhi si muovevano, volgendo sui compagni uno sguardo atterrito.

« Ma che cosa gli hai fatto? » bisbigliò Harry.

« È un incantesimo paralizzante » rispose Hermione in tono sconsolato. « Oh, Neville, mi dispiace tanto ».

« Abbiamo dovuto farlo, Neville, non c'è tempo di spiegare » disse Harry.

« Capirai dopo, Neville » disse Ron mentre lo scavalcavano e si coprivano con il Mantello dell'Invisibilità.

Ma lasciare il compagno steso immobile per terra non sembrava molto di buon auspicio. Nervosi com'erano, vedevano Filch nell'ombra di ogni statua, e in ogni alito di vento che soffiava a distanza credevano di sentire Peeves che piombava su di loro.

Giunti ai piedi della prima scalinata, avvistarono **Mrs Norris** che si aggirava furtiva verso l'ultimo gradino.

« Oh, senti, diamole un bel calcio, per una volta » sussurrò Ron all'orecchio di Harry, ma questi scosse la testa. Mentre l'aggiravano con circospezione, Mrs Norris puntò su di loro i suoi occhi simili a fari, ma non fece niente.

Non incontrarono nessun altro fino a quando non raggiunsero la rampa che portava al terzo piano. A metà c'era Peeves che, ballonzolando a mezz'aria, scostava il tappeto nella speranza che qualcuno ci inciampasse.

« Chi è là? » chiese a un tratto mentre salivano. Poi socchiuse i maligni occhi scuri. « Anche se non vi vedo, lo so che siete lì. Siete mostricini, fantasmini o insulsi studentini? »

Si sollevò in aria e rimase lì a galleggiare, sempre fissandoli con gli occhi socchiusi.

« Dovrei chiamare Filch se c'è qualcosa che si aggira furtivo nel castello. Già, proprio così ».

Improvvisamente, Harry ebbe un'idea.

« Peeves » disse piano, con voce roca, « il Barone Sanguinario ha le sue buone ragioni per rendersi invisibile ».

Peeves quasi cadde a terra per lo choc. Ma si riprese in tempo e rimase a galleggiare a trenta centimetri dai gradini.

« Oh, mi scusi tanto Barone, sua Eccellenza Sanguinaria! » disse con voce untuosa. « È stato un deplorevole errore... non l'avevo vista... E per forza non l'avevo vista: lei è invisibile... Signore, perdoni al povero Peeves l'innocente scherzetto... »

« Ho da fare qui, Peeves » gracchiò Harry. « Per questa notte, vedi di startene alla larga ».

« Ma certo, signore, ci conti, signore » rispose levandosi in alto. « Spero che passi una buona nottata, Barone: io non la disturberò ».

E se la diede a gambe.

« *Geniale*, Harry! » bisbigliò Ron.

Così, qualche istante dopo, giunsero appena fuori dal corridoio del terzo piano... e la porta era socchiusa.

« Ecco: ci siamo » disse Harry a bassa voce. « Piton è già riuscito a entrare evitando Fuffi ».

Alla vista della porta aperta, tutti e tre si immaginarono quello che stavano per vedere. Sotto il Mantello, Harry si rivolse ai due compagni.

« Se volete tornare indietro, non vi biasimerò » disse. « Potete anche prendervi il Mantello, tanto io non ne ho più bisogno ».

« Non fare lo scemo » disse Ron.

« Veniamo con te » rincarò Hermione.

Harry spinse la porta.

Mentre questa scricchiolava, un profondo brontolio riecheggiò nelle loro orecchie. L'enorme cane si mise a fiutare forsennatamente con tutti e tre i nasi nella loro direzione, anche se erano invisibili.

« Che cos'è quella cosa ai suoi piedi? » bisbigliò Hermione.

« Sembra un'arpa » fece Ron. « Deve averla lasciata qui Piton ».

« Probabilmente, quella bestia si sveglia quando uno smette di suonare » commentò Harry. « Be', cominciamo... »

Si portò alle labbra il flauto di Hagrid e cominciò a soffiarci dentro. Non era un vero e proprio motivo, eppure fin dalla prima nota le palpebre del cagnone cominciarono a socchiudersi. Harry suonava quasi senza riprendere fiato. Lentamente il brontolio cessò: il cane oscillò un poco sulle zampe e poi si accucciò. Alla fine crollò a terra, profondamente addormentato.

« Continua a suonare » consigliò Ron a Harry mentre sgusciavano fuori da sotto il Mantello e strisciavano verso la botola. Passando accanto alle tre teste gigantesche del cane, sentirono il suo fiato caldo e puzzolente.

« Credo che riusciremo ad aprirla » disse Ron sbirciando oltre il dorso dell'animale. « Vuoi andare tu per prima, Hermione? »

« Non ci penso neanche! »

« E va bene ». Ron strinse i denti e scavalcò con circospezione le zampe del cane. Poi, chinatosi, tirò forte l'anello della botola, che si spalancò all'istante.

« Che cosa vedi? » chiese Hermione ansiosa.

« Niente, solo buio... non c'è modo di scendere, dovremo saltare giù ».

Harry, che stava sempre suonando il flauto, fece un cenno a Ron per attirare la sua attenzione e indicò se stesso.

« Vuoi andare tu? Ma sei proprio sicuro? » disse Ron. « Non so neanche quant'è profondo il salto. Da' il flauto a Hermione, così evitiamo che si svegli ».

Harry le passò lo strumento. Nei pochi secondi di silenzio che trascorsero, il cane si agitò ed emise una specie di grugnito, ma non appena la ragazza prese a suonare, tornò a dormire profondamente.

Harry lo scavalcò e guardò giù nella botola. Il fondo non si scorgeva neanche.

Allora si calò attraverso l'imboccatura, fino a quando non rimase appeso solo per la punta delle dita. Poi, rivolgendosi a Ron che era rimasto di sopra, disse: « Se mi succede qualcosa, non venitemi dietro. Andate dritti alla guferia e mandate Edvige da Silente. Siamo intesi? »

« D'accordo » fece Ron.

« Ci vediamo tra un attimo, o almeno spero... »

E Harry mollò la presa. Con il volto sferzato da un'aria fredda e umida, precipitò in basso, sempre più in basso, finché...

FLOMP. Era atterrato su qualcosa di soffice, che produsse uno strano tonfo attutito. Si tirò su a sedere e si tastò intorno alla cieca: i suoi occhi non si erano ancora abituati a tutto quel buio. Aveva l'impressione di stare seduto su una specie di pianta.

« Tutto a posto! » gridò in direzione della lucina piccola come un francobollo che era l'imboccatura della botola. « Si atterra sul morbido, potete saltare! »

Ron lo seguì immediatamente e atterrò scompostamente accanto a lui.

« Che cos'è questa roba? » furono le prime parole che disse.

« Boh! Sembra una pianta. Immagino che sia stata messa qui per attutire la caduta. Dai, Hermione, tocca a te! »

In lontananza, la musica cessò. Si udì il cane abbaiare forte, ma ormai la ragazza era saltata. Atterrò vicino a Harry, dall'altra parte.

« Dobbiamo trovarci metri e metri sottoterra, al di sotto della scuola » osservò subito.

« È stata proprio una bella fortuna che ci fosse questa pianta » commentò Ron.

« *Fortuna?* » strillò Hermione. « Guardatevi un po'! »

Balzò in piedi e cercò di appoggiarsi alla parete umida. Fu uno sforzo immane, perché nell'istante stesso in cui era atterrata, la pianta aveva cominciato ad avvolgerle attorno alle caviglie certi tentacoli simili a serpenti. Quanto a Harry e a Ron, non se n'erano accorti, ma avevano le gambe già strette nella morsa di quelle lunghe propaggini.

Hermione era riuscita a divincolarsi prima che la pianta la immobilizzasse del tutto e adesso guardava inorridita i due ragazzi tentare di strapparsi di dosso i tentacoli della pianta: ma più si sforzavano, più quella rinsaldava la presa.

« State fermi! » ordinò lei. « Io so che cos'è: è il Tranello del Diavolo! »

« Oh, sono proprio contento che sappiamo come si chiama: è davvero molto utile! » fece Ron in tono sarcastico, inclinandosi all'indietro nel tentativo di evitare che la pianta gli si avvinghiasse al collo.

« Zitti! Sto cercando di ricordare come si fa a fermarla! »

« Be', sbrigati, non respiro più! » disse Harry col fiato mozzo, cercando di divincolarsi dalla pianta che gli si avvinghiava intorno al torace.

« Vediamo: Tranello del Diavolo, Tranello del Diavolo... Che cosa diceva la professoressa Sprout? Che la pianta ama il buio e l'umidità... »

« E allora accendi un fuoco! » disse Harry quasi soffocando.

« Già... certo... ma non c'è legna! » gridò Hermione torcendosi le mani.

« MA SEI IMPAZZITA? » ruggì Ron. « SEI UNA STREGA, SÌ O NO? »

« Giusto! » fece Hermione. Estrasse la sua bacchetta, l'agitò nell'aria, bofonchiò qualcosa e sparò contro la pianta un getto di fiamme azzurre, le stesse che aveva usato su Piton. Nel giro di pochi istanti i due ragazzi avvertirono la presa che si allentava, mentre la pianta si ritraeva dalla luce e dal calore. I tentacoli si accartocciarono sbattendo e srotolandosi dai loro corpi, e i due riuscirono finalmente a liberarsi.

« Fortuna che a lezione di Erbologia stai sempre attenta, Hermione » disse Harry appoggiandosi al muro accanto a lei e asciugandosi il sudore dalla faccia.

« Già » fece Ron, « e fortuna che Harry non perde mai la testa in situazioni di emergenza... 'Non c'è legna!'... ma insomma! »

« Da questa parte » riprese Harry, additando l'unica via di uscita che si scorgesse: un passaggio fra due pareti di pietra.

A parte i loro stessi passi, l'unico altro rumore era un lieve gocciolio d'acqua che scorreva lungo le pareti. Lo stretto corridoio procedeva in discesa; a Harry ricordò la Gringott. Con uno spiacevole tuffo al cuore, gli tornarono in mente i draghi che si diceva montassero la guardia alle camere di sicurezza nella banca dei maghi. E se avessero incontrato un drago, un drago adulto... con Norberto era già stata abbastanza dura...

« Non sentite niente? » bisbigliò Ron.

Harry tese l'orecchio. Si udiva un lieve fruscio e tintinnio, che sembrava provenire dall'alto.

« Credete che sia un fantasma? »

« Non saprei... dal rumore sembra un battito d'ali ».

« In fondo c'è una luce... vedo qualcosa che si muove ».

Raggiunsero la fine del passaggio e davanti a loro videro una camera tutta illuminata con il soffitto a volta, alto sopra le loro teste. Era piena di uccellini dai colori splendenti come pietre preziose che svolazzavano e volteggiavano per tutta la stanza. Sul lato opposto c'era un pesante portone di legno.

« Pensate che ci attaccheranno se attraversiamo la camera? » disse Ron.

« Probabilmente » rispose Harry. « Non sembrano molto cattivi, ma immagino che se scendessero tutti insieme in picchiata... Be', non c'è nient'altro da fare... Parto io ».

Inspirò profondamente, si coprì il viso con le braccia e spiccò la corsa per attraversare la camera. Si aspettava di sentirsi piombare addosso da un momento all'altro becchi acuminati e artigli, ma non accadde nulla. Raggiunse incolume il portone. Tirò la maniglia, ma era chiuso a chiave.

Gli altri due lo seguirono. Si misero a tirare e a scuotere il portone nel tentativo di aprirlo, ma non si mosse neanche quando Hermione provò con la formula magica: *Alohomora*.

« E adesso? » fece Ron.

« Questi uccelli... non è possibile che siano qui soltanto per bellezza » osservò Hermione.

Stettero a guardare le creature che si libravano nell'aria, scintillanti... *scintillanti?*

« Ma questi non sono uccelli! » esclamò Harry a un tratto. « Sono chiavi! Chiavi alate! Guardate bene! Allora, questo vuol dire che... » e si guardò attorno per la stanza, mentre gli altri due scrutavano lo stormo di chiavi. « Ma sì, guardate: scope! Dobbiamo acchiappare la chiave che apre il portone! »

« Ma sono *centinaia*! »

Ron esaminò attentamente la serratura.

« Quella che cerchiamo dev'essere una grossa chiave vecchio tipo... probabilmente d'argento come la maniglia ».

I tre afferrarono una scopa ciascuno e, montati su, si diedero la spinta e si sollevarono da terra fino a ritrovarsi in mezzo a quella nube di chiavi volanti. Tesero le mani cercando di afferrarne qualcuna, ma quelle erano stregate e sfuggivano, alzandosi e abbassandosi così rapidamente che era quasi impossibile prenderne una.

Ma non per nulla Harry era il Cercatore più giovane da un secolo a quella parte: aveva un vero e proprio talento per avvistare cose che gli altri non vedevano neppure. Dopo aver zigzagato per circa un minuto attraverso quel turbine di piume di tutti i colori dell'arcobaleno, notò una grossa chiave d'argento che aveva un'ala piegata, come se fosse stata già catturata e infilata bruscamente nella serratura.

«È quella» gridò agli altri due. «Quella grossa... lì... no, là... quella con le ali azzurre... e le piume tutte arruffate da una parte».

Ron si precipitò a tutta velocità nella direzione che Harry gli indicava, sbatté contro il soffitto e rischiò di cadere dalla sua scopa.

«Dobbiamo circondarla!» disse Harry senza mai distogliere lo sguardo dalla chiave con l'ala rovinata. «Ron, tu avvicinala da sopra... e tu, Hermione, resta sotto e impediscile di scendere... io cercherò di prenderla. Forza: uno, due, TRE!»

Ron scese in picchiata, Hermione schizzò verso l'alto, la chiave schivò tutti e due e Harry si gettò all'inseguimento. Quella partì come una freccia verso il muro. Harry si chinò in avanti e con un rumore sinistro la inchiodò con una mano sulla pietra. Le grida di giubilo di Ron e di Hermione echeggiarono sotto la volta della vasta camera.

Atterrarono in gran fretta e Harry corse verso il portone, con la chiave che gli si dimenava in mano. La infilò senza tanti complimenti nella serratura e la girò: funzionava. Nel momento preciso in cui la serratura si aprì con uno scatto, la chiave si sfilò e volò via di nuovo, tutta ammaccata dopo essere stata acchiappata per la seconda volta.

«Pronti?» chiese Harry ai suoi compagni, mentre aveva ancora la mano sulla maniglia del portone. I due annuirono e lui tirò fino ad aprirlo.

La camera accanto era talmente buia che non si distingueva un bel niente. Ma mentre vi entravano, fu improvvisamente invasa da una gran luce e la scena che si parò loro dinanzi era stupefacente.

Si trovavano sull'orlo di un'enorme scacchiera, dietro ai pezzi neri, tutti molto più alti di loro e scolpiti in quella che sembrava pietra. Di fronte, all'estremità opposta del vasto locale, c'erano i pezzi bianchi. Harry, Ron e Hermione rabbrividirono: erano altissimi e privi di volto.

« E adesso, che cosa facciamo? » sussurrò Harry.

« Ma è ovvio, no? » disse Ron. « Dobbiamo giocare per attraversare la stanza e arrivare dall'altra parte ».

Dietro i pezzi bianchi si scorgeva un'altra porta.

« E come facciamo? » chiese nervosa Hermione.

« Penso » rispose Ron, « che dovremo far finta di essere anche noi dei pezzi degli scacchi ».

Si diresse verso un cavallo nero e tese la mano per toccarlo. D'un tratto, la pietra di cui era fatto prese vita. Il cavallo si mise a raspare a terra con la zampa e il cavaliere chinò il capo coperto dall'elmo per guardare Ron.

« Dobbiamo... ehm... dobbiamo unirci a voi per attraversare? »

Il cavaliere nero annuì. Ron si voltò verso i suoi compagni.

« Qua bisogna pensarci bene... » disse. « Credo che dovremo prendere il posto di tre pezzi neri... »

Harry e Hermione rimasero in silenzio a osservarlo mentre rifletteva. Alla fine, Ron disse: « Be', non vi offendete, eh, ma nessuno di voi due è molto bravo a scacchi... »

« Figurati se ci offendiamo » ribatté subito Harry. « Dicci soltanto che cosa dobbiamo fare ».

« Allora, Harry, tu prendi il posto di quell'alfiere, e tu, Hermione, vai lì al posto di quella torre ».

« E tu? »

« Io farò il cavallo » disse Ron.

Sembrava che i pezzi degli scacchi li avessero sentiti, perché a quelle parole un alfiere, un cavallo e una torre voltarono le spalle ai pezzi bianchi e se ne andarono dalla scacchiera lasciando tre caselle vuote, che vennero occupate da Harry, Ron e Hermione.

« I bianchi muovono sempre per primi, a scacchi » fece Ron

lanciando un'occhiata al lato opposto dell'enorme scacchiera. « E difatti, guardate... »

Un pedone bianco era avanzato di due caselle.

Ron cominciò a dirigere le mosse dei neri, che si spostavano silenziosamente seguendo i suoi ordini. A Harry tremavano le gambe: e se avessero perso?

« Harry... muoviti diagonalmente di quattro caselle verso destra ».

Il primo choc vero arrivò quando fu mangiato l'altro loro cavallo. La regina bianca lo sbatté a terra e lo trascinò fuori dalla scacchiera dove rimase immobile, riverso sul pavimento.

« Ho dovuto lasciarglielo fare » disse Ron con aria sconvolta, « così tu, Hermione, sarai libera di mangiare quell'alfiere. Dai, muoviti ».

Ogniqualvolta perdevano un pezzo, i bianchi si mostravano spietati. Ben presto ci furono un mucchio di pezzi neri allineati contro il muro, inerti come pupazzi. Per due volte Ron si accorse appena in tempo che Harry e Hermione erano in pericolo. Nel frattempo, schizzava da una parte all'altra della scacchiera, mangiando tanti bianchi quanti erano i neri che avevano perso.

« Ci siamo quasi » borbottò a un tratto. « Fatemi pensare... fatemi pensare ».

La regina bianca volse verso di lui la testa senza volto.

« Sì... » disse piano Ron, « è l'unico modo... devo lasciarmi mangiare ».

« NO! » esclamarono Harry e Hermione.

« Ma a scacchi è così! » tagliò corto Ron. « Bisogna sacrificare qualche cosa! Ora farò la mia mossa e lei mi mangerà... e tu sarai libero di dare scacco matto al re, Harry! »

« Ma... »

« Volete fermare Piton, oppure no? »

« Ron... »

« Sentite, dovete sbrigarvi o prenderà la Pietra! »

Non c'era nient'altro da fare.

« Pronti? » gridò Ron, pallido ma con aria decisa. « Io vado...
ma ricordate: non perdete tempo, dopo che avrete vinto ».

E così dicendo, fece la sua mossa e la regina si avventò su di
lui. Lo colpì forte in testa con il braccio di pietra e il ragazzo
cadde a terra di schianto. Hermione si lasciò sfuggire un grido,
ma rimase ferma sulla sua casella. La regina bianca trascinò
Ron da una parte: il ragazzo sembrava aver perso i sensi.

Tutto tremante, Harry si spostò di tre caselle a sinistra.

A quel punto, il re bianco si tolse la corona di testa e la gettò
ai piedi di Harry. I neri avevano vinto. I pezzi si ridivisero in
due gruppi e ciascun gruppo si inchinò all'altro, lasciando intra-
vedere la porta aperta in fondo alla stanza. Gettando un'ultima
occhiata disperata in direzione di Ron, rimasto indietro, Harry e
Hermione spiccarono la corsa e varcata la porta si diressero velocemente lungo il corridoio.

« E se Ron...? »

« Andrà tutto bene » disse Harry, cercando di convincere soprattutto se stesso. « Secondo te, che cos'altro ci aspetta? »

« Be', la Sprout il suo tiro ce l'ha già giocato con il Tranello
del Diavolo... A stregare le chiavi sarà stato senz'altro Flitwick... La McGonagall avrà Trasfigurato i pezzi degli scacchi facendoli diventare vivi... Ci manca l'incantesimo di Quirrell e
poi quello di Piton... »

Intanto erano giunti davanti a un'altra porta.

« Tutto bene? » sussurrò Harry.

« Proseguiamo ».

Harry spinse la porta.

Le loro narici furono invase da un odore nauseabondo, che
costrinse entrambi a coprirsi il naso con le vesti. Con gli occhi
che gli lacrimavano videro, steso per terra davanti a loro, un troll
ancor più grosso di quello con cui avevano già avuto a che fare.
Giaceva inerte con un bernoccolo insanguinato in testa.

« Meno male che non abbiamo dovuto vedercela anche con
questo » mormorò Harry mentre, con circospezione, scavalcavano
una delle gambe massicce. « Vieni, qui dentro non si respira ».

Aprì la porta successiva. Quasi non avevano il coraggio di guardare cosa li aspettava. E invece non c'era nulla di particolarmente spaventoso: erano in una stanza con un tavolo su cui erano allineate sette bottiglie di forme diverse.

« Qua c'è lo zampino di Piton » fece Harry. « Che cosa dobbiamo fare? »

Non appena ebbero varcato la soglia, un fuoco si accese alle loro spalle. Non era un fuoco qualsiasi: era viola. Nello stesso istante, fiamme nere si sprigionarono dalla soglia della porta seguente. Erano in trappola.

« Guarda! » Hermione afferrò un rotolo di carta posato sul tavolo accanto alle bottiglie. Harry si sporse oltre la sua spalla per leggere quello che c'era scritto:

Hai davanti il pericolo, hai dietro la salvezza,
tra noi, due sole aiutano chi ci si raccapezza,
una fra tutte sette consente di avanzare,
un'altra invece porta indietro, a quanto pare,
in due è contenuto puro vino d'ortica,
tre possono ammazzarti in men che non si dica.
Scegli, se non desideri restar per sempre qui,
ti diamo quattro indizi e ti aiutiam così:
primo, per quanto il subdolo veleno stia nascosto
a sinistra del vino d'ortica è sempre posto;
secondo, agli estremi ce ne son due diverse
ma a farti andare avanti entrambe sono avverse;
terzo, lo vedi bene, son tutte disuguali,
la nana e la gigante non ti saran letali;
infine, le seconde da destra e da sinistra
sono gemelle al gusto, ma non a prima vista.

Hermione si lasciò sfuggire un gran sospiro, e Harry, allibito, vide che sorrideva: era proprio l'ultima cosa che lui si sarebbe sognato di fare.

« *Geniale!* » disse la ragazza. « Questa non è magia: è logica.

Si tratta di un rompicapo. Ci sono tanti grandi maghi che non hanno un briciolo di logica: loro sì che resterebbero bloccati qui in eterno ».

« E anche noi, vero? »

« Certo che no » disse Hermione. « Su questo foglio c'è scritto tutto quel che ci serve sapere. Sette bottiglie: tre contengono veleno, due vino, una ci farà attraversare sani e salvi il fuoco nero e una ci aiuterà a superare quello viola per tornare indietro ».

« Ma come facciamo a sapere da quale bere? »

« Dammi un minuto ».

Hermione lesse e rilesse il foglio più volte. Poi si mise ad andare su e giù lungo la fila di bottiglie, borbottando fra sé e sé e indicandole ogni tanto col dito. Alla fine, batté le mani.

« Ho capito! » esclamò. « Quella più piccola ci farà attraversare il fuoco nero... per raggiungere la Pietra ».

Harry guardò la bottiglia più piccina.

« Dentro c'è abbastanza da bere soltanto per uno di noi » osservò. « È a malapena un sorso ».

Si scambiarono un'occhiata.

« E qual è che ci farà tornare indietro attraversando le fiamme viola? »

Hermione indicò una bottiglia panciuta, all'estremità destra della fila.

« Bevi tu da quella » disse Harry. « No, sta' a sentire... torna indietro e va' a prendere Ron... prendete le scope nella stanza delle chiavi volanti. Con quelle riuscirete a uscire dalla botola e a evitare Fuffi... Poi, andate dritti filati alla guferia e mandate Edvige da Silente: abbiamo bisogno di lui. Io posso forse riuscire a tenere a bada Piton per un po', ma non sono certo un avversario alla sua altezza ».

« Ma Harry... che farai se con lui c'è Tu-Sai-Chi? »

« Be'... ho avuto fortuna una volta, giusto? » disse Harry additando la sua cicatrice. « Potrei aver fortuna di nuovo ».

Le labbra di Hermione tremarono, e all'improvviso si slanciò verso Harry e gli gettò le braccia al collo.

« Ma Hermione! »

« Harry... tu sei un grande mago, lo sai? »

« Non bravo quanto te » rispose Harry imbarazzatissimo, mentre lei mollava la presa.

« Io! » disse Hermione. « Ma figurati! Soltanto libri... e un po' di furbizia! Ma ci sono cose più importanti: l'amicizia, il coraggio e... Oh, Harry! Ti prego, sta' attento! »

« Bevi tu per prima » disse Harry. « Sei sicura che sia quella giusta? »

« Ma certo » rispose Hermione. Dopodiché bevve una lunga sorsata dalla bottiglia panciuta e fu scossa da un brivido.

« Non sarà mica veleno? » fece Harry ansioso.

« No... ma sembra ghiaccio ».

« Svelta, vai, prima che l'effetto svanisca ».

« Buona fortuna... E fa' attenzione... »

« VAI! »

Hermione si voltò, si diresse dritta filata verso il fuoco viola e lo attraversò.

Harry inspirò profondamente e prese la bottiglia più piccola. Si girò per affrontare le fiamme nere.

« Arrivo! » disse, e poi vuotò la bottiglietta in un sorso solo.

Fu proprio come se il suo corpo venisse invaso dal ghiaccio. Posò la bottiglia e fece un passo avanti; strinse i pugni, vide le fiamme nere che lambivano il suo corpo, ma non ne avvertì il calore... Per un istante non vide altro che fuoco nero... poi si ritrovò dall'altra parte, nell'ultima stanza.

Dentro c'era già qualcuno... ma non era Piton. E non era neanche Voldemort.

CAPITOLO 17

L'UOMO DAI
DUE VOLTI

E ra Quirrell.

«*Lei!*» esclamò Harry col fiato mozzo.

Quirrell sorrise. Non un solo muscolo gli si mosse sul volto.

«Io» disse calmo. «Mi stavo proprio chiedendo se ti avrei incontrato qui, Potter».

«Ma io pensavo... Piton...»

«Chi, Severus?» Quirrell rise, e non fu la sua solita risatina tremula, bensì una risata fredda e tagliente. «Sì, Severus sembra proprio il tipo giusto, vero? È talmente utile averlo qui a svolazzare dappertutto, come un pipistrello gigante! Con lui in giro, chi sospetterebbe mai del p-p-povero, ba-balbuziente p-professor Qu-Quirrell?» Harry non credeva alle proprie orecchie. Non poteva essere vero!

«Ma Piton ha tentato di uccidermi!»

«No, no, no! *Io* ho tentato di ucciderti. La tua amica Granger mi ha urtato involontariamente quando è corsa ad appiccare fuoco a Piton, durante la partita a Quidditch. Con quello spintone ha interrotto il mio contatto visivo con te: ancora pochi secondi e sarei riuscito a disarcionarti dalla scopa. Anzi, ci sarei riuscito anche prima, se Piton non avesse continuato a borbottare contromaledizioni nel tentativo di salvarti».

«Piton cercava di *salvarmi*?»

«Ma certo» disse Quirrell, sempre in tono gelido. «Perché credi che volesse arbitrare lui la tua seconda partita? Cercava di evitare che io ci riprovassi. Veramente buffo... Non c'era bisogno che si desse tanta pena. Non avrei potuto fare niente comunque, con Silente che assisteva alla partita. Tutti gli altri insegnanti pensavano che Piton stesse cercando di ostacolare la vittoria di Grifondoro, lui si è reso veramente impopolare... e che gran perdita di tempo, visto che, nonostante tutto, stanotte ho intenzione di ucciderti».

Quirrell schioccò le dita. Dal nulla apparvero delle funi che si avvolsero strette intorno a Harry.

«Sei troppo ficcanaso per continuare a vivere, Potter. Andartene in giro a quel modo per tutta la scuola, il giorno di Halloween! Pensavo che mi avessi visto mentre andavo a sincerarmi di che cosa ci fosse a guardia della Pietra».

«Allora il troll l'ha fatto entrare *lei*?»

«Ma certamente. Ho un talento speciale con i troll, io... Avrai visto senz'altro che cosa ho fatto a quello della stanza qua accanto. Ma purtroppo, mentre tutti correvano dappertutto cercando di stanarlo, Piton, che già sospettava di me, è venuto dritto filato al terzo piano per intercettarmi e non solo il mio troll non ti ha fatto a pezzi, ma neanche il cane a tre teste è riuscito a staccare la gamba a morsi a Piton come si deve.

«E ora, Potter, aspetta e fa' silenzio. Devo esaminare questo specchio molto interessante».

Solo in quell'istante Harry si rese conto dell'oggetto che si trovava alle spalle di Quirrell. Era lo Specchio delle Emarb. «Questo specchio è la chiave per trovare la Pietra» mormorava Quirrell mentre tastava la cornice. «Figuriamoci se Silente non escogitava una cosa del genere... ma tanto lui è a Londra... e per quando sarà tornato, io sarò già molto lontano».

Tutto quello cui Harry riusciva a pensare era di continuare a tenere impegnato Quirrell nella conversazione, impedendogli di concentrarsi sullo Specchio.

«Ho visto lei e Piton nella Foresta...» gli buttò lì.

«Già» rispose Quirrell indolente, girando attorno allo Specchio per osservarlo da dietro. «All'epoca, mi stava addosso, cercava di scoprire a che punto fossi arrivato. Ha sempre sospettato di me. E ha cercato di spaventarmi... come se fosse possibile, con Lord Voldemort dalla mia parte! »

Quirrell ritornò davanti allo Specchio e ci guardò dentro avidamente.

« Vedo la Pietra... La offro al mio padrone, ma dov'è la Pietra? »

Harry cercò di divincolarsi dalle funi che lo tenevano legato, ma quelle non cedettero. Doveva impedire a tutti i costi che Quirrell dedicasse tutta l'attenzione allo Specchio.

« Eppure, mi è sempre sembrato che Piton mi odiasse tanto... »

« Oh, per odiarti, ti odia » disse Quirrell con tono di noncuranza, « ci puoi giurare che ti odia. Era a Hogwarts con tuo padre, lo sapevi? Si detestavano. Però non ti ha mai voluto *morto* ».

« Eppure professore, qualche giorno fa io l'ho sentita singhiozzare... Pensavo che Piton la stesse minacciando... »

Per la prima volta un fremito di paura attraversò il volto di Quirrell.

« A volte » disse, « trovo difficile seguire le istruzioni del mio padrone... lui è un mago grande e potente, mentre io sono debole... »

« Intende dire che era insieme a lei in quell'aula? » disse Harry col fiato mozzo.

« Lui è con me ovunque io vada » disse Quirrell in tono pacato. « Lo incontrai all'epoca in cui giravo il mondo. Allora ero un ragazzetto stupido, pieno di idee ridicole sul bene e sul male. Lord Voldemort mi ha dimostrato quanto avessi torto. Bene e male non esistono. Esistono soltanto il potere e coloro che sono troppo deboli per ricercarlo... Da allora l'ho sempre servito fedelmente, benché lo abbia deluso molte volte. Ha dovuto essere molto duro con me ». Quirrell d'improvviso rabbrividì. « Non perdona facilmente gli errori.

« Quando ho fallito il colpo alla Gringott, lui ne è stato molto dispiaciuto. Mi ha punito... Ha deciso di tenermi sotto più stretta sorveglianza... »

La voce di Quirrell si spense. A Harry tornò in mente quando era stato a Diagon Alley... Come aveva potuto essere tanto stupido? Era proprio lì che quel giorno aveva visto Quirrell e scambiato una stretta di mano con lui al Paiolo Magico.

Quirrell imprecò a bassa voce.

« Io non capisco... la Pietra è *dentro* lo Specchio? Che devo fare? Romperlo? »

La mente di Harry galoppava.

'Quel che voglio più di qualsiasi altra cosa al mondo in questo momento' pensava, 'è trovare la Pietra prima di Quirrell. Perciò se mi guardo nello Specchio, dovrei vedermi nell'atto di trovarla... il che significa che dovrei vedere dove è nascosta! Ma come faccio a specchiarmi senza che Quirrell capisca le mie intenzioni?' Cercò di spostarsi verso sinistra per trovarsi di fronte allo Specchio senza che Quirrell lo notasse, ma le corde intorno alle caviglie erano troppo strette: incespicò e cadde. Quirrell continuava a ignorarlo e a parlare tra sé e sé.

« Vediamo un po', che cosa fa questo Specchio? Come funziona? Padrone, aiutami! »

E con orrore, Harry sentì una voce rispondere, una voce che sembrava provenire dallo stesso Quirrell.

« Usa il ragazzo... Usa il ragazzo... »

Quirrell si voltò verso Harry.

« Sì... Potter... vieni qui ».

Batté le mani e le corde che legavano Harry si sciolsero. Lentamente, Harry si rimise in piedi.

« Vieni qui » ripeté Quirrell. « Guarda nello Specchio e dimmi che cosa vedi ».

Harry si avviò verso Quirrell.

'Devo mentire' pensò disperato. 'Devo guardare e mentire su quel che vedo: tutto qui'.

Quirrell gli si avvicinò e si fermò alle sue spalle. Harry respirò lo strano odore che sembrava provenire dal turbante di Quirrell. Chiuse gli occhi, andò a mettersi davanti allo Specchio e li aprì di nuovo.

All'inizio vide riflesso il suo viso, pallido e con un'espressione atterrita. Ma un attimo dopo, la sua immagine gli sorrise, mise una mano in tasca e ne tirò fuori una pietra color rosso sangue. Ammiccò e si rimise la Pietra in tasca... Nell'attimo stesso in cui l'immagine compiva quel gesto, Harry sentì qualcosa di pesante scivolargli davvero in tasca. Non sapeva come, era accaduto l'incredibile: la Pietra era in suo possesso.

« Ebbene? » chiese Quirrell impaziente. « Che cosa vedi? »

Harry tirò fuori tutto il coraggio che aveva in corpo.

« Vedo Silente che mi stringe la mano » disse, inventando tutto di sana pianta. « Io... ho appena fatto vincere a Grifondoro la Coppa delle Case ».

Quirrell imprecò di nuovo.

« Togliti di mezzo! » disse. Spostandosi di lato, Harry avvertì contro il suo fianco il contatto con la Pietra Filosofale. Avrebbe osato provare a fuggire?

Ma non aveva fatto neanche cinque passi, quando una voce stridula parlò, benché Quirrell non avesse aperto bocca.

« Sta mentendo... sta mentendo... »

« Potter, torna subito qui! » gridò Quirrell. « Dimmi la verità! Che cosa hai visto? »

La voce stridula parlò di nuovo.

« Fammi parlare con lui... faccia a faccia... »

« Padrone, ma voi non avete abbastanza forza! »

« Ho abbastanza forza... per questo ».

Harry si sentì come se il Tranello del Diavolo lo stesse inchiodando di nuovo sul posto. Non riusciva a muovere un muscolo. Pietrificato, guardò Quirrell che gli si avvicinava e incominciava a svolgersi il turbante. Che cosa voleva fare? Il turbante cadde a terra. Senza quel copricapo, la testa di Quirrell sembrava stranamente piccola. Poi, lentamente, Quirrell si girò di schiena.

Harry avrebbe voluto urlare ma non riuscì a emettere alcun suono. Dove normalmente avrebbe dovuto trovarsi il retro della testa del professore, c'era un volto, il volto più orrendo che Harry avesse mai visto. Era bianco come il gesso, con occhi rossi che mandavano bagliori e per narici due fessure, come un serpente.

« Harry Potter... » sibilò.

Harry cercò di arretrare di un passo, ma le gambe non gli rispondevano.

« Lo vedi che cosa sono diventato? » disse il volto. « Pura ombra e vapore... Io prendo forma soltanto quando posso abitare il corpo di qualcuno... Ma ci sono sempre state persone disposte ad aprirmi il cuore e la mente... Nelle scorse settimane il sangue di unicorno mi ha rinvigorito... Hai visto quando il fedele Quirrell l'ha bevuto per me, nella Foresta... Una volta che mi impossesserò dell'Elisir di Lunga Vita, potrò crearmi un corpo tutto mio... E ora, veniamo a noi... Perché non mi dai la Pietra che hai in tasca? »

Dunque lui sapeva. Harry ricominciò a sentirsi le gambe. Barcollò all'indietro.

« Non essere sciocco » ringhiò il volto. « È meglio che tu ti tenga stretta la vita e ti unisca a me... altrimenti farai la stessa fine dei tuoi genitori! Loro sono morti implorando la mia clemenza... »

« BUGIARDO! » gridò Harry d'un tratto.

Quirrell camminava volgendogli le spalle, affinché Voldemort potesse continuare a vederlo. Ora quel volto maligno sorrideva.

« Ma che cosa commovente... » sibilò. « Io apprezzo sempre molto il coraggio... Sì, ragazzo, i tuoi genitori erano coraggiosi... Per primo ho ucciso tuo padre: lui aveva ingaggiato un'intrepida lotta... Tua madre, invece, non era necessario che morisse... stava solo cercando di proteggerti... E ora dammi quella Pietra, se non vuoi che sia morta invano ».

« MAI! »

Harry balzò verso la porta lambita dalle fiamme, ma Voldemort gridò «PRENDILO!» e un istante dopo Harry sentì la mano di Quirrell stringerglisi intorno al polso. Di colpo, una fitta acuta percorse la cicatrice di Harry: era come se la testa gli si stesse spaccando in due. Gridò, lottando con tutte le sue forze, e con suo grande stupore Quirrell lasciò la presa. Il dolore alla testa diminuì. Harry si guardò intorno, in preda alla disperazione, per vedere dove fosse finito Quirrell, e lo vide piegato in due per il dolore. Si guardava le dita, che si stavano riempiendo di vesciche a vista d'occhio.

«Prendilo! PRENDILO!» gridò di nuovo Voldemort con voce stridula, e Quirrell fece un balzo in avanti mandando Harry lungo disteso per terra e afferrandogli il collo con entrambe le mani. Il dolore della cicatrice quasi lo accecava, ma ciò non gli impedì di vedere Quirrell torcersi urlando in agonia.

«Padrone, non riesco a trattenerlo... le mie mani... le mie mani!»

E Quirrell, pur continuando a tenere inchiodato il ragazzo a terra con le ginocchia, mollò la presa sul suo collo per contemplarsi sconcertato le palme delle mani. Anche Harry le vide: erano bruciacchiate, con la carne viva, rossa e lucente.

«E allora ammazzalo, idiota, e facciamola finita!» gridò Voldemort con la sua voce stridula.

Quirrell alzò la mano per eseguire una maledizione mortale, ma Harry, istintivamente, gli afferrò la faccia...

«Aaaaaaahhhhhh!»

Quirrell gli rotolò via di dosso, il volto che cominciava a riempirsi di vesciche. A quel punto Harry capì: Quirrell non poteva toccarlo senza provare un atroce dolore. La sua unica speranza, quindi, era di non mollarlo: quel contatto doloroso gli avrebbe impedito di fare incantesimi.

Harry balzò in piedi, afferrò Quirrell per un braccio e lo tenne più stretto che poteva. Quirrell gridava e cercava di scrollarselo di dosso. Il dolore alla testa di Harry aumentava: ormai non ci vedeva più, udiva soltanto le terribili strida di Quirrell, Voldemort che gridava «UCCIDILO! UCCIDILO!», e poi altre voci (queste forse esistevano soltanto nella sua testa) che urlavano il suo nome.

Sentì il braccio di Quirrell sfuggirgli di mano, capì che tutto era perduto, e sprofondò giù, sempre più giù, in un buio senza fine...

Un oggetto dorato luccicava proprio sopra di lui. Il Boccino! Cercò di afferrarlo, ma si sentiva le braccia troppo pesanti.

Batté le palpebre. Non era affatto il Boccino. Era un paio di occhiali. Ma che strano.

Batté di nuovo le palpebre. Lentamente, come attraverso una bruma, mise a fuoco il volto gaio di Albus Silente.

«Buon pomeriggio, Harry» disse questi.

Harry lo guardò con tanto d'occhi. Poi recuperò la memoria: «Signor Preside! La Pietra! È stato Quirrell! Adesso ce l'ha lui! Bisogna far presto, signore...»

«Calmati, figliolo, sei rimasto un po' indietro con gli avvenimenti» disse Silente. «La Pietra non ce l'ha affatto Quirrell».

«E allora chi? Signore, io...»

«Harry, ti prego di calmarti, altrimenti Madame Pomfrey mi butterà fuori».

Harry deglutì e si guardò intorno. Si rese conto di essere nell'infermeria del castello. Era adagiato in un letto dalle candide lenzuola di lino e sul comodino accanto sembrava fosse stato trasferito un intero negozio di dolciumi.

«Quelli sono pegni di affetto dei tuoi amici e ammiratori» disse Silente illuminandosi in volto. «Quel che è accaduto giù nei sotterranei tra te e il professor Quirrell è segretissimo, quindi naturalmente tutta la scuola ne è al corrente. Credo che i tuoi amici, i signori Fred e George Weasley, abbiano cercato di mandarti la tavoletta di una tazza del gabinetto: devono aver creduto che l'avresti trovato divertente. Ma Madame Pomfrey l'ha giudicata una cosa poco igienica e quindi l'ha confiscata».

« Da quanto tempo sono qui? »

« Tre giorni. Il signor Ronald Weasley e la signorina Granger saranno molto sollevati di sapere che hai ripreso i sensi. Erano preoccupatissimi ».

« Ma signore, la Pietra... »

« Vedo che non è facile distrarti. Molto bene, parliamo della Pietra. Il professor Quirrell non è riuscito a portartela via. Io sono arrivato in tempo per impedirlo, anche se devo ammettere che te la stavi cavando molto bene da solo ».

« Lei è venuto? Ha ricevuto la civetta da Hermione? »

« Ci dobbiamo essere incrociati a mezz'aria. Non avevo neanche messo piede a Londra, che ho capito che il luogo dove dovevo essere era proprio quello che avevo appena lasciato. Sono arrivato giusto in tempo per strapparti dalle grinfie di Quirrell... »

« Ah, è stato lei! »

« Ho temuto di essere arrivato troppo tardi ».

« C'è mancato poco. Non ce l'avrei fatta a lungo a tenerlo lontano dalla Pietra... »

« Non dalla Pietra, ragazzo, da te! Lo sforzo che hai fatto per poco non ti è costato la vita. Per un orribile momento, ho temuto che fosse così. Quanto alla Pietra, è andata distrutta ».

« Distrutta? » ripeté Harry perplesso. « Ma il suo amico, Nicolas Flamel... »

« Ah, sai di Nicolas? » disse Silente con un tono di voce che sembrava deliziato. « Hai fatto proprio le cose per bene, eh? Be', Nicolas e io abbiamo fatto due chiacchiere e abbiamo deciso che era la cosa migliore ».

« Ma questo significa che lui e sua moglie moriranno, non è così? »

« Dispongono di una quantità sufficiente di Elisir per sistemare i loro affari, dopodiché... ebbene sì, moriranno ».

Silente sorrise vedendo lo sguardo allibito che si era dipinto sul volto di Harry.

« Per uno giovane come te, sono sicuro che tutto questo sembrerà incredibile, ma per Nicolas e Perenelle è proprio come andare a dormire dopo una giornata molto, *molto* lunga. In fin dei conti, per una mente ben organizzata, la morte non è che una nuova, grande avventura. Sai, la Pietra non era poi una cosa tanto prodigiosa. Sì, certo: tutta la ricchezza e tutta la vita che uno può volere... Sono le due cose che la maggior parte degli esseri umani desidera più di ogni altra... Ma il guaio è che le persone hanno una particolare abilità nello scegliere proprio le cose peggiori per loro ».

Harry, steso a letto, sembrava aver perso la parola. Silente canticchiò un motivetto e sorrise guardando il soffitto.

« Signore? » disse Harry. « Stavo pensando... Ehm, anche se la Pietra non c'è più, Vol... voglio dire, Lei-Sa-Chi... »

« Chiamalo pure Voldemort, Harry. Bisogna sempre chiamare le cose con il loro nome. La paura del nome non fa che aumentare la paura della cosa stessa ».

« D'accordo, signore. Dicevo, Voldemort cercherà qualche altro modo per tornare, non è vero? Voglio dire, non se n'è andato per sempre, no? »

« No, Harry, non se n'è andato per sempre. È ancora là fuori, da qualche parte, forse in cerca di un altro corpo da abitare... Visto che non è veramente vivo, è impossibile ucciderlo. Ha lasciato morire Quirrell: la stessa poca compassione che ha per i nemici, ce l'ha per i suoi seguaci. Comunque, Harry, se tu hai ritardato il suo ritorno al potere, la prossima volta ci vorrà semplicemente qualcun altro che sia in grado di sostenere quella che sembra una battaglia persa... E se il suo desiderio di potere continuerà a venire ostacolato, forse non lo riconquisterà mai più ».

Harry annuì, ma smise subito, perché quel movimento gli faceva dolere la testa. Poi disse: « Signore, ci sono alcune altre cose che mi piacerebbe sapere, se lei può rispondermi... cose sulle quali vorrei sapere la verità ».

« La verità... » sospirò Silente. « È una cosa meravigliosa e terribile, e per questo va trattata con grande cautela. Comunque, risponderò alle tue domande, a meno che non abbia ottime ragioni per non farlo, nel qual caso ti prego di perdonarmi. Ma non mentirò ».

« Bene... Voldemort ha detto di avere ucciso mia madre soltanto perché lei cercava di impedirgli di uccidere me. Ma perché lui mi voleva morto? »

Questa volta Silente fece un sospiro ancora più profondo.

« Purtroppo, a questa prima domanda non posso rispondere. Non oggi. Non ora. Un giorno lo saprai... ma per adesso, Harry, non ci pensare. Quando sarai più grande... Lo so che non sopporti di sentirtelo dire, ma... quando sarai pronto, lo saprai ».

Harry capì che sarebbe stato inutile discutere.

« Ma allora, perché Quirrell non poteva toccarmi? »

« Vedi, tua madre è morta per salvarti. Ora, se c'è una cosa che Voldemort non riesce a concepire, è l'amore. Non poteva capire che un amore potente come quello di tua madre lascia il segno: non una cicatrice, non un segno visibile... Essere stati amati così intensamente ci dà una sorta di protezione, anche quando la persona che ci ha amato non c'è più. È una cosa che ti resta dentro, nella pelle. Quirrell, che avendo ceduto l'anima a Voldemort era pieno di odio, di brama e di ambizione, non poteva toccarti per questa ragione. Per lui era una tortura toccare una persona segnata da un marchio di tanta bontà ».

A quel punto l'attenzione di Silente fu attratta da un uccellino che si era posato sul davanzale della finestra, il che lasciò a Harry il tempo di asciugarsi gli occhi col lenzuolo. Quando ebbe ritrovato la voce, il ragazzo disse: « E il Mantello dell'Invisibilità... lei sa chi me l'ha mandato? »

« Ah... tuo padre l'aveva lasciato a me e io ho pensato che ti sarebbe piaciuto averlo ». Gli occhi di Silente ammiccarono. « Sono cose utili... Quando era qui, tuo padre lo usava soprattutto per sgattaiolare in cucina e farsi fuori qualche buon bocconcino ».

« E... ci sarebbe ancora un'altra cosa... »

« Avanti, spara! »

« Quirrell ha detto che Piton... »

« Il *professor* Piton, Harry ».

« Sì, lui... Quirrell ha detto che lui mi odia perché odiava mio padre. È vero? »

« Be', sì, direi proprio che si detestavano. Più o meno come te e Malfoy. Ma poi, tuo padre ha fatto una cosa che Piton non gli ha mai perdonato ».

« E cioè? »

« Gli ha salvato la vita ».

« *Che cosa?* »

« Già... » fece Silente in tono sognante. « Strano come funzioni la mente delle persone, non trovi? Il professor Piton non sopportava di dovere qualcosa a tuo padre... Io credo che quest'anno si sia tanto impegnato a proteggerti solo perché in quel modo credeva di mettersi in pari con tuo padre. Dopodiché, avrebbe potuto tranquillamente tornare a odiarne la memoria... »

Harry cercò di capire quel difficile concetto, ma poiché gli faceva dolere la testa, ci rinunciò.

« Ehm... un'altra domanda, signore! »

« Un'altra sola? »

« Come ho fatto a tirare fuori la Pietra dallo Specchio? »

« Ah, sono proprio contento che tu me lo chieda. È stata una delle mie idee più brillanti... e, detto fra noi, è tutto dire! Vedi, soltanto chi avesse voluto *trovare* la Pietra... bada bene: trovarla, non usarla... sarebbe riuscito a prenderla. Altrimenti lo Specchio gli avrebbe rimandato l'immagine di uno che fabbrica oro o che beve Elisir di Lunga Vita. Devo dire che certe volte il mio cervello mi sorprende... Be', adesso basta con le domande. Propongo che tu cominci ad assaggiare qualcuno di questi dolci. Ah! Gelatine Tuttigusti+1! Da giovane ho avuto la sfortuna di trovarne una al gusto di vomito e da allora devo dire che per me hanno perso ogni attrattiva... Ma se prendo quella che sembra una bella caramella mou, non dovrei correre rischi... Tu che dici? »

Sorrise e si cacciò in bocca una gelatina dal bel colore ambrato. Appena l'ebbe masticata, esclamò: «Povero me! Cerume!»

Madame Pomfrey, la capo infermiera, era una donna simpatica ma inflessibile.

«Solo cinque minuti» implorò Harry.

«Nemmeno per sogno!»

«Ma ha lasciato entrare il professor Silente...»

«Be', che c'entra: lui è il Preside, è una cosa completamente diversa. Hai bisogno di riposo».

«Ma mi sto riposando. Guardi, sono qui steso a letto e... Oh, la prego, Madame Pomfrey...»

«E va bene» acconsentì lei, «ma soltanto cinque minuti».

E lasciò entrare Ron e Hermione.

«*Harry!*»

Hermione sembrava sul punto di gettargli di nuovo le braccia al collo, ma Harry fu contento che si trattenesse, perché la testa gli doleva ancora molto.

«Oh, Harry, eravamo sicuri che tu... Silente era talmente preoccupato...»

«Tutta la scuola non parla d'altro» disse Ron, «ma che cosa è successo *veramente*?»

Era uno dei rari casi in cui la storia vera è ancor più strana e appassionante dei pettegolezzi incontrollati. Harry raccontò loro tutto; gli parlò di Quirrell, dello Specchio, della Pietra e di Voldemort. Ron e Hermione erano un pubblico ideale; trattenevano il fiato al momento giusto e quando Harry disse quel che c'era sotto il turbante di Quirrell, la ragazza cacciò un urlo.

«Allora, la Pietra non esiste più?» commentò Ron alla fine. «Quindi Flamel *dovrà morire*...»

«È quel che ho chiesto anch'io, ma Silente dice che... com'era?... 'per una mente ben organizzata, la morte non è che una nuova, grande avventura'».

«Io l'ho sempre detto che è un po' svitato» disse Ron, che pareva molto colpito dal livello di follia del suo eroe.

« E di voi due, che cosa ne è stato? » chiese Harry.

« Be', io sono riuscita a ritornare indietro sana e salva » disse Hermione. « Ho fatto rinvenire Ron, e c'è voluto un bel po' di tempo... Stavamo correndo su alla guferia per mandare il messaggio a Silente quando lo abbiamo incontrato nella Sala d'Ingresso. Sapeva già tutto e ha detto soltanto: 'Harry gli è andato dietro, vero?' Poi si è precipitato su al terzo piano ».

« Tu pensi che lui abbia voluto farti fare tutto questo intenzionalmente? » disse Ron. « Intendo dire, quando ti ha fatto avere il Mantello di tuo padre, eccetera... »

« Be' » esplose Hermione, « se è così... voglio dire, è terribile... potevi anche rimanerci! »

« No, non è così » disse Harry pensieroso. « È un tipo strano, Silente. Penso che abbia voluto darmi una possibilità. Sapete, credo che sappia più o meno tutto quel che accade qui. Perciò doveva essergli abbastanza chiaro che noi ci avremmo provato e, invece di fermarci, ci ha insegnato quel tanto che ci poteva servire. Non credo sia un caso, il fatto che mi abbia lasciato scoprire come funzionava lo Specchio: probabilmente ha pensato che era mio diritto affrontare Voldemort, se ce la facevo... »

« Sì, Silente lo va strombazzando ai quattro venti » disse Ron tutto orgoglioso. « Senti, devi rimetterti in piedi per il banchetto di fine anno di domani. Il conteggio dei punti è stato ultimato e naturalmente i Serpeverde hanno vinto: tu mancavi all'ultima partita di Quidditch e, senza di te, Corvonero ci ha stracciato... Ma almeno il cibo sarà ottimo ».

In quel momento, entrò di corsa Madame Pomfrey.

« Siete rimasti quasi quindici minuti, e ora... FUORI! » disse in un tono che non ammetteva repliche.

Dopo una buona nottata di sonno, Harry si sentì quasi tornato alla normalità.

« Voglio andare al banchetto » disse a Madame Pomfrey mentre questa era occupata a rimettere in ordine le molte scatole di dolci sul tavolino. « Posso, no? »

« Il professor Silente dice che bisogna dartelo, questo permesso » disse in tono un po' sdegnoso, come se a parer suo il professor Silente ignorasse quanto potessero essere rischiosi i banchetti. « Comunque, qui ci sono altre visite per te ».

« Che bellezza! » disse Harry. « Chi è? »

Mentre parlava, Hagrid era sgattaiolato dentro la stanza. Come sempre, quando si trovava in un luogo chiuso, sembrava troppo grosso per starci tutto. Si sedette accanto a Harry, gli lanciò un'occhiata e poi scoppiò in lacrime.

« È stata... tutta... colpa... mia... maledetto me! » singhiozzò con la faccia tra le mani. « Sono stato io a dire a quel malvagio come sfuggire alla sorveglianza di Fuffi! Proprio io gliel'ho detto! Era l'unica cosa che non sapeva, e io gliel'ho detta! Tu potevi morire! E tutto per un uovo di drago! Giuro che non berrò più neanche un goccio! Mi meritavo d'essere buttato fuori e mandato a vivere fra i Babbani! »

« Hagrid! » disse Harry scosso, vedendo Hagrid tremare di pena e di rimorso, con i luccichioni che gli rotolavano giù per la barba. « Dai, Hagrid, l'avrebbe scoperto lo stesso. Parliamo di Voldemort: l'avrebbe scoperto anche senza che glielo dicessi tu! »

« Hai rischiato di morire! » singhiozzò Hagrid. « E poi, non dire quel nome! »

« *Voldemort!* » gridò Harry con tutto il fiato che aveva. Hagrid rimase talmente sconvolto che smise di piangere. « Io l'ho conosciuto e lo chiamo per nome. Dai, Hagrid, consolati: abbiamo recuperato la Pietra, ora non c'è più e lui non può usarla. Su, prendi una Cioccorana, ne ho a vagoni... »

Hagrid si asciugò il naso con il dorso della mano e disse: « Questo mi fa tornare in mente che ho un regalo per te ».

« Non sarà mica un panino al prosciutto di ermellino, eh? » disse Harry un po' preoccupato, e finalmente Hagrid accennò una risatina incerta.

« No. Ieri Silente mi ha dato una giornata di libertà per farlo... anche se naturalmente faceva bene a buttarmi fuori... A ogni modo, questo è per te... »

Sembrava un bel libro rilegato in cuoio. Harry lo aprì, curioso. Era pieno di foto magiche: da ogni pagina, suo padre e sua madre gli sorridevano salutandolo con la mano.

« Ho mandato gufi a tutti i vecchi compagni di scuola dei tuoi genitori, chiedendogli delle foto... Sapevo che tu non ne avevi... Ti piace? »

Harry non riusciva a parlare, ma Hagrid capì ugualmente.

Quella sera Harry si avviò da solo al banchetto di fine anno. Era stato trattenuto dalle assidue cure di Madame Pomfrey, che aveva insistito per dargli un'ultima controllata, quindi la Sala Grande era già piena. Era addobbata con i colori di Serpeverde, verde e argento, per festeggiare il fatto che aveva vinto la Coppa delle Case per il settimo anno di fila. Un immenso stendardo con il serpente di Serpeverde copriva la parete dietro al tavolo degli insegnanti.

Quando Harry entrò, ci fu un improvviso silenzio: poi tutti ricominciarono insieme a parlare ad alta voce. Lui si infilò in un posto rimasto libero tra Ron e Hermione al tavolo di Grifondoro, facendo finta di non vedere che alcune persone si alzavano in piedi per guardarlo.

Per sua fortuna, di lì a pochi istanti Silente arrivò e il brusio si spense.

« Un altro anno è passato! » iniziò Silente con tono allegro. « E io devo tediarvi con una chiacchierata da vecchio bacucco, prima che possiamo affondare i denti nelle nostre deliziose leccornie. Che anno è stato questo! Si spera che adesso abbiate la testa un po' meno vuota di quando siete arrivati... E ora, avete tutta l'estate davanti a voi per tornare a vuotarvela, prima che cominci il nuovo anno...

« Ora, se ho ben capito » proseguì, « deve essere assegnata la Coppa delle Case, e la classifica è questa: al quarto posto Grifondoro, con trecentododici punti; terzo Tassofrasso con trecentocinquantadue punti; secondo Corvonero, con quattrocentoventisei punti e primo Serpeverde, con quattrocentosettantadue ».

Un boato di ovazioni e di scalpitio di piedi esplose dal tavolo di Serpeverde. Harry vide Draco Malfoy che batteva il suo calice sul tavolo e quella visione gli fece venire la nausea.

« Sì, sì, molto bene, Serpeverde » continuò Silente. « Ma ci sono alcuni recenti avvenimenti che vanno presi in considerazione ».

La stanza piombò nel silenzio più assoluto. Ai Serpeverde si gelò il sorriso sulle labbra.

« Ehm... » disse Silente, « ho dei punti dell'ultimo minuto da assegnare. Vediamo un po'. Ecco...

« Primo, al signor Ronald Weasley... »

Ron si fece tutto rosso in faccia: sembrava un ravanello gravemente ustionato dal sole.

« ...per la migliore partita a scacchi che si sia vista a Hogwarts da molti anni a questa parte, attribuisco a Grifondoro cinquanta punti ».

Gli applausi dei Grifondoro raggiunsero quasi il soffitto incantato; le stelle, lassù in cima, sembrarono fremere. Si sentiva Percy dire agli altri prefetti: « È mio fratello, sapete? Il mio fratello più piccolo! Ha passato la prova alla scacchiera gigante della McGonagall! »

Finalmente si fece di nuovo silenzio.

« Secondo, alla signorina Hermione Granger... per avere usato freddamente la sua logica di fronte al fuoco, attribuisco a Grifondoro cinquanta punti ».

Hermione si nascose il viso tra le braccia; Harry ebbe il forte sospetto che fosse scoppiata in lacrime. Al tavolo di Grifondoro, i ragazzi non stavano più nella pelle... avevano guadagnato cento punti!

« Terzo, al signor Harry Potter... » proseguì Silente. Nella sala non si udì più volare una mosca. « ...per il suo sangue freddo e l'eccezionale coraggio, attribuisco a Grifondoro altri sessanta punti! »

Il frastuono divenne assordante. Quelli che erano riusciti a fare il conto mentre gridavano a squarciagola sapevano che Grifondoro aveva raggiunto quattrocentosettantadue punti, esattamente come Serpeverde. La Coppa sarebbe stata loro... se soltanto Silente avesse dato a Harry un punto in più!

Silente alzò la mano. Pian piano nella sala si fece di nuovo silenzio.

«Esistono molti tipi di coraggio» disse Silente sorridendo. «Affrontare i nemici richiede notevole ardimento. Ma altrettanto ne occorre per affrontare gli amici. E pertanto... attribuisco dieci punti al signor Neville Longbottom».

Chi si fosse trovato fuori dalla sala avrebbe potuto credere che ci fosse stata un'esplosione, tanto fu il baccano che scoppiò al tavolo di Grifondoro. Harry, Ron e Hermione si erano alzati in piedi gridando e battendo le mani, mentre Neville, bianco come un cencio per lo choc, scompariva sotto un capannello di compagni che cercavano di abbracciarlo. Prima di allora, non aveva mai vinto neanche un punto per Grifondoro! Harry, che stava ancora applaudendo, diede qualche gomitata a Ron indicandogli Malfoy, il quale non avrebbe potuto apparire più stupefatto e inorridito se qualcuno gli avesse fatto la Maledizione Petrificus.

«Ciò significa» riprese Silente sovrastando la tempesta di applausi dei Corvonero e dei Tassofrasso, anche loro al settimo cielo per la sconfitta di Serpeverde, «ciò significa che dovremo ritoccare un po' quelle decorazioni!»

Batté le mani e istantaneamente i parati verdi si fecero scarlatti e quelli d'argento divennero d'oro; l'enorme serpente di Serpeverde scomparve, lasciando il posto al leone rampante di Grifondoro. Piton stringeva la mano alla professoressa McGonagall con stampato in volto un orribile sorriso stiracchiato. Il suo sguardo incrociò quello di Harry e il ragazzo capì all'istante che i sentimenti di Piton verso di lui non erano cambiati di una virgola. Ma questo non lo preoccupava: a quanto pareva, l'anno seguente la vita sarebbe tornata normale... o quanto meno, normale per Hogwarts.

Quella fu la serata più felice della sua vita: meglio ancora che aver vinto a Quidditch, meglio del Natale, meglio che sconfiggere i troll di montagna... quella serata, non l'avrebbe dimenticata mai più.

A Harry era passato di mente che non erano ancora usciti i risultati degli esami; ma quelli puntualmente arrivarono. Con loro grande sorpresa, sia lui che Ron erano stati promossi con buoni voti; quanto a Hermione, com'era prevedibile, risultò l'alunna migliore dell'anno. Persino Neville riuscì a passare per il rotto della cuffia: i buoni voti che aveva preso in Erbologia avevano compensato quelli disastrosi in Pozioni. Avevano sperato che Goyle, stupido quasi quanto cattivo, venisse buttato fuori; ma anche lui venne promosso. Era un gran peccato ma, come disse Ron, nella vita non si poteva avere tutto.

Improvvisamente poi, un bel giorno, i loro guardaroba si svuotarono, i bauli si riempirono, il rospo di Neville fu trovato acquattato in un angolo dei bagni, e a tutti gli studenti vennero distribuiti avvisi scritti di non usare la magia durante le vacanze (« Spero sempre che si dimentichino di darceli » aveva detto Fred Weasley tutto triste). Hagrid si presentò per accompagnarli giù al lago, dove li attendeva una flottiglia di barche per traghettarli; tutti salirono a bordo dell'Hogwarts Express, ridendo e chiacchierando mentre la campagna filava via sempre più verde e ordinata. Si rimpinzarono di Gelatine Tuttigusti+1 mentre fuori dal finestrino guardavano sfrecciare le città dei Babbani; si tolsero gli abiti da mago e rimisero giacche e soprabiti; poi, alla fine, giunsero al binario nove e tre quarti della stazione di King's Cross.

Ci volle un po' prima che tutti si allontanassero dal binario. Al passaggio c'era un'anziana guardia rattrappita che li fece uscire a due o tre alla volta, in modo che non attirassero l'attenzione saltando fuori tutti insieme da una solida barriera suscitando allarme fra i Babbani.

« Dovete venire tutti e due a trovarci, quest'estate » disse Ron, « vi manderò un gufo ».

« Grazie » disse Harry, « avrò bisogno di qualcosa di bello da aspettare con ansia ».

La gente li urtava mentre procedevano verso il passaggio, pronti a rientrare nel mondo dei Babbani. Qualcuno gridò: « Ciao, Harry! »

« Ci vediamo, Potter! »

« Sei ancora una celebrità » gli fece Ron con un sorrisetto.

« Ma non dove sono diretto, sta' pur certo » fece Harry di rimando.

Lui, Ron e Hermione uscirono insieme.

« Eccolo, mamma, è lì, guarda! »

Era Ginny Weasley, la sorellina di Ron, ma non era il fratello che indicava.

« Harry Potter! » strillò. « Guarda, mamma, lo vedo... »

« Sta' zitta, Ginny, è maleducazione segnare a dito le persone ».

La signora Weasley li guardò dall'alto e sorrise.

« Allora, è stato un anno impegnativo? » chiese.

« Molto » rispose Harry. « Signora, volevo ringraziarla per le caramelle e il maglione ».

« Ma figurati, caro ».

« Sei pronto? »

Era zio Vernon, paonazzo in volto come sempre, baffuto come sempre, e come sempre arrabbiato per la faccia tosta di Harry, che nel bel mezzo di una stazione affollata di gente comune andava in giro con una civetta in gabbia. Dietro di lui c'erano zia Petunia e Dudley, che alla sola vista di Harry assunse un'espressione atterrita.

« Voi dovete essere i parenti di Harry! » fece la signora Weasley.

« In un certo senso » rispose zio Vernon. « Spicciati, ragazzo, non abbiamo mica tempo da perdere ». E si avviò.

Harry rimase indietro per scambiare un ultimo saluto con Ron e Hermione.

« Allora ci vediamo quest'estate ».

« Spero che tu... ehm... faccia buone vacanze » disse Hermione lanciando un'occhiata dubbiosa a zio Vernon, ancora incredula che qualcuno potesse essere tanto antipatico.

« Ma sicuro » rispose Harry, e i due compagni rimasero meravigliati nel vedergli spuntare in volto un largo sorriso. « *Loro* mica lo sanno, che non abbiamo il permesso di usare la magia a casa. Mi divertirò un mondo con Dudley, quest'estate... »

INDICE

Questo libro è stampato su carta Pamo di Mochenwangen
certificata FSC e amica delle foreste:
le fibre utilizzate provengono da foreste
gestite in forma responsabile.

Fotocomposizione Editype s.r.l.
Agrate Brianza (Milano)

Finito di stampare
nel mese di aprile 2011
per conto della Adriano Salani Editore S.p.A.
dal Nuovo Istituto Italiano d'Arti Grafiche - Bergamo
Printed in Italy